日商簿記 2級

光速マスター NEO

工業簿記

問題集

［第4版］

JN063317

はしがき

　簿記とは、取引を帳簿に記入するための技術です。簿記の力を身につけるためには、テキストを読んで理解するだけではなく、理解した技術を自らの手で実践することが重要です。

　本書は、テキストである「日商簿記2級光速マスターNEO 工業簿記テキスト」で学んだことを、実際どのくらい理解しているかどうかを試し、確認していただくための問題集です。そして、本書を繰り返し解くことで、日商簿記検定2級の合格に必要な知識を効果的に身につけられるように工夫しています。

〈本書の特長〉

　本書は、『日商簿記2級光速マスターNEO 工業簿記テキスト』に合わせて発刊したものです。

　上記テキストの学習進度に合わせて問題を解いていくことで、より簡単に知識を定着させ、応用力を養成することができるようにしています。

　これにより、日商簿記2級試験合格をよりスピーディーに引き寄せることを目的としています。

　本書は、問題編を〈基本〉と〈応用〉に分け、さらにすべての問題の解答と詳細な解説を掲載した解答・解説編の3部で構成しています。

問題編

　問題1から74までの74題を掲載しています。このうち、問題1から37までの37題を基本問題、問題38から74までの37題を応用問題と位置づけています。

基本：基礎的な力を養うための問題です。各問題に、「日商簿記2級光速マスター NEO 工業簿記テキスト」に対応した章、目標解答時間、解答・解説の掲載ページを示しています。

応用：本試験に対応していく力を養うための問題です。各問題に重要度、目標解答時間、解答・解説の掲載ページを示しています。

解答・解説編

　問題1から71までの解答・解説を掲載しています。

簿記の力は、就職、キャリアアップ、または独立開業など、社会のあらゆる場面で活かすことができます。身につけた力がこれほど直接役立つ資格はありません。

　本書を活用していただき、みなさまが合格の栄冠を勝ちとられることを祈念しております。

2022年2月吉日

株式会社東京リーガルマインド

ＬＥＣ総合研究所　日商簿記試験部

■ ■ ■ 本書を使用するにあたって ■ ■ ■

❶ 学習を始める前に

簿記の学習は、次のものを準備して始めましょう。

［準備するもの］

鉛筆またはシャープペンシル、消しゴム、電卓

日商簿記検定は、自分で用意した電卓を持って受験します。また、鉛筆またはシャープペンシルを使って答案を作成します。ですから、普段の学習も必ずこれらを準備して行いましょう。

電卓は、日商簿記検定2級の受験に際しては、一般的に販売されているものを使っていただいてかまいません。手のひらくらいの大きさのものが、大きく使いやすいでしょう。

❷ 勉強の方法

本書は、「日商簿記2級光速マスターNEO 工業簿記テキスト」で得た知識を用いて演習を行う問題集です。テキストと問題集を効果的に使用して、簿記の力を身につけていきましょう。

1. 問題編〈基本〉で基礎的な力を養いましょう。

［学習方法］

「日商簿記2級光速マスターNEO 工業簿記 テキスト」では、日商簿記検定2級の合格のために必要な知識を解説しており、自分の学習ペースに合った7日・11日・15日を目安にした進度で学習できるように構成しています。本書の問題編〈基本〉に掲載した37題には、テキストに対応する章番号が示してあります。

1日目で「日商簿記2級光速マスターNEO 工業簿記 テキスト」の第1章を学習したら、本書の問題編〈基本〉に掲載した問題のうち、「第1章」というマークのついたものを解きましょう。同じように、2日目で第2章を学習したら、

問題編〈基本〉の「第2章」の問題を解く、といった章ごとに対応した順序で学習を進めていきます。

　理解と問題演習を並行した学習によって、充分な基礎力を獲得することができます。この基礎力が、より難易度の高い問題や、さまざまな論点を組み合わせた応用的な問題を解くための土台となります。

2. 問題編〈応用〉で本試験に対応していく力を養いましょう。

　「日商簿記2級光速マスターNEO 工業簿記テキスト」と本書の問題編〈基本〉を使っての学習を終えたら、問題編〈応用〉に掲載した問題を解いていきましょう。

　問題編〈応用〉の問題は、日商簿記検定2級の出題形式に合わせて、費目別計算、個別原価計算、部門別計算、総合原価計算、財務諸表作成、標準原価計算、直接原価計算、本社工場会計、仕訳対策の9つのの論点に分類してあります。さらに、重要度も示してあるため、本試験で合格点をとるための目安を掴むことができます。

3. 解答・解説編で復習し、何度も解き直しましょう。

　本書ではすべての問題に目標解答時間を示しています。しかし、初めて解くときはあまり時間にこだわる必要はありません。解答手順や計算方法をそのまま覚えてしまうのではなく、まずは、解説をよく読み、本質的な理解に努めましょう。また、テキストのどの項目から出題された問題かがわかるようにしてありますので、必要に応じてテキストに戻って丁寧に復習しましょう。

　すべての問題を解き終えたら、もう一度解き直しましょう。解き直す際は、目標解答時間を意識して、時間内に解き終えることができるようにしてください。

簿記は技術です。技術を身につけるためには、知識を得るだけでなく、その知識を使って実践してみることが重要です。例えば、スノーボードが上手になるためには、スクールに行って習っただけではなかなかうまくいきません。自分で実際に練習することで上達していくのです。これと同じように、簿記の力も問題演習で練習を積むことによって身についていきます。

解答用紙のダウンロード・サービス

本書に直接書き込んでしまった方が解き直しの際に不都合を感じないように、解答用紙のダウンロード・サービスを提供しています。下記の URL にアクセスしてください。

アクセス方法

LECのインターネットホームページにアクセス

URL **www.lec-jp.com/boki/book**

「書籍購入者専用ページ」の中の「日商簿記」から書籍名を選んでクリック

ID入力画面で本書専用ID「BBDD」を入力し、後は画面の指示に従って登録してください

専用ID：**BBDD** 送信

解答用紙のダウンロード・サービスがご利用できます

■CONTENTS■

問題編

解答・解説編

※ A 、 B 、 C は重要度を表しています。 A 重要度が特に高い　 B 重要度が高い　 C 余裕がある時に解く問題

本書の効果的活用法

■テキストと一緒に解こう！

問題編〈基本〉には、問題番号1～37の問題を掲載しています。

「光速マスターNEOテキスト」での学習と並行して解くことができます。

■学習後のチェック

すべての問題にチェック欄がついています。解き終わった問題にチェックを入れたり、理解できたときに日付を入れたりして利用しましょう。

■テキストと対応した構成

「光速マスターNEOテキスト」の何章の内容に対応した問題なのかが分かります。

「光速マスターNEOテキスト」と問題編〈基本〉を使って学習を行うことで、合格のための基礎力が身につきます。

問題編〈基本〉

● 第　一巡の仕訳と勘定記入

基本　目標20分　解答・解説 ▶ P143　check ☐☐☐

テキスト 第1章

1　一巡の仕訳と勘定記入

取引を仕訳し、勘定に転記しなさい。なお、勘定は締め切らなくてよい。

| 料 | 買 掛 金 | 賃 金 | 当 座 預 金 |
経 費 | 仕 掛 品 | 製造間接費 | 製 品 |
売 掛 金 | 売 上 | 売上原価 |

1．材料仕入額950,000円(掛仕入)
2．材料払出額1,000,000円、うち750,000円は直接材料費である。
3．賃金支払額870,000円(小切手支払い)
4．賃金消費額882,000円、うち600,000円は直接労務費である。
5．経費支払額140,000円(小切手支払い)
6．経費消費額142,000円、うち20,000円は直接経費である。

■解答・解説頁

ここで解答・解説が本書の何ページに載っているのかを確認することができます。解答・解説は、解答・解説編にまとめて掲載しています。

■解答時間の目安

目標解答時間を示しています。問題を解く際の目安にしてください。

■本試験対策をしよう！

問題編〈応用〉には、問題番号38～74の問題を掲載しています。

本試験レベルの問題に対応するための演習として解いていきましょう。

■論点ごとの構成

問題編〈応用〉には、9つの分野にわけて問題を掲載しています。

論点ごとに集中して問題を解くことで、より理解を深めることができます。

■出重要度

学習の重要度をA、B、Cで示しています。

重要度 A →重要度が特に高い

重要度 B →重要度が高い

重要度 C →余裕がある時に解く問題

特に、重要度が高いAが付けられた問題は、重点的に練習しましょう。

問題編〈応用〉

● 材　　費

重要度

応用　目標20分　解答・解説 ▶ P264　check ☐☐☐

B

38　材料副費

以下の〔資料〕に基づいて、解答用紙の材料勘定の(　)内に適当な金額を記入しなさい。

X部品Tに関する1月中の記録は次のとおりである。

1日	前月繰越	10個	購入原価	@12,000円
6日	掛仕入	200個	購入代価	@12,000円
	引取費用28,000円は当社が負担			
9日	製造指図書№101に対する出庫	160個		
11日	掛仕入	300個	購入代価	@11,500円
	引取費用46,500円は当社が負担			
12日	製造指図書№102に対する出庫	140個		

■テキストと一緒に解こう!

問題ごとに、「光速マスター
NEOテキスト」の何章からの
出題なのかが分かります。
テキストに戻ってじっくり復
習したい場合に便利です。

●解答・解説編

6 消費賃金の計算

解答

	借方科目	金 額	貸方科目	金 額
①	未 払 賃 金	142,500	賃 　 金	142,500
		95,000	未 払 賃 金	95,000
		1,045,000	賃 　 金	1,045,000

解説

ここが
ポイント!
消費賃金とは、直接労務費と間接労務費のことです。材料消費額の計
算と同様に予定賃率を用いて計算することができ、その場合、賃率差
異という原価差異が生じます。予定賃率に基づく消費賃金が実際賃率
に基づく消費賃金より小さければ借方差異(不利差異)、大きければ貸方差異(有
利差異)になります。

1．予定賃率の算定
年間予定賃金額(賃金予算)14,820,000円を年間予定総就業時間15,600時
間で割り算すれば、予定賃率を求めることができます。
予定賃率：14,820,000円÷15,600時間＝@950円

■問題の要点を確認できる

問題を解く時に注目すべき点
や中心となっている論点を説
明しています。
出題者の意図をつかみ、解法
のポイントを確認しましょう。

■解法の注意点がわかる

受験生が間違えやすいとこ
ろや、わかりにくい部分を詳
しく解説しています。
解答を導く過程で特に重要
な点や、見逃してはならない
点を意識することで、解答の
テクニックを身につけるこ
とができます。

賃率差異：(標準賃率200円/h－実際賃率210円/h)×実際時間1,320h
　　　　　＝△13,200円(借方差異)
作業時間差異：標準賃率200円/h×(標準時間1,306h－実際時間1,320h)
　　　　　　　＝△2,800円(借方差異)

⚠ここに注意!

分析の際の標準消費量や標準直接作業時間は、次のように各自で計算が必要に
なります。
標準消費量＝単位あたり標準消費量×当月投入量
標準直接作業時間＝単位あたり標準直接作業時間×当月投入加工換算量

3．製造間接費差異
当月投入製造間接費の標準原価：@150円×653個＝97,950円
当月投入製造間接費の実際発生額：99,000円(製造間接費勘定借方合計より)
製造間接費差異：標準原価97,950円－実際発生額99,000円
　　　　　　　　＝△1,050円(借方差異)

■関連事項を整理できる

問題で問われた論点と関わ
りのある内容をまとめてい
ます。
関係した論点を合わせて復
習することで、さらに理解を
深めることができます。

復習しよう!
標準原価差異の計算を行う場合には、図の中での引き算は必ず内側
(標準)の数値から外側(実際)の数値を引きます。引き算の順序を間
違えると、差異が貸方差異なのか借方差異なのかを間違えかねないので、気を
つけましょう。

■解法の手順がわかる

特に解法に注意したい問題
は、解答を導くまでの手順を
分かりやすく示しました。
簿記全体の流れを把握し、ひ
とつひとつの処理の意味を
理解して解くことができる
ようになります。

しょう(以下では売上高をX円とした場合で解説していきます)。

STEP 1 当期の固定加工費総額を求めます。

完成品原価から逆算して固定加工費の期間総額を算定します。なお当期は期首・
期末に仕掛品がありませんから、当期投入は当期完成1,000個と等しくなります。
固定加工費総額：@800円×1,000個＝800,000円

STEP 2 当期の直接原価計算による損益計算書から営業利益を求めます。➡問1

当期販売量800個のときの損益計算書を作成して営業利益を求めます。
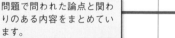

損 益 計 算 書	
I 売 上 高	4,800,000 ← @6,000円×800個

解答・
解説編

「ネット試験（CBT方式）」導入でますます受験しやすい検定試験に‼

　日商簿記２級検定試験は、高校程度の商業簿記および工業簿記（初歩的な原価計算を含む）を習得している程度の出題がなされます。すなわち、中規模程度の株式会社の簿記と考えてください。

　合格点は70点です。競争試験ではありませんので、十分な対策・勉強をすることで合格できる試験といえます。

　日商簿記検定試験２級は、2020年11月の検定試験までは「答案用紙」に解答を記入する「ペーパー試験」（以下、「統一試験」）のみで実施されていましたが、安定した受験機会の確保やデジタル社会にふさわしい試験とするために、2020年12月からは「ネット試験（CBT方式）」も始まりました。

　「統一試験」は従来どおり実施されていますので、受験機会や方法の選択肢が増えたことになります。これにより、たとえば「統一試験」を受験する予定で勉強をすすめている途中でも、実力がついたところで「統一試験」を待たずに「ネット試験」を受験するということも可能になります。選択肢が増えたことで、これまでにも増してますます受験しやすい試験となっています。

　以下、試験概要とそれぞれの受験までの流れについてご案内いたします。

1. 試験概要

　下記は、「ネット試験」「統一試験」共通です。

● **受験資格**　年齢・性別・学歴・国籍による制限はありません。誰でも受験できます。

● **合格基準点**　合格点　70点以上（100点満点）

● **試験科目**　商業簿記・工業簿記（レベル中級）

● **「合格」の扱い**　「ネット試験」「統一試験」の合格は同じ扱いになります。履歴書等には「日商簿記検定２級取得」と記載できます。

2.「ネット試験（CBT方式）」と「統一試験（ペーパー試験）」の申込みから受験までの流れ

	ネット試験（CBT方式）※1	統一試験（ペーパー試験）
試験日	試験センターが定める日時において随時受験可	6月第2週、11月第3週、2月第4週※2
試験会場	日本商工会議所が指定する試験センター	各商工会議所や指定の会場
受験申込み方法	「株式会社CBT-Solutionsの日商簿記申込専用ページ」から申込み https://cbt-s.com/examinee/examination/jcci.html ※受験希望日時、希望受験会場、受験者情報を入力し、受験料・申込み手数料を決済	各商工会議所の指定する方法で申込み（ネット・窓口・書店など）※2
試験時間・出題数	90分（5題出題） （出題内容は次ページ参照）	
出題範囲	日本商工会議所が定める「簿記検定出題区分表」に則して出題	
受験料	4,720円（ネット試験・統一試験とも同額）※3	
解答方法	①試験センター設置の端末に、受験者ごとに問題が配信される。 ②キーボード・マウスを使用して解答を入力（プルダウン＋入力式）	答案用紙に解答を記載。 ネット試験の「プルダウン式」や「入力式」と共通にするため、一覧から選択する方式となる問題もある。
合格発表	①試験終了後に自動採点され、パソコン画面に結果が表示される。 ②QRコードから＜デジタル合格証＞が即日取得できる。	実施後、2～3週間程度必要となる。
その他	計算用紙が2枚配付される。試験終了後に回収。	計算用紙は冊子に綴じ込まれています。

※1 「ネット試験」詳細は商工会議所検定（HP）の案内をご確認ください。
　　https://www.kentei.ne.jp/
※2 各商工会議所により申込期間および申込方法が異なりますので、最寄りの商工会議所の案内でご確認ください。
　　http://www5.cin.or.jp/examrefer/
※3 「統一試験」では、別途事務手数料が必要となる場合がございます。
　　詳細は商工会議所検定（HP）でご確認ください。

日商簿記２級 傾向と対策

■ 試験の出題形式 ■

　日商簿記検定２級は、第１問から第５問までの５題の問題が出題されます。制限時間は90分です。100点満点で、70点以上得点できれば合格となります。第１問から第３問は商業簿記、第４・５問は工業簿記から出題されます。

第１問	**[出題内容]** 仕訳問題が5題 **[配点]** 20点	幅広い範囲から仕訳問題が５題出題されます。解答に使用する勘定科目は、語群やプルダウンから選択します。１題あたり２～３分程度で解答する必要があるため、早さと正確性の両方を身に付ける必要があります。
第２問	**[出題内容]** 連結精算表、連結財務諸表、勘定記入、空欄補充などに関する問題 **[配点]** 20点	一つの論点を系統的に理解できているかを問う問題が出題されます。具体的には、連結会計、純資産会計、銀行勘定調整表、商品売買、有価証券、固定資産などが出題されます。
第３問	**[出題内容]** 個別財務諸表などの個別決算に関する問題 **[配点]** 20点	財務諸表を中心として、精算表や決算整理後残高試算表などの出題が想定されます。本支店会計では、本支店合併財務諸表や決算における帳簿上の処理が出題される可能性があります。出題される決算整理の多くはパターン化しているので、決算整理仕訳をしっかりと学習することが大切です。
第４問	**[出題内容]** (1)仕訳問題 (2)原価計算などの問題 **[配点]** 28点 　　　 (1) 12点 　　　 (2) 16点	（1）では仕訳問題が３題出題されます。勘定連絡図に基づいた工業簿記全体の仕組みを理解しているかが重要です。（2）では個別原価計算や総合原価計算に基づいた原価計算が出題の中心です。また、財務諸表作成や勘定記入も出題される可能性があります。
第５問	**[出題内容]** 標準原価計算の差異分析、ＣＶＰ分析などの直接原価計算 **[配点]** 12点	標準原価計算における差異分析と直接原価計算におけるＣＶＰ分析（損益分岐点分析）が出題の中心です。直接原価計算に基づく損益計算書も出題される可能性があります。

【ネット試験における注意点】
　１．仕訳問題における勘定科目は選択式（プルダウン方式）です。
　２．金額を入力する時は数字のみ入力します。カンマを入力する必要はありません。
　３．財務諸表作成などの問題で、科目名の入力が必要な場合もあります。

※その他「ネット試験」詳細は商工会議所の案内をご確認ください。
　https://www.kentei.ne.jp/

問 題 編

■■■■ 基本 ■■■■

問題編〈基本〉には、本試験レベルの問題を解
くための基本となる問題を掲載しました。「日商
簿記2級光速マスターNEO 工業簿記 テキスト」
を使って1章分の学習が終わったら、問題編〈基
本〉の対応する各章の問題を解いて理解を深め
ましょう。自分に合ったペースで、問題編〈基本〉
を進めていくことで、本試験レベルの問題に対応
していくための基礎力を身につけていきます。

基　本　目標 **20**分　解答・解説 ▶ **P143**　check ☑ ☑ ☑

1 一巡の仕訳と勘定記入

次の取引を仕訳し、勘定に転記しなさい。なお、勘定は締め切らなくてよい。

材　　　料	買　掛　金	賃　　　金	当 座 預 金
経　　　費	仕　掛　品	製造間接費	製　　　品
売　掛　金	売　　　上	売 上 原 価	

1．材料仕入額950,000円（掛仕入）
2．材料払出額1,000,000円、うち750,000円は直接材料費である。
3．賃金支払額870,000円（小切手支払い）
4．賃金消費額882,000円、うち600,000円は直接労務費である。
5．経費支払額140,000円（小切手支払い）
6．経費消費額142,000円、うち20,000円は直接経費である。
7．製造間接費配賦額654,000円
8．完成品製造原価1,900,000円
9．売上高2,157,500円（掛売上）
10．製品売上原価1,726,000円を売上原価勘定に振替えた。

解答用紙

	借方科目	金　　額	貸方科目	金　　額
1				
2				
3				
4				
5				
6				
7				
8				
9				
10				

材　　料		
前 月 繰 越	180,000	仕 掛 品
買 掛 金		製造間接費

賃　　金		
当 座 預 金		未 払 賃 金　124,000
		仕 掛 品
		製造間接費

経　　費		
前 払 経 費	5,000	仕 掛 品
当 座 預 金		製造間接費

製　　品		
前 月 繰 越	286,000	売 上 原 価
仕 掛 品		

仕　掛　品		
前 月 繰 越	230,000	製 　 品
材 　 料		
賃 　 金		
経 　 費		
製造間接費		

製 造 間 接 費		
材 　 料		仕 掛 品
賃 　 金		
経 　 費		

売 上 原 価	
製 　 品	

売　　上	
	売 掛 金

基 本　目標 **10**分　解答・解説 ▶ **P146**　check ☑ ☑ ☑　テキスト **第2章**

2 材料の購入

次の勘定科目を用いて、以下の一連の取引を仕訳しなさい。

材　　料　　買　掛　金　　材 料 副 費　　材料副費配賦差異

1．素材100kg（購入代価1,000円／kg）、工場消耗品20,000円（購入代価）を掛けで
　仕入れた。この際、材料副費として3,000円を予定配賦した。
2．材料副費の実際発生額は3,500円であった。予定配賦額と実際発生額との差額
　を材料副費配賦差異として認識した。
3．素材について、2,000円の値引きを受けた。

解答用紙

	借方科目	金　　額	貸方科目	金　　額
1				
2				
3				

基　本　目標 **20分**　解答・解説 ▶ **P148**　check

3 材料の消費（実際価格）

2
章

次の資料に基づき、各問に答えなさい。

〔資料〕

8/ 1	前月繰越	@1,000円	200個
3	材料掛購入	@1,200円	300個
15	材料出庫（直接材料）		300個
21	材料出庫（間接材料）		100個
25	材料掛購入	@1,260円	300個

なお、月末に実地棚卸を行ったところ、350個の材料が確認された。

問1　先入先出法に基づき、直接材料費、間接材料費、棚卸減耗損について計算し、それぞれの仕訳を答えなさい。

問2　移動平均法に基づき、直接材料費、間接材料費、棚卸減耗損について計算しなさい。

問3　総平均法に基づき、直接材料費、間接材料費、棚卸減耗損について計算しなさい。

解答用紙

問1

直接材料費：	円
間接材料費：	円
棚卸減耗損：	円

日付	借方科目	金　額	貸方科目	金　額
8 /15				
8 /21				
8 /31				

問2

直接材料費：	円
間接材料費：	円
棚卸減耗損：	円

問3

直接材料費：	円
間接材料費：	円
棚卸減耗損：	円

テキスト
第2章

基　本

目標 **15**分　解答・解説 ▶**P151**　check ☑ ☑ ☑

2
章

4 材料の消費（予定価格）

次の資料に基づき、各問に答えなさい。

1．主要材料の購入・払出に関するデータ

月 初 有 高	50kg	（実際価格@105円）
当 月 購 入	400kg	（実際価格@110円）
計	450kg	
当月払出高	390kg	（すべて直接材料として消費）
月 末 有 高	60kg	
計	450kg	

2．当社では材料の実際消費額の計算は、先入先出法を採用している。

問1　材料消費時に予定価格@100円を用いている場合、材料消費額を計算しなさい。また、そのときの材料消費価格差異を計算し、仕訳を答えなさい。

問2　材料消費時に予定価格@120円を用いている場合、材料消費額を計算しなさい。また、そのときの材料消費価格差異を計算し、仕訳を答えなさい。

解答用紙

問 1

材 料 消 費 額：	円
材料消費価格差異：	円（　　差異）

借方科目	金　　額	貸方科目	金　　額

問 2

材 料 消 費 額：	円
材料消費価格差異：	円（　　差異）

借方科目	金　　額	貸方科目	金　　額

基　本　　目標 **5**分　　解答・解説 ▶ **P154**　　check ☑ ☑ ☑

2
章

5 支払賃金の計算

　　次の資料に基づき、給与支給時の仕訳を答えなさい。なお、勘定科目としては以下のものを使用しなさい。

賃　　金　　　従業員諸手当　　　預　り　金　　　現　　金

〔資料〕

1．支払賃金は前月21日から当月20日までの1ヵ月について計算し、毎月25日に支払っている。

2．直接工に対する支払賃率は@900円／時間である。

3．直接工の作業時間構成は次のようであった。

前月21日～前月末日	当月1日～当月20日
150時間	1,200時間

4．定時外作業手当として135,000円、その他の手当として20,000円を給与支給時に支払っている。

5．社会保険料50,000円、源泉所得税40,000円を給与支給時に控除し、直接工に給与の支払いを行った。

解答用紙

借方科目	金　　額	貸方科目	金　　額

基　本

目標 **15分**　解答・解説 ▶ **P156**　check ☑ ☑ ☑

6 消費賃金の計算

次の資料に基づき、①～⑤までの仕訳を行いなさい。なお、勘定科目としては以下のものを使用しなさい。

賃　　金　　　仕　掛　品　　　製造間接費　　　未 払 賃 金　　　賃 率 差 異

〔資料〕

1．直接工の当月作業時間の内訳（作業時間表）

直接作業時間	1,100時間
間接作業時間	200時間
	1,300時間

なお、直接工の労務費は、予定賃率で計算しており、年間予定賃金総額は14,820,000円、年間予定総就業時間は15,600時間である。

2．直接工の出勤状況（出勤表）は次のようであった。なお、未払賃金は予定賃率を用いて計算している。

前月21日～前月末日	当月1日～当月20日	当月21日～当月末日
150時間	1,200時間	100時間

3．直接工に支給された当月における賃金総額（前月21日～当月20日が給与計算期間）は1,350,000円であった。なお、社会保険料や所得税の預り金についてはないものとする。

① 前月未払賃金の再振替
② 当月未払賃金の見越計上
③ 直接労務費の計上
④ 間接労務費の計上
⑤ 賃率差異の計上

解答用紙

	借方科目	金　　額	貸方科目	金　　額
①				
②				
③				
④				
⑤				

基　本

7 材料費・労務費の計算

目標 **20**分　解答・解説 ▶ **P158**　check ☑ ☑ ☑　テキスト 第2章

次の勘定科目を用いて、以下の一連の取引を仕訳しなさい。

現　　　　金	材　　　　料	買　掛　金	預　り　金
立　替　金	材料消費価格差異	賃　　　　金	未 払 賃 金
仕　掛　品	製 造 間 接 費	賃 率 差 異	

1．当月の主要材料の払出量は、直接材料1,000kg、間接材料200kgであった。な
　お、当工場では、材料払出高の予定価格を材料1kgあたり500円としている。

2．主要材料の月初有高は100kg(原価@490円)、月間の買入高は1,300kg(原価
　@510円)、月末(実際)有高は180kgであった。材料は先入先出法で評価してい
　る。材料の減耗量は正常な数量である。材料消費価格差異と棚卸減耗損を計上
　する。

3．直接工の実際直接作業時間は2,000時間、間接作業時間は500時間であった。
　なお当工場では直接工の労務費を1時間あたり200円の予定賃率で計上してい
　る。

4．直接工賃金の当月支給総額は475,000円である。これから社会保険料、源泉所
　得税など合計55,000円を差引いて現金で支払った。

5．直接工における前月末の未払賃金は40,000円、当月末の未払賃金は50,000円
　であった。当月末の未払賃金と賃率差異を計上する。

解答用紙

	借方科目	金　額	貸方科目	金　額
1				
2				
3				
4				
5				

基 本　目標 **15分**　解答・解説 ▶ **P161**　check ☑ ☑ ☑

8 経費の計算

次の経費に関する資料から、(問1)各経費の当月消費額を計算し、さらに(問2)当月の直接経費と間接経費を求めなさい。

(1)　外注加工賃：前月未払高 ………………………………… 30,000円
　　　　　　　　　当月支払高 …………………………………410,000円
　　　　　　　　　当月未払高 ………………………………… 40,000円
(2)　減価償却費：年　　　額 …………………………………486,000円
(3)　保　険　料：年　　　額 …………………………………390,000円
(4)　電　力　料：当月支払高 …………………………………113,000円
　　　　　　　　　当月測定量に基づく当月発生額 …………120,000円
(5)　ガ　ス　代：固　定　料　金 ……………………………5,000円
　　　　　　　　　当月使用量 ……………………………… 2,236m³
　　　　　　　　　従　量　料　金 ……………………………15円 / m³
(6)　棚卸減耗損：月末材料帳簿棚卸高 ……………… @700円×960個
　　　　　　　　　月末材料実地棚卸高 ……………… @700円×920個
　　　　　　　　　(注)帳簿棚卸高と実地棚卸高の差額はすべて正常なものである。

解答用紙

問1　各経費の当月消費額

(1)	外注加工賃	円	(4)	電　力　料	円
(2)	減価償却費	円	(5)	ガ　ス　代	円
(3)	保　険　料	円	(6)	棚卸減耗損	円

問2　当月の直接経費と間接経費

直　接　経　費	円	間　接　経　費	円

基 本　目標 **10**分　解答・解説 ▶ **P163**　check ☑ ☑ ☑　テキスト 第3章

9 製造間接費の実際配賦

次の資料に基づき、各問に答えなさい。

〔資料〕

	当月消費データ		合　計
	＃100	＃200	
直 接 材 料 費	2,000,000円	3,000,000円	5,000,000円
直 接 労 務 費	2,500,000円	2,500,000円	5,000,000円
直 接 作 業 時 間	3,000時間	7,000時間	10,000時間
機 械 作 業 時 間	30,000時間	20,000時間	50,000時間

当月における製造間接費実際発生額は5,000,000円であった。

問1　直接材料費を基準に、各製造指図書への製造間接費配賦額を計算しなさい。

問2　直接労務費を基準に、各製造指図書への製造間接費配賦額を計算しなさい。

問3　直接作業時間を基準に、各製造指図書への製造間接費配賦額を計算しなさい。

問4　機械作業時間を基準に、各製造指図書への製造間接費配賦額を計算しなさい。

問5　問4の計算結果に基づいて、製造間接費配賦に関する仕訳を答えなさい。

解答用紙

問1

＃100	＃200
円	円

問2

＃100	＃200
円	円

問3

＃100	＃200
円	円

問4

＃100	＃200
円	円

問5

借方科目	金　　額	貸方科目	金　　額

テキスト
第3章

基本　目標 20分　解答・解説 ▶ P165　check ✓ ✓ ✓

10 個別原価計算に関する仕訳

3
章

　当工場では、直接作業時間を基準にして製造間接費を予定配賦している。年間予定直接作業時間は12,000時間であり、年間製造間接費予算は15,600,000円である。

　そして5月は、製造指図書No.3とNo.4さらにNo.5の製造を行った（いずれも当月着手）。そこで、次の(1)〜(5)の取引を仕訳しなさい。ただし、使用する勘定科目は、下記の中から適切なものを選択すること。

現　　金　　材　　料　　仕　掛　品　　製　　　品
賃金・給料　　製造間接費　　原　価　差　異

(1)　5月1日から31日までの材料及び賃金・給料の消費高は、次のとおりであった。

	製　造　指　図　書			製造指図書番号のないもの
	No.3	No.4	No.5	
材　　料	648,000円	540,000円	405,000円	170,000円
賃金・給料	440,000円	385,000円	242,000円	300,000円

(2)　製造指図書No.3とNo.4について、メッキ加工のため、下請企業に無償で支給した部品が、加工後すべて納入されたので、その加工賃200,000円と100,000円を現金でそれぞれ支払った。なお、納入品は、検査してただちに製造現場へ引渡された。

(3)　予定配賦率を用いて、製造間接費を各製造指図書に配賦した。なお5月の直接作業時間は、次のとおりであった。

直接作業時間	製造指図書No.3	製造指図書No.4	製造指図書No.5
	400時間	350時間	220時間

(4)　製造指図書No.3とNo.4が完成した。

(5)　製造間接費配賦差異を計上した。ただし、5月の実際製造間接費発生額は、上述したものを含めて、総額で1,286,000円であった。

解答用紙

	借方科目	金　　額	貸方科目	金　　額
(1)				
(2)				
(3)				
(4)				
(5)				

基　本

11 原価計算表と勘定の関係

目標 **20分**　解答・解説 ▶ **P168**　check ☑☑☑

3 章

　当社では実際個別原価計算を行っている。次に示した当社の〔原価記録〕に基づき、解答用紙の仕掛品勘定と製品勘定の（　　）内に適当な金額を記入しなさい。なお、仕訳と元帳転記は月末に行っている。

〔原価記録〕

原価計算票		製造指図書№101
直接材料費	11/ 6	345,000円
直接労務費	11/ 6〜11/28	280,000円
製造間接費	11/ 6〜11/28	444,000円
合　計		1,069,000円
製造着手　11/ 6　完成入庫　11/28		
注文引渡　12/ 4		

原価計算票		製造指図書№102
直接材料費	11/13	750,000円
直接労務費	11/13〜11/30	350,000円
	12/ 1〜12/ 8	262,500円
製造間接費	11/13〜11/30	600,000円
	12/ 1〜12/ 8	450,000円
合　計		2,412,500円
製造着手　11/13　完成入庫　12/8		
注文引渡　12/12		

原価計算票		製造指図書№103
直接材料費	12/ 8	375,000円
直接労務費	12/ 8〜12/29	332,500円
製造間接費	12/ 8〜12/29	480,000円
合　計		1,187,500円
製造着手　12/ 8　完成入庫　12/29		
注文引渡　___ （12月末現在未引渡）		

原価計算票		製造指図書№104
直接材料費	12/25	960,000円
直接労務費	12/25〜12/31	112,000円
製造間接費	12/25〜12/31	192,000円
合　計		1,264,000円
製造着手　12/25　完成入庫　___		
注文引渡　___ （12月末現在未完成）		

解答用紙

仕　掛　品

12/ 1 月 初 有 高	1,700,000	12/31 当 月 完 成 品	(　　　　)
31 直 接 材 料 費	(　　　　)	〃 月 末 有 高	(　　　　)
〃 直 接 労 務 費	(　　　　)		
〃 製 造 間 接 費	(　　　　)		
	(　　　　)		(　　　　)

製　　品

12/ 1 月 初 有 高	1,069,000	12/31 売 上 原 価	(　　　　)
31 当 月 完 成 品	(　　　　)	〃 月 末 有 高	(　　　　)
	(　　　　)		(　　　　)

基本　目標 **20**分　解答・解説 ▶ **P171**　check ✓ ✓ ✓

12 個別原価計算における仕損の処理

3 章

　当工場では、実際個別原価計算を行っている。次の資料に基づき、解答用紙の原価計算表および仕掛品勘定を完成させなさい。なお、仕訳と元帳転記は月末に行っている。

〔資料〕

1．直接材料費に関するデータ

　　直接材料費の計算にあたっては予定価格@500円 / kgを用いている。

製造指図書 No.101	製造指図書 No.101- 1	製造指図書 No.200
500kg	100kg	400kg

2．直接労務費に関するデータ

　　直接労務費の計算にあたっては予定賃率@1,000円 / hを用いている。

製造指図書 No.101	製造指図書 No.101- 1	製造指図書 No.200
100h	10h	80h

3．製造間接費に関するデータ

　　製造間接費の計算にあたっては予定配賦率@1,500円を用いており、直接作業時間を基準に配賦する。

4．製造指図書 No.101- 1 は、No.101の一部が仕損となり、その補修のために発行された補修指図書である。なお、No.101は当月に完成し、引渡済みである。

5．製造指図書 No.101は、前月に着手したものであり、前月繰越高は25,000円であった。当月において完成した。また、製造指図書 No.200は、当月に着手したものであり、月末において仕掛中である。

解答用紙

	No.101	No.101- 1	No.200	合　計
前 月 繰 越				
直 接 材 料 費				
直 接 労 務 費				
製 造 間 接 費				
小　　　　計				
仕　損　費				
合　　　　計				
備　　　考				

仕　掛　品

前 月 繰 越	(	)	製　　　　品	(	)
材　　　料	(	)	仕　掛　品	(	)
賃　　　金	(	)	次 月 繰 越	(	)
製 造 間 接 費	(	)			
仕　掛　品	(	)			
	(	)		(	)

基　本　　目標 **15分**　解答・解説 ▶ **P174**　check ☑ ☑ ☑

13 製造間接費の予定配賦（固定予算）

次の資料に基づき、各問に答えなさい。

〔資料〕

1．製造間接費月間予算
 (1) 予算額　　　　　5,000,000円
 (2) 基準操業度　　　10,000時間

2．当月の製造間接費実際発生額
 (1) 実際発生額　　　4,920,000円
 (2) 実際操業度　　　9,300時間

3．製造間接費予算として固定予算を用いている。

4．差異計算にあたっては、借方差異か貸方差異かまで解答すること。

問1　製造間接費予定配賦率を計算しなさい。

問2　製造間接費予定配賦額を計算するとともに、仕訳を答えなさい。

問3　製造間接費配賦差異を計算するとともに、仕訳を答えなさい。

問4　製造間接費配賦差異の内訳として、予算差異と操業度差異を計算し、仕訳を
　　答えなさい。

解答用紙

問1

予定配賦率：	円

問2

予定配賦額：	円

借方科目	金　額	貸方科目	金　額

問3

製造間接費配賦差異：	円（　　差異）

借方科目	金　額	貸方科目	金　額

問4

予算差異：	円（　　差異）
操業度差異：	円（　　差異）

借方科目	金　額	貸方科目	金　額

テキスト 第3章

基本　目標 **15**分　解答・解説 ▶ **P178**　check ☑ ☑ ☑

14 製造間接費の予定配賦（変動予算）

次の資料に基づき、各問に答えなさい。

〔資料〕

1．製造間接費月間予算
  (1) 変動予算額　　　2,000,000円
  (2) 固定予算額　　　3,000,000円
  (3) 基準操業度　　　10,000時間

2．当月の製造間接費実際発生額
  (1) 実際発生額　　　4,920,000円
  (2) 実際操業度　　　9,300時間

3．製造間接費予算として公式法変動予算を用いている。

4．差異計算にあたっては、借方差異か貸方差異かまで解答すること。

問1　変動費率、固定費率、製造間接費予定配賦率を計算しなさい。

問2　製造間接費予定配賦額を計算するとともに、仕訳を答えなさい。

問3　製造間接費配賦差異を計算するとともに、仕訳を答えなさい。

問4　製造間接費配賦差異の内訳として、予算差異と操業度差異を計算し、仕訳を答えなさい。

解答用紙

問1

変 動 費 率 :	円
固 定 費 率 :	円
製造間接費配賦率:	円

問2

予定配賦額:	円

借方科目	金　　額	貸方科目	金　　額

問3

製造間接費配賦差異:	円（　　差異）

借方科目	金　　額	貸方科目	金　　額

問4

予 算 差 異 :	円（　　差異）
操 業 度 差 異 :	円（　　差異）

借方科目	金　　額	貸方科目	金　　額

基　本　目標 **15**分　解答・解説 ▶ **P182**　check ☑ ☑ ☑

15 第一次集計

　次の資料に基づき、部門費配賦表を作成しなさい。また、部門費配賦表に基づき、製造間接費から各部門へ振替える仕訳を行いなさい。なお、部門共通費の配賦基準については、適当なものを各自推定すること。

〔資料〕

1．部門共通費

建物減価償却費	1,800,000円
建物火災保険料	450,000円
福利施設負担額	468,000円
電力料	1,190,835円
機械保険料	3,600,000円

2．配賦基準

	切削部門	組立部門	動力部門	修繕部門	工場事務部門	合　計
建物占有面積(㎡)	1,600	1,200	700	700	600	4,800
従業員数(人)	48	56	32	16	4	156
電力消費量(kwh)	120	180	140	60	40	540
機械設備帳簿価額(万円)	3,000	4,500	1,500	1,000	─	10,000

解答用紙

部門費配賦表　　　　　　　　　　（単位：円）

	金額	製造部門		補助部門		
		切削部門	組立部門	動力部門	修繕部門	工場事務部門
部 門 個 別 費	3,491,165	1,761,370	1,252,555	227,140	131,560	118,540
部 門 共 通 費						
建物減価償却費	1,800,000					
建物火災保険料	450,000					
福利施設負担額	468,000					
電 力 料	1,190,835					
機 械 保 険 料	3,600,000					
部 門 費	11,000,000					

借方科目	金 額	貸方科目	金 額

基　本　目標 **15**分　解答・解説 ▶ **P186**　check ☑ ☑ ☑

4章

16 第二次集計（直接配賦法）

次の資料に基づき、直接配賦法により部門費配賦表を作成するとともに、補助部門費配賦に関する仕訳を答えなさい。

〔資料〕

1．部門費（第一次集計額）

切削部門費	12,100,000円
組立部門費	8,430,000円
動力部門費	10,640,000円
修繕部門費	4,464,000円
工場事務部門費	867,300円

2．補助部門費の配賦基準

	配賦基準	切削部門	組立部門	動力部門	修繕部門	工場事務部門
動力部門費	機械運転時間(Mh)	50,000	30,000	—	5,000	250
修繕部門費	修繕回数(回)	10	14	8	—	1
工場事務部門費	従業員数(人)	48	36	12	4	—

解答用紙

部門費配賦表　　　　　　　　　　（単位：円）

	金額	製造部門		補助部門		
		切削部門	組立部門	動力部門	修繕部門	工場事務部門
部　門　費	36,501,300	12,100,000	8,430,000	10,640,000	4,464,000	867,300
動力部門費	10,640,000					
修繕部門費	4,464,000					
工場事務部門費	867,300					
製造部門費	36,501,300					

借方科目	金　額	貸方科目	金　額

テキスト
第4章

基 本 | 目標 **20分** | 解答・解説 ▶ **P189** | check ☑ ☑ ☑

17 第二次集計(相互配賦法)

　次の資料に基づき、相互配賦法により部門費配賦表を作成するとともに、補助部門費配賦に関する１．第一次配賦および２．第二次配賦の仕訳を答えなさい。

〔資料〕

１．部門費(第一次集計額)

切削部門費	12,000,000円
組立部門費	8,700,000円
動力部門費	21,437,500円
修繕部門費	918,600円
工場事務部門費	3,547,050円

２．補助部門費の配賦基準

	配賦基準	切削部門	組立部門	動力部門	修繕部門	工場事務部門	合　計
動力部門費	機械運転時間(Mh)	50,000	35,000	—	250	500	85,750
修繕部門費	修繕時間(時間)	48,000	36,000	4,520	—	3,340	91,860
工場事務部門費	従業員数(人)	100	140	5	10	—	255

解答用紙

部門費配賦表　　　　　　　　　　（単位：円）

	金額	製造部門		補助部門		
		切削部門	組立部門	動力部門	修繕部門	工場事務部門
部　門　費	46,603,150	12,000,000	8,700,000	21,437,500	918,600	3,547,050
第 一 次 配 賦						
動 力 部 門 費						
修 繕 部 門 費						
工場事務部門費						
第 二 次 配 賦						
動 力 部 門 費						
修 繕 部 門 費						
工 場 事 務 部 門 費						
製 造 部 門 費						

	借方科目	金　額	貸方科目	金　額
1				
2				

基　本　　目標 **20**分　解答・解説 ▶ **P193**　check ☑ ☑ ☑

18 部門別計算の仕訳と勘定記入

4
章

　次の一連の取引を仕訳し、勘定に転記しなさい。ただし、使用する勘定科目は次の中から選び、諸口は用いないこと。なお、勘定は締切らなくてよい。また、勘定の日付欄には取引番号を記入すること。

材　　料	賃　　金	経　　費	製造間接費
切削部門費	組立部門費	動力部門費	修繕部門費
仕　掛　品	製　　品		

1．材料費、労務費、経費を以下のように消費した。

	材　料　費	労　務　費	経　　費
No.101	408,000円	210,000円	60,000円
No.102	290,000円	172,000円	36,000円
間接費	272,000円	250,000円	410,000円

2．上記1．で集計した製造間接費を次のとおり各部門に配分した。

　　切削部　432,000円　　組立部　284,000円　　動力部　120,000円
　　修繕部　96,000円

3．補助部門費を次の割合で配賦した。

	切削部門費	組立部門費
動力部門費	55%	45%
修繕部門費	60%	40%

4．切削部門費・組立部門費を次のように各製造指図書に実際配賦した。

	切削部門費	組立部門費
No.101	305,600円	218,400円
No.102	250,000円	158,000円

5．No.101が完成した。ただし、No.101には前月に発生した原価74,000円がある。

解答用紙

	借方科目	金　　額	貸方科目	金　　額
1				
2				
3				
4				
5				

材 料			
前 月 繰 越	××		
当 月 購 入	××		

賃 金			
当 月 支 払	××	前 月 未 払	××

経 費			
前 月 前 払	××		
当 月 支 払	××		

仕 掛 品	
前 月 繰 越	74,000

製 品	
前 月 繰 越	××

製 造 間 接 費

切 削 部 門 費

組 立 部 門 費

動 力 部 門 費

修 繕 部 門 費

4

章

19 単純総合原価計算の基礎

次の資料に基づいて各問に答えなさい。

１．生産データ

月初仕掛品	500個	(0.8)
当月投入	4,300個	
合　　計	4,800個	
月末仕掛品	600個	(0.5)
完成品	4,200個	

・材料は工程の始点で投入する。

・（　　）は加工進捗度を表す。

２．原価データ

	原　料　費	加　工　費
月初仕掛品	176,000円	182,000円
当月投入	1,720,000円	2,050,000円

問１　平均法による場合、①月末仕掛品原価、②完成品総合原価、③完成品単位原価を求めなさい。

問２　先入先出法による場合、①月末仕掛品原価、②完成品総合原価、③完成品単位原価を求めなさい。

解答用紙

問1

①月末仕掛品原価：	円
②完成品総合原価：	円
③完成品単位原価：	円

問2

①月末仕掛品原価：	円
②完成品総合原価：	円
③完成品単位原価：	円

5
章

テキスト
第5章

基　本　目標 **15**分　解答・解説 ▶ **P202**　check ☑ ☑ ☑

20 単純総合原価計算(複数原材料)

　当社は、製品αを量産している。工程始点でＡ原料、工程50%地点にてＢ原料、工程を通じて平均的にＣ原料、工程の終点でＤ原料を投入している。次の資料に基づき、①月末仕掛品原価、②完成品総合原価、③完成品単位原価を算定しなさい。

１．生産データ

```
月 初 仕 掛 品      500個  (0.3)
当 月 投 入    1,400個
合       計    1,900個
月 末 仕 掛 品      300個  (0.7)
完   成   品    1,600個
```

・先入先出法により、月末仕掛品原価を計算する。

・(　)は加工進捗度を表す。

２．原価データ

	A原料	B原料	C原料	D原料	加工費
月初仕掛品	24,000円	0円	1,600円	0円	3,150円
当月投入	71,400円	30,400円	21,580円	25,750円	51,460円

解答用紙

①月末仕掛品原価：	円
②完成品総合原価：	円
③完成品単位原価：	円

基　本

21

目標 **15分**　解答・解説 ▶ **P206**　check ☑ ☑ ☑

テキスト
第6章

単純総合原価計算（正常減損）1

　当社は単純総合原価計算を採用している。以下の資料に基づき、各問に答えなさい。

1．生産データ

月 初 仕 掛 品	300個	（40％）
当 月 投 入	1,000個	
合　　　　　計	1,300個	
正 常 減 損	100個	
月 末 仕 掛 品	200個	（60％）
完 成 品	1,000個	

・原料は工程の始点で投入する。
・平均法により、月末仕掛品原価を計算する。
・（　　）は加工進捗度を表す。
・正常減損の処理方法としては、度外視法を採用している。

6
章

2．原価データ

	原 料 費	加 工 費
月初仕掛品	168,000円	918,330円
当 月 投 入	1,080,000円	3,180,870円

問1　正常減損が加工進捗度20％で生じる場合、①完成品総合原価及び②月末仕掛品原価を計算しなさい。

問2　正常減損が加工進捗度80％で生じる場合、①完成品総合原価及び②月末仕掛品原価を計算しなさい。

問3　正常減損が終点で生じる場合、①完成品総合原価及び②月末仕掛品原価を計算しなさい。

解答用紙

	完成品総合原価	月末仕掛品原価
問1	円	円
問2	円	円
問3	円	円

テキスト
第6章

基　本

目標 15分　解答・解説 ▶ **P210**　check ☑ ☑ ☑

22 単純総合原価計算（正常減損）2

　当社は単純総合原価計算を採用している。以下の資料に基づき、各問に答えなさい。

1．生産データ

月初仕掛品	300個	（40％）
当 月 投 入	1,000個	
合　　　計	1,300個	
正 常 減 損	100個	
月末仕掛品	200個	（60％）
完 成 品	1,000個	

・原料は工程の始点で投入する。
・先入先出法により、月末仕掛品原価を計算する。
・（　）は加工進捗度を表す。
・正常減損の処理方法としては、度外視法を採用している。

2．原価データ

	原 料 費	加 工 費
月初仕掛品	168,000円	420,000円
当 月 投 入	1,080,000円	3,564,000円

問1　正常減損が加工進捗度20％で生じる場合、①完成品総合原価及び②月末仕掛品原価を計算しなさい。

問2　正常減損が加工進捗度80％で生じる場合、①完成品総合原価及び②月末仕掛品原価を計算しなさい。

問3　正常減損が終点で生じる場合、①完成品総合原価及び②月末仕掛品原価を計算しなさい。

解答用紙

	完成品総合原価	月末仕掛品原価
問1	円	円
問2	円	円
問3	円	円

基本 **23** 目標 **20分** 解答・解説 ▶ **P214** check ☑ ☑ ☑

単純総合原価計算（正常仕損）

当社は単純総合原価計算を採用している。以下の資料に基づき、各問に答えなさい。

1．生産データ

月 初 仕 掛 品	300個	（40％）	
当 月 投 入	1,000個		
合 計	1,300個		
正 常 仕 損	100個		
月 末 仕 掛 品	200個	（60％）	
完 成 品	1,000個		

・原料は工程の始点で投入する。

・平均法により、月末仕掛品原価を計算する。

・（　　）は加工進捗度を表す。

・正常仕損の処理方法としては、度外視法を採用している。なお、仕損品は1個あたり480円で売却することができ、主として原材料の価値に依存している。

2．原価データ

	原 料 費	加 工 費
月 初 仕 掛 品	168,000円	918,330円
当 月 投 入	1,080,000円	3,180,870円

問1　正常仕損が加工進捗度20％で生じる場合、①完成品総合原価及び②月末仕掛品原価を計算しなさい。

問2　正常仕損が加工進捗度80％で生じる場合、①完成品総合原価及び②月末仕掛品原価を計算しなさい。

問3　正常仕損が終点で生じる場合、①完成品総合原価及び②月末仕掛品原価を計算しなさい。

解答用紙

	完成品総合原価	月末仕掛品原価
問1	円	円
問2	円	円
問3	円	円

基 本

目標 **15**分　　解答・解説 ▶ **P218**　　check ☑ ☑ ☑

24 工程別総合原価計算

　甲社では、二つの工程を経て製品Aを生産している。そこで、以下の〔資料〕に基づき、解答用紙の工程別総合原価計算表を完成させなさい。

〔資料〕

1．生産データ（単位：個）

	第1工程	第2工程
月初仕掛品	600 (4/5)	700 (1/2)
当月投入	2,200	2,300
合　計	2,800	3,000
月末仕掛品	500 (3/5)	500 (1/2)
完成品	2,300	2,500

2．その他のデータ

⑴　原料はすべて第1工程の始点で投入される。

⑵　月末仕掛品の評価は、第1工程は平均法、第2工程は先入先出法による。

⑶　第1工程完成品はすべて第2工程に振替えられ、第2工程の始点で投入される。

⑷　甲社は、累加法による工程別実際総合原価計算を採用している。

⑸　（　　）内は加工進捗度を示す。

解答用紙

工 程 別 総 合 原 価 計 算 表

	第　1　工　程			第　2　工　程		
	原 料 費	加 工 費	合　　　計	前工程費	加 工 費	合　　　計
月初仕掛品原価	140,000	63,000	203,000	240,000	165,250	405,250
当月製造費用	616,000	405,000	1,021,000		876,000	
合　　　計	756,000	468,000	1,224,000		1,041,250	
差引：月末仕掛品原価						
完成品総合原価						
完成品単位原価	@	@	@	@	@	@

基 本

目標 **15分**　解答・解説 ▶ **P222**　check ☑☑☑

25 等級別総合原価計算1

　当社は等級別総合原価計算を採用しており、等級製品A、B、Cの3種類の製品製造を行っている。以下の資料に基づき、①月末仕掛品原価、②各製品の完成品総合原価、③各製品の完成品単位原価を答えなさい。

1．生産データ

月初仕掛品	1,500個	(0.6)
当 月 投 入	9,000個	
合　　　計	10,500個	
正 常 仕 損	1,000個	(仕損の発生点は不明)
月末仕掛品	2,000個	(0.3)
完 成 品	7,500個	

　　内　訳

A製品：	2,500個
B製品：	3,000個
C製品：	2,000個

・原料は工程の始点で投入する。
・（　　）は加工進捗度を表す。
・月末仕掛品の評価方法として、先入先出法を採用している。
・正常仕損の処理方法として度外視法を採用している。また、評価額は1個あたり8円であり、主として原材料の価値に依存している。

2．原価データ

	原 料 費	加 工 費
月初仕掛品	776,200円	462,200円
当 月 投 入	2,592,000円	1,771,200円

3．等価係数
　　等価係数は製品の重量(g)を基準として、次のように設定されている。

A製品	B製品	C製品
1,000g	800g	750g

解答用紙

月末仕掛品原価		
円		
A 製品完成品総合原価	B 製品完成品総合原価	C 製品完成品総合原価
円	円	円
A 製品完成品単位原価	B 製品完成品単位原価	C 製品完成品単位原価
円	円	円

26 等級別総合原価計算２

　　当社は等級別総合原価計算を採用しており、等級製品Ａ、Ｂ、Ｃの３種類の製品製造を行っている。以下の資料に基づき、①月末仕掛品原価、②各製品の完成品総合原価、③各製品の完成品単位原価を答えなさい。

１．生産データ

月初仕掛品	1,500個	(0.6)
当月投入	9,000個	
合　　計	10,500個	
正常仕損	1,000個	(終点発生)
月末仕掛品	2,000個	(0.3)
完成品	7,500個	

　　　　内　訳

Ａ製品：	2,500個
Ｂ製品：	3,000個
Ｃ製品：	2,000個

・原料は工程の始点で投入する。
・（　　）は加工進捗度を表す。
・月末仕掛品の評価方法として、先入先出法を採用している。
・正常仕損の処理方法として度外視法を採用している。また、評価額は１個あたり80円であり、主として原材料の価値に依存している。

２．原価データ

	原料費	加工費
月初仕掛品	776,200円	462,200円
当月投入	2,592,000円	1,771,200円

３．等価係数
　　等価係数は製品の重量(g)を基準として、次のように設定されている。

Ａ製品	Ｂ製品	Ｃ製品
1,000g	800g	750g

解答用紙

月末仕掛品原価		
円		
A 製品完成品総合原価	B 製品完成品総合原価	C 製品完成品総合原価
円	円	円
A 製品完成品単位原価	B 製品完成品単位原価	C 製品完成品単位原価
円	円	円

基本 27 組別総合原価計算

目標 **15**分　解答・解説 ▶ **P228**　check ☑ ☑ ☑

　当社は組別総合原価計算を採用し、組製品A及びBの2種類の製品を生産している。直接材料費と直接労務費は組製品A及びBに賦課し、製造間接費は直接作業時間を配賦基準にして予定配賦している。次の〔資料〕に基づいて、解答用紙の組別総合原価計算表を完成させなさい。ただし月末仕掛品原価の計算は、組製品Aについては平均法、組製品Bについては先入先出法を用いること。

〔資料〕

1．生産データ（単位：kg）

	組製品A	組製品B
月初仕掛品	100 (1/2)	200 (1/5)
当月投入	600	700
合　計	700	900
月末仕掛品	150 (1/3)	100 (3/5)
正常減損	50	—
完成品	500	800

・（　）内の数値は加工進捗度を示す。

・組製品Aの工程の終点で正常減損が発生しているため、すべて完成品に負担させる。

・直接材料は工程の始点ですべて投入される。

2．当月製造費用

　　直接材料費　　組製品A　2,118,000円　　組製品B　1,190,000円

　　直接労務費　　組製品A　　580,500円　　組製品B　　936,100円

3．当月直接作業時間

　　組製品A　1,600時間　　組製品B　2,400時間

4．年間予定直接作業時間は50,000時間であり、その際の年間製造間接費予算額は25,000,000円と見積もられた。

解答用紙

組別総合原価計算表

	組　製　品　A			組　製　品　B		
	直接材料費	加　工　費	合　　　計	直接材料費	加　工　費	合　　　計
月初仕掛品原価	332,000	119,500	451,500	324,000	100,200	424,200
当 月 製 造 費 用						
合　　　　計						
差引：月末仕掛品原価						
完成品総合原価						
完成品単位原価	@	@	@	@	@	@

基本 28 製造原価報告書

目標 **20分** 解答・解説 ▶ **P232** check ☑☑☑

以下の〔資料〕に基づき、LEC製作所の製造原価報告書を作成しなさい。なお、LEC製作所は実際原価計算を採用し、製造間接費については直接労務費基準により配賦率120%で各指図書に予定配賦している。

〔資料〕

1. 棚卸資産有高

	原　料	補 助 材 料	仕　掛　品
期首有高	1,000万円	100万円	400万円
期末有高	800万円	60万円	1,000万円

2. 賃金・給料未払額

	直接工賃金	間接工賃金	給　料
期首未払	300万円	40万円	100万円
期末未払	400万円	40万円	140万円

3. 原料当期仕入高　　　　4,000万円
4. 補助材料当期仕入高　　620万円
5. 直接工賃金当期支払額　1,900万円
6. 間接工賃金当期支払額　300万円
7. 給料当期支払額　　　　660万円
8. 当期経費
   (1) 電力料　　　　200万円
   (2) 保険料　　　　240万円
   (3) 減価償却費　　700万円
9. その他
   (1) 原料の消費額はすべて直接材料費、補助材料の消費額はすべて間接材料費とする。
   (2) 直接工賃金の消費額はすべて直接労務費、それ以外の労働力の消費額はすべて間接労務費とする。

解答用紙

製 造 原 価 報 告 書　　　　（単位：万円）

I　直 接 材 料 費
　1　期首原料棚卸高　　（　　　　　）
　2　当期原料仕入高　　（　　　　　）
　　　　合　　　計　　　（　　　　　）
　3　期末原料棚卸高　　（　　　　　）　　　（　　　　　）
II　直 接 労 務 費　　　　　　　　　　　　（　　　　　）
III　製 造 間 接 費
　1　間 接 材 料 費　　（　　　　　）
　2　間 接 労 務 費　　（　　　　　）
　3　電　　力　　料　　（　　　　　）
　4　保　　険　　料　　（　　　　　）
　5　減 価 償 却 費　　（　　　　　）
　　　　合　　　計　　　（　　　　　）
　　製造間接費配賦差異　（　　　　　）　　　（　　　　　）
　　当 期 総 製 造 費 用　　　　　　　　　（　　　　　）
　　期首仕掛品棚卸高　　　　　　　　　　（　　　　　）
　　　　合　　　計　　　　　　　　　　　（　　　　　）
　　期末仕掛品棚卸高　　　　　　　　　　（　　　　　）
　　当 期 製 品 製 造 原 価　　　　　　　（　　　　　）

基 本　目標 **15**分　解答・解説 ▶ **P234**　check ☑ ☑ ☑

29 損益計算書

　以下に示した札幌製作所の総勘定元帳の記入に基づき、解答用紙の損益計算書を完成させなさい。なお、原価差異は当期の売上原価に賦課する。

材　料

期首有高	180,000	当期消費高	?
当期仕入	950,000	期末有高	130,000
	1,130,000		1,130,000

賃　金

当期支払高	870,000	期首未払高	124,000
期末未払高	136,000	当期消費高	?
		賃率差異	10,000
	1,006,000		1,006,000

製造間接費

間接材料費	250,000	正常配賦額	640,000
間接労務費	282,000	配賦差異	?
間接経費	122,000		
	654,000		654,000

仕掛品

期首有高	230,000	当期完成高	?
直接材料費	?	期末有高	362,000
直接労務費	?		
製造間接費	?		
	?		?

製　品

期首有高	286,000	売上原価	?
当期完成高	?	期末有高	460,000
	?		?

損　益

売上原価	?	売上	2,200,000
販売費	86,300		
一般管理費	33,700		
?	?		
	2,200,000		2,200,000

売上原価

製品	1,674,000	損益	?
原価差異	?		
	?		?

解答用紙

損 益 計 算 書

Ⅰ 売　　上　　高　　　　　　　　　　　　　　（　　　　　　　）

Ⅱ 売　上　原　価
　1　期首製品棚卸高　　　　　（　　　　　　　）
　2　（　　　　　　　　　　）　（　　　　　　　）
　　　　　合　　　計　　　　　（　　　　　　　）
　3　期末製品棚卸高　　　　　（　　　　　　　）
　　　　　差　　引　　　　　　（　　　　　　　）
　4　原　価　差　異　　　　　（　　　　　　　）　（　　　　　　　）
　　　売上総利益　　　　　　　　　　　　　　　（　　　　　　　）

Ⅲ 販売費及び一般管理費　　　　　　　　　　　（　　　　　　　）
　　　営　業　利　益　　　　　　　　　　　　　（　　　　　　　）

30 標準原価カード

　当社は製品Aを製造・販売しており、原価計算の方法としては標準原価計算を採用している。そこで、以下の〔資料〕に基づき、製品Aの標準原価カードの①〜⑤の数値を推定し、月初・月末仕掛品原価の金額を求めなさい。

〔資料〕

1．生産データ（単位：個）

月初仕掛品	200	(1/4)
当 月 投 入	1,300	
合 計	1,500	
月末仕掛品	300	(1/2)
完 成 品	1,200	

・材料は工程の始点で投入される。
・（ ）内は加工進捗度を示す。

2．製品Aの標準原価カード

費　目	標準価格	標準数量	金　額
直接材料費	300円	（①）kg	1,500円
直接労務費	（②）円	4 時間	3,600円
製造間接費	400円	（③）時間	（④）円
合　計			（⑤）円

3．当月完成品原価（標準原価）　9,000,000円

解答用紙

①		②		③	
④		⑤			

月初仕掛品原価	円
月末仕掛品原価	円

基本 | 目標 **15**分 | 解答・解説 ▶ **P239** | check ☑☑☑ | テキスト 第9章

31 標準原価計算の勘定記入

　以下の〔資料〕に基づき、(1)シングル・プラン、(2)パーシャル・プランにより、それぞれ仕掛品勘定の記入を行いなさい。

〔資料〕

1．生産データ(単位：個)

月初仕掛品	100 (2/5)	・材料は工程の始点で投入される。
当月投入	900	・(　　)内は加工進捗度を示す。
合　計	1,000	
月末仕掛品	200 (2/5)	
完成品	800	

2．製品1個あたりの標準原価

費　目	標準価格	標準数量	金　額
直接材料費	200円	10kg	2,000円
直接労務費	800円	4時間	3,200円
製造間接費	1,200円	3時間	3,600円
合　計			8,800円

3．当月実際原価に関するデータ

　直接材料費　1,880,000円　　　直接労務費　2,720,000円
　製造間接費　3,100,000円

9 章

解答用紙

(1) シングル・プラン

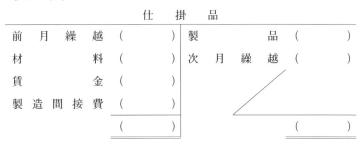

仕　掛　品

前 月 繰 越	(	)	製　　　　品	(	)
材　　　料	(	)	次 月 繰 越	(	)
賃　　　金	(	)			
製 造 間 接 費	(	)			
	(	)		(	)

(2) パーシャル・プラン

仕　掛　品

前 月 繰 越	(	)	製　　　　品	(	)
材　　　料	(	)	次 月 繰 越	(	)
賃　　　金	(	)	原 価 差 異	(	)
製 造 間 接 費	(	)			
	(	)		(	)

基本　**目標 30分**　解答・解説 ▶ P242　check ☑☑☑

32 標準原価差異の分析1

　当社では、従来より標準原価計算を採用している。そこで、次の〔資料〕を参考に以下の**各設問に**答えなさい。

〔資料〕

1．標準原価カード

直接材料費	150円 / kg	×	3kg	=	450円
直接労務費	200円 / h	×	2 h	=	400円
製造間接費	75円 / h	×	2 h	=	150円
製品1個あたりの標準原価					1,000円

2．生産データ(単位：個)

月初仕掛品	20 (3/5)	・材料は工程の始点で投入される。
当月投入	660	・(　　)内は加工進捗度を示す。
合　計	680	
月末仕掛品	30 (1/2)	
完　成　品	650	

3．原価データ

(1)　実際材料消費額(量)

　直接材料費　320,000円(2,000kg)　　　間接材料費　20,000円

(2)　実際賃金発生額(時間)

　直接労務費　277,200円(1,320時間)　　　間接労務費　12,000円

(3)　製造間接費実際発生額(上記より判明する金額を除く)　67,000円

9
章

問1　解答用紙の各勘定を完成させなさい。仕掛品勘定の記帳に関しては、借方の当月投入分について実際発生額を記入するいわゆるパーシャル・プランによること。

問2　仕掛品勘定の原価差異を解答用紙に従って分析しなさい。なお、借方差異(不利差異)の場合は金額の前に△を付すこと。

解答用紙

問1

材　料

仕　掛　品	（	）
製 造 間 接 費	（	）

賃　金

仕　掛　品	（	）
製 造 間 接 費	（	）

製　造　間　接　費

材　　料	（	）	仕　掛　品	（　　　　）
賃　　金	（	）		
諸　　口	（	）		
	（	）		（　　　　）

仕　掛　品

前 月 繰 越	（	）	製　　　品	（　　　　）
材　　料	（	）	次 月 繰 越	（　　　　）
賃　　金	（	）	原 価 差 異	（　　　　）
製 造 間 接 費	（	）		
	（	）		（　　　　）

問2

直接材料費差異	円
内訳　価格差異	円
数量差異	円
直接労務費差異	円
内訳　賃率差異	円
作業時間差異	円
製造間接費差異	円

基本　目標 **15**分　解答・解説 ▶ P247　check ☑ ☑ ☑

33 標準原価差異の分析2

　次の〔資料〕を参照し、製造間接費差異を公式法変動予算による4分法で分析し、予算差異、変動費能率差異、固定費能率差異、操業度差異の各金額を求めなさい。

〔資料〕

1. 製品Aの標準原価カード(一部)は次のとおりである。

	(標準配賦率)	(標準作業時間)	(標準原価)
製造間接費	1,000円/時間	5時間	5,000円

2. 当月の生産データは次のとおりである(単位:個)。

月初仕掛品	150 (1/2)	・(　)内は加工進捗度を示す。
当 月 投 入	1,350	
合　計	1,500	
月末仕掛品	300 (2/3)	
完 成 品	1,200	

3. 製造間接費の当年度の予算は80,400,000円(うち固定費48,240,000円)であり、基準操業度は80,400時間である。また、当月の製造間接費実際発生額は6,700,000円であり、実際作業時間は6,630時間である。

解答用紙

製造間接費差異の内訳：予　算　差　異　(　)　　　　円

変動費能率差異　(　)　　　　円

固定費能率差異　(　)　　　　円

操 業 度 差 異　(　)　　　　円

(注)借方差異ならば「借」、貸方差異ならば「貸」と(　)内に記入すること。

9
章

テキスト 第10章

基本 34 損益分岐点分析1

目標 **15分** 解答・解説 ▶ **P251** check ☑ ☑ ☑

以下の〔資料〕に基づき、(1)損益分岐点の売上高及び販売量、(2)目標営業利益1,704,000円を達成する売上高及び販売量、そして(3)次期の安全余裕率を求めなさい。

〔資料〕

1．直接原価計算方式による次期の予算損益計算書

Ⅰ	売上高	3,000,000	(＝@300円×10,000個)
Ⅱ	変動売上原価	900,000	(＝@ 90円×10,000個)
	変動製造マージン	2,100,000	(＝@210円×10,000個)
Ⅲ	変動販売費	180,000	(＝@ 18円×10,000個)
	貢献利益	1,920,000	(＝@192円×10,000個)
Ⅳ	固定費	1,200,000	
	営業利益	720,000	

2．安全余裕率とは、予算売上高を100％としたときの、予算売上高と損益分岐点売上高の差額の割合をいう。

$$安全余裕率(\%)＝\frac{予算売上高－損益分岐点売上高}{予算売上高}×100$$

解答用紙

(1) 損益分岐点売上高 　　　　　　　　　円

　　 損益分岐点販売量 　　　　　　　　　個

(2) 目標営業利益1,704,000円を達成する売上高 　　　　　　　　　円

　　 目標営業利益1,704,000円を達成する販売量 　　　　　　　　　個

(3) 安全余裕率 　　　　　　　　　％

基　本　目標 **10**分　解答・解説 ▶ **P254**　check ☑ ☑ ☑

35 損益分岐点分析2

　製品Xを量産する福岡製作所における当月の直接原価計算方式による予算損益計算書(目標販売量8,500個の場合における損益計算書)は以下のとおりである。

　下記の損益計算書を基に、各問に答えなさい。

損　益　計　算　書

Ⅰ	売　上　高		10,200,000
Ⅱ	変動売上原価		
1	直接材料費	3,060,000	
2	変動加工費	2,380,000	5,440,000
	変動製造マージン		4,760,000
Ⅲ	変動販売費		680,000
	貢　献　利　益		4,080,000
Ⅳ	固　定　費		
1	固定加工費	2,720,000	
2	固定販売管理費	640,000	3,360,000
	営　業　利　益		720,000

問1　変動費率を求めなさい。

問2　損益分岐点売上高を求めなさい。

問3　仮に実際の製品販売数量が9,000個の場合の営業利益を求めなさい。

解答用紙

問1　変動費率　　　　　　　　　　　　［　　　　　　　］

問2　損益分岐点売上高　　　　　　　　［　　　　　　　］円

問3　製品販売数量が9,000個の場合の営業利益　［　　　　　　　］円

基本 36 直接と全部の損益計算書

目標 20分　解答・解説 ▶ P256　check ☑ ☑ ☑

　以下の〔資料〕に基づき、直接原価計算による損益計算書と全部原価計算による損益計算書をそれぞれ2期分、作成しなさい。

〔資料〕

1. 販 売 単 価：2,500円
2. 製 造 原 価：製品単位あたり変動製造原価　　1,000円
　　　　　　　　固定製造原価（期間総額）　　900,000円
3. 販 売 費：製品単位あたり変動販売費　　　100円
　　　　　　　　固定販売費（期間総額）　　300,000円
4. 一般管理費：すべて固定費（期間総額）　　100,000円
5. 生産・販売数量等

	第 1 期	第 2 期
期 首 在 庫 量	0個	0個
当 期 生 産 量	1,000個	1,500個
当 期 販 売 量	1,000個	1,000個
期 末 在 庫 量	0個	500個

(注)各期首・期末に仕掛品は存在しない。

解答用紙

（直接原価計算方式）　　損　益　計　算　書

	第　1　期	第　2　期
売上高	（　　　　　）	（　　　　　）
変動売上原価	（　　　　　）	（　　　　　）
変動製造マージン	（　　　　　）	（　　　　　）
変動販売費	（　　　　　）	（　　　　　）
貢献利益（限界利益）	（　　　　　）	（　　　　　）
固定費	（　　　　　）	（　　　　　）
営業利益	（　　　　　）	（　　　　　）

（全部原価計算方式）　　損　益　計　算　書

	第　1　期	第　2　期
売上高	（　　　　　）	（　　　　　）
売上原価	（　　　　　）	（　　　　　）
売上総利益	（　　　　　）	（　　　　　）
販売費及び一般管理費	（　　　　　）	（　　　　　）
営業利益	（　　　　　）	（　　　　　）

10
章

基 本 目標 **15**分 解答・解説 ▶ **P260** check

37 本社工場会計

LEC製作所（本社東京）は静岡に工場を持っており、本社会計から工場会計を独立させている。静岡工場では、本社が買付けた材料を工場内の倉庫に保管するとともに、製品は完成後直ちに工場内の倉庫に保管している。

製品は、本社から連絡を受けて工場から直接顧客へ発送している。その際、いったん本社へ製品を納入しているものとして処理する。

また、材料購入に要する支払い及び給与の支払いは本社で行っている。

そこで、LEC製作所の5月中における次の取引について、工場で行われる仕訳を示しなさい。なお、使用する勘定科目は下に示されたものに限る。

本 社 製 品 材 料 賃 金
仕 掛 品 製造間接費

〔5月中の取引〕
1．本社で材料1,200,000円を掛で購入し、工場内の材料倉庫へ入庫した。
2．工場で材料を直接費として800,000円、間接費として200,000円消費した。
3．工場における直接工の直接作業時間は800時間、間接作業時間は50時間であった。なお直接工の労務費を作業1時間あたり900円の予定賃率で計上している。
4．工場の機械減価償却費の当月分300,000円を計上した。
5．本社より製品800個（売価@2,500円）を掛販売した旨の連絡を受けたので、工場は得意先に直接製品を発送した。工場における製造原価は@1,800円である。

解答用紙

	借方科目	金　額	貸方科目	金　額
1				
2				
3				
4				
5				

MEMO

問 題 編

■■■■ 応用 ■■■■

問題編〈応用〉には、本試験の出題形式に合わせて問題を掲載しました。「日商簿記2級光速マスターNEO 工業簿記テキスト」と本書の問題編〈基本〉を使っての学習が終わったら、問題編〈応用〉の問題を解きましょう。問題ごとに重要度と目標時間が示してあるので、より本試験を意識した実践的な練習を積むことができます。問題編〈応用〉に掲載した37題を解くことで、本試験レベルの問題に対応できる力を養います。

重要度 **B**

| 応 用 | 目標 **20**分 | 解答・解説 ▶ **P264** | check ✓ ✓ ✓ |

38 材料副費

　以下の〔資料〕に基づいて、解答用紙の材料勘定の（　　）内に適当な金額を記入しなさい。

〔資料〕

1．買入部品Tに関する1月中の記録は次のとおりである。

| 1月 1日 | 前月繰越 | 10個 | 購入原価 | @12,000円 |
| 6日 | 掛仕入 | 200個 | 購入代価 | @12,000円 |

　　　　　　引取費用28,000円は当社が負担

| 9日 | 製造指図書No.101に対する出庫 | 160個 |

| 11日 | 掛仕入 | 300個 | 購入代価 | @11,500円 |

　　　　　　引取費用46,500円は当社が負担

12日	製造指図書No.102に対する出庫	140個
18日	製造指図書No.103に対する出庫	185個
31日	実地棚卸の結果、実際有高が帳簿残高より2個少ないことが判明した。ただし、この差額は正常な範囲と認められる。

2．購入原価は、部品購入の都度、購入代価に内部材料副費予定配賦額(購入代価の3％)と引取費用(小切手払い・実際発生額)とを加えて計算している。

3．買入部品Tの消費高の算定は先入先出法による。

解答用紙

材　　料

月 初 有 高	（　　　）	当 月 消 費 高	（　　　）
当 月 仕 入 高	（　　　）	棚 卸 減 耗 損	（　　　）
		月 末 有 高	（　　　）
	（　　　）		（　　　）

重要度 **A**

応 用 目標 **15分** 解答・解説 ▶ **P266** check

39 製造間接費配賦差異の分析

　実際個別原価計算を採用している NRT 製作所の20×8年10月の〔資料〕に基づいて、下記の各問に答えなさい。

問1　NRT 製作所の20×8年10月における製造間接費配賦差異を求めなさい。

問2　NRT 製作所の20×8年10月における製造間接費配賦差異を、固定予算を前提として予算差異と操業度差異とに分解しなさい。

問3　NRT 製作所が公式法変動予算により予算を設定していたとする。変動費率が1時間あたり0.1万円、月間固定費予算が450万円であった場合、NRT 製作所の20×8年10月における製造間接費配賦差異を、予算差異と操業度差異とに分解しなさい。

〔資料〕

1．製造間接費は直接作業時間を基準として、予定配賦（正常配賦）している。

2．20×8年度の年間製造間接費予算は9,000万円で、年間正常直接作業時間は36,000時間と予定されている。これを12で割り、月間ベースとすると、月間製造間接費予算は750万円で、月間正常直接作業時間は3,000時間である。

3．20×8年10月の製造間接費実際発生額は730万円で、実際直接作業時間は2,600時間であった。

▋解答用紙

問1	万円 （ 借方 ・ 貸方 ）

問2	予　算　差　異	操　業　度　差　異
	万円 （ 借方 ・ 貸方 ）	万円 （ 借方 ・ 貸方 ）

問3	予　算　差　異	操　業　度　差　異
	万円 （ 借方 ・ 貸方 ）	万円 （ 借方 ・ 貸方 ）

(注)解答欄の（ 借方 ・ 貸方 ）の箇所は、借方差異なら借方を、貸方差異なら貸方を、○で囲むこと。

重要度 A

応 用	目標 **15分**	解答・解説 ▶ **P269**	check ☑☑☑

40 製造間接費勘定・仕掛品勘定

　平成工場では、実際原価計算を行っている。以下の当月の〔資料〕に基づき、製造間接費勘定と仕掛品勘定の（　　）内に適当な金額を記入しなさい。なお、素材と直接工賃金の消費額はすべて直接費である。

〔資料〕

1．棚卸資産	月 初 有 高	当月仕入高	月 末 有 高
素　　材	1,000万円	6,720万円	1,200万円
補助材料	60万円	700万円	100万円
仕 掛 品	980万円	－	1,050万円

2．賃　　金	月初未払高	当月支払高	月末未払高
直 接 工	810万円	3,600万円	660万円
間 接 工	160万円	660万円	140万円

3．工場建物の減価償却費	1,260万円	4．工場消耗品費	250万円
5．製造間接費予定配賦額	4,260万円	6．工場職員給料	560万円
7．工場用社宅など福利施設負担額	260万円	8．消耗工具器具備品費	244万円
9．工場従業員厚生費	240万円	10．工場の光熱費	200万円

解答用紙

製　造　間　接　費　　　　　（単位：万円）

間 接 材 料 費	（　　　　）	予 定 配 賦 額	（　　　　）
間 接 労 務 費	（　　　　）	配 賦 差 異	（　　　　）
間 接 経 費	（　　　　）		
（　　　　）	（　　　　）		（　　　　）

仕　　　掛　　　品　　　　　（単位：万円）

月 初 有 高	（　　　　）	当 月 完 成 高	（　　　　）
直 接 材 料 費	（　　　　）	月 末 有 高	（　　　　）
直 接 労 務 費	（　　　　）		
製 造 間 接 費	（　　　　）		
（　　　　）	（　　　　）		（　　　　）

重要度 **B**

41 加工費勘定・仕掛品勘定と差異分析

　当工場では、実際原価計算を行っている。下記の〔資料〕に基づき、加工費勘定と仕掛品勘定の（　　）内に適当な金額を記入し、また公式法変動予算によって、加工費配賦差異を分析しなさい。

〔資料〕
1．原料費は実際単価で、賃金・給料の消費額は要支払額で、それぞれ計算している。
2．加工費(原料費以外の製造費用)は、直接作業時間を基準に予定配賦している。
3．原　　　料：月初有高　　200万円　当月仕入高　1,300万円　月末有高　　250万円
4．仕　掛　品：月初有高　　400万円　月末有高　　435万円
5．賃金・給料：前月未払高　330万円　当月支払高　　850万円　当月未払高　350万円
6．当月工場消耗品消費額　170万円　　7．当月電力料消費額　　　　150万円
8．当月減価償却費　　　　500万円　　9．年間予定直接作業時間　30,000時間
10．年間加工費予算額　22,500万円　　11．当月実際直接作業時間　2,200時間
　　(うち固定加工費予算額　13,500万円)

解答用紙

加　　工　　費　（単位：万円）

賃金・給料消費額	（　　　）	予 定 配 賦 額	（　　　）
間 接 材 料 費	（　　　）	配 賦 差 異	（　　　）
間 接 経 費	（　　　）		
	（　　　）		（　　　）

仕　　掛　　品　（単位：万円）

月 初 有 高	（　　　）	当 月 完 成 高	（　　　）
原 料 費	（　　　）	月 末 有 高	（　　　）
加 工 費	（　　　）		
	（　　　）		（　　　）

加工費配賦差異	万円（　　）	内訳	予 算 差 異	万円（　　）
			操 業 度 差 異	万円（　　）

(注)借方差異なら「借方」、貸方差異なら「貸方」と（　　）内に記入すること。

応　用　目標 **20**分　解答・解説 ▶ **P274**　check

42 工業簿記一巡の仕訳

　大阪工業㈱は単純個別原価計算制度を採用し、甲製品（製造指図書No.1）、乙製品（製造指図書No.2）及び丙製品（製造指図書No.3）を製造している。次の〔資料〕を参照し、10月中の一連の〔取引〕に基づき必要となる仕訳をしなさい。ただし勘定科目は、次の中から最も適当と思われるものを選ぶこと。

現　　　　　金	当 座 預 金	材　　　　　料	工 場 消 耗 品
仕　掛　品	製 造 間 接 費	製　　　　　品	賃　　　　　金
買　掛　金	預　り　金	材料消費価格差異	賃 率 差 異

製造間接費配賦差異

〔資料〕

1．主要材料の消費額は490円／kgの予定価格により計算している。なお、主要材料の消費額はすべて直接材料費である。

2．材料の実際消費額はすべて先入先出法によって計算する。

3．工場消耗品の消費額は棚卸計算法によって計算している。

4．直接工賃金の消費額は800円／時間の予定賃率により計算している。なお、直接工賃金の消費額はすべて直接労務費である。

5．製造間接費は直接作業時間を基準に、予定配賦率160円／時間により計算している。

6．月初棚卸高は次のとおりである。

主要材料	500kg	単価470円／kg	235,000円	
工場消耗品	300個	単価200円／個	60,000円	
仕掛品	甲製品	194,000円	乙製品	34,000円

〔取引〕

1．主要材料及び工場消耗品を次のように掛で仕入れた。工場消耗品の増減は、工場消耗品勘定により処理している。

主要材料	3,000kg	単価500円／kg	1,500,000円
工場消耗品	1,000個	単価200円／個	200,000円

2．当月賃金支給総額は2,800,000円であり、所得税の源泉徴収分200,000円を差引いた残額を現金で支払った。

3．主要材料を次のように消費した。

　　　甲製品　　1,000kg　　乙製品　　900kg　　丙製品　　1,200kg

4．当月の製品別の直接作業時間は次のとおりであった。よって直接工賃金の予定消費額ならびに製造間接費の予定配賦額を計上した。

　　　甲製品　　1,100時間　　乙製品　　1,250時間　　丙製品　　1,050時間

5．下請企業に無償で支給した部品が、加工後すべて納入されたので、その加工賃200,000円(甲製品60,000円、乙製品75,000円、丙製品65,000円)を現金で支払った。なお、納入品は検査後直ちに製造現場へ引渡された。

6．主要材料の予定消費額と実際発生額の差額を材料消費価格差異勘定に振替えた。

7．材料の10月末日現在の棚卸高は次のとおりであった。

　　　主要材料実地棚卸数量は350kg、工場消耗品の実地棚卸数量は200個であったため、工場消耗品の消費額と主要材料の棚卸減耗損を計上した。

8．直接工賃金の予定消費額と実際発生額の差額を賃率差異勘定に振替えた。ただし、月初未払額は240,000円、月末未払額は150,000円である(賃率差異の計上のみ行えばよい)。

9．製造間接費の予定配賦額と実際発生額の差額を製造間接費配賦差異勘定に振替えた。10月中の製造間接費実際発生額は、上記7．で判明するものを除き、330,000円であった。

10．月末に甲製品及び乙製品が完成した。

解答用紙

	借方科目	金　額	貸方科目	金　額
1				
2				
3				
4				
5				
6				
7				
8				
9				
10				

重要度 A

応用 **43** 個別原価計算 1

目標 **15分**　解答・解説 ▶ **P278**　check ☑ ☑ ☑

　愛媛製作所は、実際個別原価計算を行っている。そこで、次に示した同社の〔資料〕に基づき、解答用紙の仕掛品勘定と製品勘定の（　　）内に適切な金額を記入しなさい。なお、仕訳と勘定記入は月末にまとめて行っている。

〔資料〕

製造指図書別着手・完成・引渡記録

製造指図書番号	製造着手日	完 成 日	引 渡 日
No.358	7/28	8/26	9/ 4
No.359	8/11	9/14	9/18
No.360	8/23	9/21	9/29
No.361	9/ 8	9/29	10/ 7
No.362	9/20	10/ 4	10/ 9

8月末時点の原価計算票の要約

製造指図書番号	直接材料費	直接労務費	製造間接費	合　　計
No.358	450,000	750,000	900,000	2,100,000
No.359	360,000	480,000	650,000	1,490,000
No.360	530,000	160,000	210,000	900,000

9月末時点の原価計算票の要約

製造指図書番号	直接材料費	直接労務費	製造間接費	合　　計
No.358	450,000	750,000	900,000	2,100,000
No.359	360,000	820,000	1,050,000	2,230,000
No.360	600,000	580,000	740,000	1,920,000
No.361	400,000	1,100,000	850,000	2,350,000
No.362	250,000	150,000	190,000	590,000

解答用紙

仕 掛 品

9/ 1 月 初 有 高	( )	9/30 当 月 完 成 高	( )
30 直 接 材 料 費	( )	〃 月 末 有 高	( )
〃 直 接 労 務 費	( )		
〃 製 造 間 接 費	( )		
	( )		( )

製 品

9/ 1 月 初 有 高	( )	9/30 売 上 原 価	( )
30 当 月 完 成 高	( )	〃 月 末 有 高	( )
	( )		( )

応用 目標 **20分** 解答・解説 ▶ **P280** check ☑ ☑ ☑

重要度 **A**

44 個別原価計算2

　当工場は実際個別原価計算を行っている。そこで次の各製造指図書の（　　）内の数値を下記の〔資料〕から推定し、解答用紙の仕掛品勘定と製品勘定の（　　）内に適切な金額を記入しなさい。なお、仕訳と元帳転記は月末にまとめて行っている。

製造指図書番号	No.101	No.102	No.103	No.104
製 造 着 手 日	12月 1日	12月20日	1月 4日	1月15日
完 成 日	12月25日	1月 6日	1月31日	2月15日予定
引 渡 日	1月 5日	1月12日	2月 3日予定	2月18日予定
製造原価				
直接材料費	112,000円	81,600円	40,000円	（　　　　　）
直接労務費	160,000円	（　　　　　）	（　　　　　）	（　　　　　）
製造間接費	（　　　　　）	（　　　　　）	（　　　　　）	56,000円
合 計	（　　　　　）	（　　　　　）	175,000円	（　　　　　）

〔資料〕

1．材料は製造の始めにすべて投入される。
2．製造間接費は直接労務費を基準に予定配賦しており、その配賦率は50％で、配賦率は前月も当月も同じである。
3．製造指図書No.102のうち、12月中に生じた直接労務費は128,000円である。また1月中に配賦した製造間接費の金額は35,000円である。
4．当月における直接材料の在庫の増減は次のとおりである。
　　　月初在庫量　200個（単価48円）　　当月購入量　1,800個（単価50円）
　　　当月消費量　1,700個
5．直接材料の消費価格は、先入先出法を用いて計算している。

解答用紙

仕　　掛　　品

1/ 1 月 初 有 高	（　　　）	1/31 当 月 完 成 高	（　　　）
31 直 接 材 料 費	（　　　）	〃 月 末 有 高	（　　　）
〃 直 接 労 務 費	（　　　）		
〃 製 造 間 接 費	（　　　）		
	（　　　）		（　　　）

製　　　　品

1/ 1 月 初 有 高	（　　　）	1/31 売 上 原 価	（　　　）
31 当 月 完 成 高	（　　　）	〃 月 末 有 高	（　　　）
	（　　　）		（　　　）

個別原価計算

応用 目標 **20分** 解答・解説 ▶ **P283** check ☑ ☑ ☑

45 部門別計算1

　受注生産を行う当工場では、2つの製造部門(加工部及び組立部)と1つの補助部門(事務部)により原価部門が構成されている。当工場では、従来工場全体について1本の配賦率(総括配賦率)を用いて製造間接費の製品別配賦を行ってきたが、近年、受注製品のより正確な原価データが求められるようになってきたことから、当工場の原価計算担当者は部門別配賦率を用いた配賦を検討している。そこで、下記〔資料〕に基づいて、次の各問に答えなさい。

問1　当工場の総括予定配賦率を求めなさい。

問2　総括予定配賦率を用いた場合の製造指図書No.10に対する製造間接費配賦額を求めなさい。

問3　総括予定配賦率を用いた場合の製造指図書No.20に対する製造間接費配賦額を求めなさい。

問4　予算部門別配賦表を作成するとともに、加工部の予定配賦率を求めなさい。

問5　部門別予定配賦率を用いた場合の製造指図書No.20に対する製造間接費配賦額を求めなさい。

〔資料〕

1．当期における各部門の部門個別費年間予算額は次のとおりであった。

　　　加工部　1,147,400円　　　組立部　1,074,600円　　　事務部　78,000円

　　　合　計　2,300,000円

2．当期における部門共通費年間予算額は次のとおりであった。

　　　建物減価償却費　900,000円　　　建物保険料　600,000円　合計　1,500,000円

3．部門共通費、補助部門費の配賦に用いる配賦基準の値は次のとおりである。

	加 工 部	組 立 部	事 務 部	合 　 計
建物占有面積(m^2)	600	500	100	1,200
建物評価額(万円)	4,000	3,200	300	7,500
従 業 員 数(人)	28	32	10	70

4．部門共通費の配賦は費目別に行う。配賦基準としては、建物減価償却費には建物占有面積、建物保険料には建物評価額を用いる。事務部門費は従業員数を用いて製造部門に配賦する。

5．製造部門費は、直接作業時間あたりの予定配賦率を用いて行う。

　　　年間予定直接作業時間：加工部　400時間　　組立部　600時間

　　　合計　1,000時間

6．製造指図書№10の製造に要する時間は、加工部が40時間、組立部が210時間である。

7．製造指図書№20の製造に要する時間は、加工部が180時間、組立部が70時間である。

解答用紙

問1　　　　　　　　　円／時間　　　　問2　　　　　　　　　円

問3　　　　　　　　　円

問4

予算部門別配賦表

	合　計	製造部門		補助部門
		加工部	組立部	事務部
部門個別費	2,300,000			
部門共通費				
建物減価償却費	900,000			
建物保険料	600,000			
部門費	3,800,000			
事務部費				
製造部門費				

　　　　　　　　　　　円／時間

問5　　　　　　　　　円

●問題編〈応用〉

重要度 **A**

応用　目標 **25分**　解答・解説 ▶ **P287**　check ☑☑☑

46 部門別計算2

　北陸製作所では、製造部門として切削部と組立部、補助部門として動力部、修繕部及び事務部を設定して部門別計算を行い、製造部門別の予定配賦率を用いて製造間接費を予定配賦している。配賦基準は各製造部門の機械作業時間である。下記の〔資料〕に基づいて、解答用紙の実際部門費振替表を作成し、関係勘定を完成させなさい。

〔資料〕
1．製造部門の予算データ

	切削部	組立部
年 間 予 算 額	77,760,000円	62,100,000円
年間予定機械作業時間	32,400時間	27,000時間

　なお、上記年間予算額は補助部門費配賦後の金額である。

2．製造部門の実際データ

	切削部	組立部
当月実際機械作業時間	2,650時間	2,200時間

3．当月製造間接費実際発生額（部門共通費配賦後の金額）

	切削部	組立部	動力部	修繕部	事務部
実際第1次集計額	4,954,600円	3,715,400円	1,650,000円	672,000円	345,000円

4．補助部門費の配賦資料

	配賦基準	切削部	組立部	動力部	修繕部	事務部
動力部	動力供給量	1,400kwh	1,600kwh	—	200kwh	100kwh
修繕部	修繕時間	300時間	200時間	50時間	—	10時間
事務部	従業員数	70人	30人	10人	5人	5人

　補助部門費を各製造部門へ配賦するにあたっては、まず補助部門費を製造部門のみならず、他の補助部門にも配賦し、次に製造部門のみに配賦する方法（相互配賦法）による。

解答用紙

実際部門費振替表

費　目	合　計	製　造　部　門		補　助　部　門		
		切削部	組立部	動力部	修繕部	事務部
部門費	11,337,000	4,954,600	3,715,400	1,650,000	672,000	345,000
第１次配賦						
動力部門費						
修繕部門費						
事務部門費						
第２次配賦						
動力部門費						
修繕部門費						
事務部門費						
製造部門費						

切　削　部

製　造　間　接　費		仕　掛　品	
動　　力　　部		配　賦　差　異	
修　　繕　　部			
事　　務　　部			

動　力　部

製　造　間　接　費		切　　削　　部	
修　　繕　　部		組　　立　　部	
事　　務　　部		修　　繕　　部	
		事　　務　　部	

応用 目標 **20**分　解答・解説 ▶ **P293**　check ✓ ✓ ✓

47 部門別計算3

　受注生産を行う LEC 製作所では、直接作業時間を配賦基準として、製造間接費を予定配賦している。下記〔資料〕に基づいて、次の各問の金額を計算し解答しなさい。なお、補助部門費の配賦は直接配賦法による。

問1　予算部門別配賦表を完成させなさい。
問2　補助部門費配賦前の第 1 製造部費を求めなさい。
問3　補助部門費配賦後の第 1 製造部費を求めなさい。
問4　第 2 製造部の製造間接費予定配賦率を求めなさい。
問5　製造指図書 No.50に対する製造間接費予定配賦額を求めなさい。
問6　製造指図書 No.60に対する製造間接費予定配賦額を求めなさい。

〔資料〕
1．当製作所の予定直接作業時間（年間）
　　　第 1 製造部：80,000時間　　第 2 製造部：50,000時間
2．当製作所の製造間接費予算（年間）

	合　計	第 1 製造部	第 2 製造部	動力部	修繕部
部門個別費	17,200万円	8,300万円	3,820万円	3,270万円	1,810万円

　　　部門共通費：建物減価償却費；1,800万円　　福利施設負担額；3,150万円

3．部門共通費の配賦資料

	配賦基準	合　計	第1製造部	第2製造部	動力部	修繕部
建物減価償却費	占有面積	1,500m²	700m²	400m²	300m²	100m²
福利施設負担額	従業員数	105人	60人	25人	5人	15人

4．補助部門費の配賦資料

	配賦基準	合　計	第1製造部	第2製造部	動力部	修繕部
動 力 部 門 費	動力供給量	6,000kwh	3,000kwh	2,400kwh	－	600kwh
修 繕 部 門 費	修繕回数	40回	20回	15回	5回	－

5. 各製造指図書の完成に要した直接作業時間

	合　計	第1製造部	第2製造部
製造指図書№.50	4,400時間	3,000時間	1,400時間
製造指図書№.60	3,500時間	1,500時間	2,000時間

解答用紙

問1

予算部門別配賦表　　　　　　　（単位：万円）

	合　計	製造部門		補助部門	
		第1製造部	第2製造部	動力部	修繕部
部門個別費	17,200				
部門共通費					
建物減価償却費	1,800				
福利施設負担額	3,150				
部門費	22,150				
動力部費					
修繕部費					
製造部門費					

問2 [　　　　　] 万円　　　　問3 [　　　　　] 万円

問4 [　　　　　] 円／時間　　問5 [　　　　　] 万円

問6 [　　　　　] 万円

重要度 **B**

応用 目標 **20分** 解答・解説 ▶ **P297** check ✓✓✓

48 部門別計算4

　岡山工場では部門別個別原価計算を行っており、製造間接費は期首に製造部門別に予定配賦率を算定して、各製品に予定配賦している。当工場では製造部門として切削部、組立部、補助部門として動力部、修繕部及び事務部を設定しており、切削部費は機械作業時間を、組立部費は直接作業時間を基準に配賦している。

　そこで下記の〔資料〕に基づいて、各問に答えなさい。なお、補助部門費の配賦にあたっては、第1次配賦では製造部門及び他の補助部門に配賦し、第2次配賦では製造部門のみに配賦する方法(相互配賦法)を採用している。

〔資料〕
1．年間製造部門費予算データ

	切 削 部	組 立 部
年 間 予 算 額	7,920,000円	8,760,000円
年間予定直接作業時間	5,000時間	4,380時間
年間予定機械作業時間	4,800時間	3,650時間

　なお、上記年間予算額は補助部門費配賦後の金額である。

2．当月の製造間接費実際発生額に関するデータ

	切 削 部	組 立 部	動 力 部	修 繕 部	事 務 部
部門個別費	267,000円	338,000円	187,500円	65,000円	95,000円

　部門共通費：建物減価償却費；450,000円

部門共通費の配賦資料

	配賦基準	切 削 部	組 立 部	動 力 部	修 繕 部	事 務 部
建物減価償却費	占有面積	100m²	150m²	50m²	20m²	40m²

補助部門費の配賦資料

	配 賦 基 準	切 削 部	組 立 部	動 力 部	修 繕 部	事 務 部
動 力 部 費	動力供給量	3,000kwh	1,500kwh	—	300kwh	200kwh
修 繕 部 費	修繕回数	4回	4回	1回	—	—
事 務 部 費	従業員数	200人	300人	50人	30人	20人

3．当月実際作業時間

	切 削 部	組 立 部
当月直接作業時間	360時間	357時間
当月機械作業時間	380時間	370時間

問1　当月の製造間接費実際発生額について、部門別配賦表を作成しなさい。

問2　固定予算を前提として、各製造部門費配賦差異の分析を行い、切削部費の予
　　算差異及び組立部費の操業度差異を求めなさい。なお、（　　）内に、借方差異
　　の場合は「借」、貸方差異の場合は「貸」と記入すること。

解答用紙

問1

部 門 別 配 賦 表

費　　目	合　　計	製 造 部 門		補 助 部 門		
		切 削 部	組 立 部	動 力 部	修 繕 部	事 務 部
部門個別費						
部門共通費						
部門費						
第1次配賦						
動力部門費						
修繕部門費						
事務部門費						
第2次配賦						
動力部門費						
修繕部門費						
事務部門費						
製造部門費						

問2

切削部費の予算差異　（　　）　　　　　　円

組立部費の操業度差異　（　　）　　　　　円

応 用 目標 **15分** 解答・解説 ▶ **P302** check ☑ ☑ ☑

49 単純総合原価計算 1

　製品Xを量産するL工場では、実際単純総合原価計算を採用している。次の〔資料〕に基づいて、（問1）解答用紙の総合原価計算表の（　　）内に適切な金額を記入し、（問2）月末製品原価を計算しなさい。ただし、原価投入額を完成品総合原価と月末仕掛品原価に配分するためには平均法を用いており、製品の倉出単価を計算するためには、先入先出法を用いている。

〔資料〕
1．当月の生産・販売実績データ（単位：個）

月初仕掛品量	500（25％）		月初製品在庫量	200
当月投入量	2,300		当月完成量	2,100
投入量合計	2,800		合計	2,300
正常減損量	300（30％）		当月販売量	2,000
月末仕掛品量	400（75％）		月末製品在庫量	300
当月完成量	2,100		合計	2,300

　　・（　　）内の数値は加工進捗度を示している。
2．原価データ
月初仕掛品原価：A材料費　480,640円　加工費　247,500円
当月製造費用：A材料費　2,219,360円　B材料費　997,500円　加工費　4,706,100円
月初製品原価：724,100円
3．製品Xを製造するのに必要なA材料は工程の始点で投入し、B材料は工程の85％の地点で投入する。
4．正常減損は加工進捗度30％の地点で発生しているので、正常減損費は完成品と月末仕掛品に負担させる。この際、正常減損は最初から投入されなかったように考える、いわゆる度外視法による計算方法を用いる。なお、減損は月初仕掛品及び当月投入分の両者から発生している。

解答用紙

問1

総 合 原 価 計 算 表

	数　量	A材料費	B材料費	加工費	合　計
月初仕掛品	500個(25%)	480,640	—	247,500	728,140
当 月 投 入	2,300	2,219,360	997,500	4,706,100	7,922,960
合　　　計	2,800個	2,700,000	997,500	4,953,600	8,651,100
正 常 減 損	300　(30%)	—	—	—	—
差　　引	2,500個	2,700,000	997,500	4,953,600	8,651,100
月末仕掛品	400　(75%)	(　　　　)	(　　　　)	(　　　　)	(　　　　)
完　成　品	2,100個	(　　　　)	(　　　　)	(　　　　)	(　　　　)
完成品単位原価		@(　　　)	@(　　　)	@(　　　)	@(　　　)

問2　月末製品原価 [　　　　　　　] 円

総合原価計算

応用 　目標 **20分** 　解答・解説 ▶ **P305** 　check ☑☑☑

50 単純総合原価計算2

当社は単純総合原価計算を採用している。以下の資料に基づき、各問に答えなさい。

1．生産データ

月初仕掛品	300個	（40％）
当月投入	1,000個	
合　　計	1,300個	
正常仕損	100個	
月末仕掛品	200個	（60％）
完成品	1,000個	

・原料は工程の始点で投入する。

・先入先出法により、月末仕掛品原価を計算する。

・（　　）は加工進捗度を表す。

・正常仕損の処理方法としては、度外視法を採用している。なお、仕損品は1個あたり1,540円で売却することができ、原材料の価値に依存している部分が900円、加工の価値に依存している部分が640円であった。

2．原価データ

	原　料　費	加　工　費
月初仕掛品	168,000円	420,000円
当月投入	1,080,000円	3,564,000円

問1　正常仕損が加工進捗度20％で生じる場合、①完成品総合原価及び②月末仕掛品原価を計算しなさい。

問2　正常仕損が加工進捗度80％で生じる場合、①完成品総合原価及び②月末仕掛品原価を計算しなさい。

問3　正常仕損が終点で生じる場合、①完成品総合原価及び②月末仕掛品原価を計算しなさい。

解答用紙

	完成品総合原価	月末仕掛品原価
問1	円	円
問2	円	円
問3	円	円

総合原価計算

応　用
目標 **15分**　解答・解説 ▶ **P309**　check ☑☑☑

51 工程別総合原価計算1

　広島工場は2つの工程を経て製品Aを連続生産しており、累加法による工程別総合原価計算を行っている。製品Aの当月の生産実績は次のとおりであったとして、工程別の仕掛品勘定の（　　）内に適当な金額を記入しなさい。ただし、原価投入額合計を完成品総合原価と月末仕掛品原価とに配分する方法は、第1工程では先入先出法、第2工程では平均法を用いている。

1．当月の生産データ（単位：個）

	第1工程	第2工程
月初仕掛品	200 (1/2)	400 (1/2)
当 月 投 入	1,700	1,500
合　　計	1,900	1,900
月末仕掛品	400 (1/2)	600 (1/3)
正 常 仕 損	－	150
完 成 品	1,500	1,150

2．その他のデータ

(1) 原料はすべて第1工程の始点で投入し、第1工程完成品のうち第2工程へ振替えられたものは第2工程の始点で投入する。

(2) 第2工程の終点で仕損が発生している。それは通常発生する程度のもので、評価額はなく、仕損費はすべて完成品に負担させる。

(3) （　　）内は加工進捗度を示す。

解答用紙

仕掛品－第 1 工程

月 初 有 高:		次 工 程 振 替 高:	
原 料 費	22,000	原 料 費	( )
加 工 費	9,500	加 工 費	( )
小 計	31,500	小 計	( )
当 月 製 造 費 用:		月 末 有 高:	
原 料 費	187,000	原 料 費	( )
加 工 費	164,000	加 工 費	( )
小 計	351,000	小 計	( )
合 計	382,500	合 計	( )

仕掛品－第 2 工程

月 初 有 高:		当 月 完 成 高:	
前 工 程 費	81,000	前 工 程 費	( )
加 工 費	64,200	加 工 費	( )
小 計	145,200	小 計	( )
当 月 製 造 費 用:		月 末 有 高:	
前 工 程 費	( )	前 工 程 費	( )
加 工 費	414,300	加 工 費	( )
小 計	( )	小 計	( )
合 計	( )	合 計	( )

総合原価計算

| 応用 | 目標 **15分** | 解答・解説 ▶ **P313** | check ☑ ☑ ☑ |

52 工程別総合原価計算2

　当工場では、2つの工程を経て製品Zを連続生産しており、累加法による工程別総合原価計算を行っている。第1工程完成品の一部は第2工程へ振替えず、半製品として倉庫に保管している。下記の資料に基づいて、解答用紙の工程別総合原価計算表と仕掛品勘定を作成しなさい。なお、当工場では第1工程では先入先出法、第2工程では平均法を用いて原価投入額を完成品、半製品、月末仕掛品に按分している。

1．生産データ（単位：個）

	第1工程	第2工程
月 初 仕 掛 品	100 (1/2)	100 (1/2)
当 月 投 入	400	200
合 計	500	300
月 末 仕 掛 品	200 (1/2)	100 (1/4)
完 成 品	300	200

・原料は第1工程の始点で投入し、第1工程完成品のうち第2工程へ振替えたものについては第2工程の始点で投入する。

・（　）は加工進捗度を表す。

・第1工程完成品（製品X）300個のうち、100個は半製品として倉庫に保管する。

解答用紙

工程別総合原価計算表

	第１工程			第２工程		
	数量(個)	原料費	加工費	数量(個)	前工程費	加工費
月初仕掛品	100個	40,000	15,000	100個	79,000	22,500
当月投入	400個	180,000	122,500	200個		81,000
合　計	500個	220,000	137,500	300個		103,500
月末仕掛品	200個			100個		
完成品	300個			200個		

仕　掛　品

前 月 繰 越	156,500	製　　　品	(　　　　)
原 料 費	180,000	半 製 品	(　　　　)
加 工 費	(　　　　)	次 月 繰 越	(　　　　)
	(　　　　)		(　　　　)

重要度 **C**

解答・解説 ▶ P317

応　用　目標 **20分** 　check ✓ ✓ ✓

53 部門別＋工程別計算

　当工場では、第１工程と第２工程を経て、製品を連続生産している。原価部門には、製造部門である第１工程と第２工程の他に、補助部門として動力部門がある。以下の資料を基にして、解答用紙の各勘定を完成させなさい。

〔資料〕

1．生産データ(単位：個)

	第１工程	第２工程
月初仕掛品	400 (0.6)	0
当月投入	4,100	4,500
合　計	4,500	4,500
月末仕掛品	0	500 (0.4)
完成品	4,500	4,000

・原料は第１工程の始点で投入する。
・第１工程完成品のうち第２工程へ振替えられたものは、第２工程の始点で投入する。
・( )内は加工進捗度を示している。

2．原価データ

	第１工程	第２工程
月初仕掛品		
原料費	400,000円	—
加工費	550,000円	—
当月投入		
原料費	4,000,000円	—
前工程費	—	各自計算
加工費	各自計算	各自計算

3．直接労務費実際発生額

　　第１工程：3,000,000円(2,000時間)　第２工程：4,040,000円(2,500時間)

4．製造間接費実際発生額(補助部門費配賦前)

　　第１工程：5,990,000円　第２工程：5,820,000円　動力部門：450,000円

　　動力部門費は、第一工程に対して40％、第二工程に対して60％配賦する。

5．製造間接費予算データ

　　製造間接費は直接作業時間を基準に予定配賦している。各工程の予定配賦率は、第１工程@3,000円、第２工程@2,500円である。

解答用紙

製造間接費－第1工程

諸　　　　　口	（　　　　　　）	仕掛品－第1工程	（　　　　　　）
動　力　部　門	（　　　　　　）	配　賦　差　異	（　　　　　　）
	（　　　　　　）		（　　　　　　）

製造間接費－第2工程

諸　　　　　口	（　　　　　　）	仕掛品－第2工程	（　　　　　　）
動　力　部　門	（　　　　　　）		
配　賦　差　異	（　　　　　　）		
	（　　　　　　）		（　　　　　　）

製造間接費－動力部門

諸　　　　　口	（　　　　　　）	製造間接費－第1工程	（　　　　　　）
		製造間接費－第2工程	（　　　　　　）
	（　　　　　　）		（　　　　　　）

仕掛品－第1工程

前　月　繰　越	950,000	仕掛品－第2工程	（　　　　　　）
原　　　　　料	（　　　　　　）		
賃　　　　　金	（　　　　　　）		
製造間接費－第1工程	（　　　　　　）		
	（　　　　　　）		（　　　　　　）

仕掛品－第2工程

仕掛品－第1工程	（　　　　　　）	製　　　　　品	（　　　　　　）
賃　　　　　金	（　　　　　　）	次　月　繰　越	2,040,000
製造間接費－第2工程	（　　　　　　）		
	（　　　　　　）		（　　　　　　）

重要度 **B**

応用 目標 **15**分 解答・解説 ▶ **P321** check ☑ ☑ ☑

54 等級別総合原価計算

　当製作所では、等級製品Ａ、Ｂ及びＣを同一工程で連続生産している。製品原価の計算方法としては、１ヵ月間の完成品総合原価を、各等級製品の等価係数に完成品数量を乗じて求めた積数の比で各等級製品に按分する方法を採用している。下記の〔資料〕に基づいて、(問１)当月の月末仕掛品原価を計算し、(問２)解答用紙の結合原価按分表を完成させなさい。なお、正常減損費は完成品のみに負担させる。

〔資料〕

1．生産データ(単位：個)

月初仕掛品	4,000	(1/4)
当 月 投 入	23,000	
合　　計	27,000	
正 常 減 損	1,000	(終点)
月末仕掛品	6,000	(1/3)
完　成　品	20,000	

・原料はすべて工程の始点で投入される。

・(　　)内は加工進捗度または減損の発生点を示している。

・月末仕掛品原価の計算方法は先入先出法による。

2．原価データ

	原 料 費	加 工 費
月初仕掛品	1,720,000円	386,000円
当 月 投 入	9,890,000円	8,030,000円

解答用紙

問1　月末仕掛品原価 [　　　　　　] 円

問2

結 合 原 価 按 分 表

摘　　　要	製 品 Ａ	製 品 Ｂ	製 品 Ｃ	合　　　計
等 価 係 数	1	0.8	0.6	－
完 成 品 数 量	9,000 個	6,000 個	5,000 個	20,000 個
積　　　数				
完成品総合原価	円	円	円	円
完成品単位原価	＠　　　　円	＠　　　　円	＠　　　　円	－

重要度 **B**

応用 **55** | 目標 **15分** | 解答・解説 ▶ **P324** | check ✓✓✓

組別総合原価計算

当製作所では、組別総合原価計算を行っている。下記の〔資料〕に基づいて、解答用紙の組別総合原価計算表を完成させなさい。

ただし原価投入額合計を完成品総合原価と月末仕掛品原価に配分する方法は、平均法を用いること。なお完成品単位原価の計算において端数が生じる場合には、小数点以下第2位で四捨五入しなさい。

〔資料〕

1．3月の生産データ（単位：kg）

	甲組製品	乙組製品
月初仕掛品	300 (2/3)	200 (1/2)
当月投入	1,700	1,350
合　計	2,000	1,550
正常仕損	100	50
月末仕掛品	400 (1/2)	300 (2/3)
完成品	1,500	1,200

2．原料はすべて工程の始点で投入される。

3．正常仕損はすべて工程の終点で発生しており、すべて通常発生する程度のものである。仕損品の評価額は甲組製品が1kgにつき16円、乙組製品が1kgにつき11円であり、主としてその価値は原料費（直接材料費）に依存するものである。なお、正常仕損費はすべて完成品に負担させる。

4．組間接費は、直接作業時間に基づいて各組製品に配賦している。当月の直接作業時間は甲組製品が2,500時間、乙組製品が2,180時間であった。

5．当月における組間接費発生額は215,280円である。

6．（　）内の数値は、加工進捗度を示している。

総合原価計算

解答用紙

組 別 総 合 原 価 計 算 表

×年3月

	甲組製品		乙組製品	
	原 料 費	加 工 費	原 料 費	加 工 費
月 初 仕 掛 品 原 価	52,000	20,800	30,250	21,280
当 月 製 造 費 用				
直 接 材 料 費	250,000	—	210,000	—
直 接 労 務 費	—	145,000	—	129,000
組 間 接 費	—		—	
合 　 計				
差引:月末仕掛品原価				
差引:仕 損 品 評 価 額				
完 成 品 総 合 原 価				
完 成 品 単 位 原 価	@	@	@	@

●製造原価報告書

応 用 | 目標 **15**分 | 解答・解説 ▶ **P327** | check ☑ ☑ ☑

56 製造原価報告書

以下に示した、京都製作所の月末における総勘定元帳の記入に基づき、解答用紙の月次製造原価報告書を補充し、完成させなさい。なお、同種取引はまとめて記入されている。また、？は各自推定すること。

材　料

10/ 1	繰	越	280,000	10/31 諸	口	1,646,000
4	諸	口	1,630,000	〃 繰	越	264,000
			1,910,000			1,910,000

賃 金 ・ 給 料

10/25	諸	口	3,600,000	10/ 1 前 月 未 払		310,000
31	当 月 未 払		350,000	31 諸 口		?
				〃 賃 率 差 異		140,000
			3,950,000			3,950,000

製 造 間 接 費

10/31	材 料		176,000	10/31 ?		1,600,000
〃	賃 金 ・ 給 料		600,000	〃 ?		116,000
〃	動 力 費		?			
〃	減 価 償 却 費		480,000			
〃	諸 口		160,000			
			1,716,000			1,716,000

仕 掛 品

10/ 1	繰	越	830,000	10/31 ?		?
31	?		?	〃 繰 越		900,000
〃	?		?			
〃	?		?			
			?			?

製 品

10/ 1	繰	越	760,000	10/31 ?		5,600,000
31	仕 掛 品		5,900,000	〃 繰 越		1,060,000
			6,660,000			6,660,000

財務諸表作成

解答用紙

製 造 原 価 報 告 書
××年10月1日より××年10月31日まで

I 直 接 材 料 費
　　月 初 棚 卸 高 ……… 200,000
　　当 月 仕 入 高 ……… 1,500,000
　　　合　　計 1,700,000
　　月 末 棚 卸 高 ……… 230,000 （　　　　　）
II 直 接 労 務 費 ……………………………… （　　　　　）
III 製 造 間 接 費
　　間 接 材 料 費 ……… （　　　　　）
　　間 接 労 務 費 ……… 600,000
　　動　 力　 費 ……… （　　　　　）
　　減 価 償 却 費 ……… 480,000
　　そ　 の　 他 ……… 160,000
　　　計 1,716,000
　（　　　　　　　） ……… （　　　　　）
　　製造間接費配賦額 ……………………… （　　　）
　　当 月 総 製 造 費 用 …………………… （　　　）
　　月 初 仕 掛 品 棚 卸 高 ………………… （　　　）
　　　計 （　　　）
　　月 末 仕 掛 品 棚 卸 高 ………………… （　　　）
　　当 月 製 品 製 造 原 価 ………………… （　　　）

応用 目標 **20**分 解答・解説 ▶ **P330** check ☑☑☑

57 製造原価報告書と損益計算書1

　以下に示すL社の年間の〔財務資料〕に基づき、同社の製造原価報告書及び損益計算書を作成しなさい。なお、直接材料の消費額はすべて直接材料費であり、直接工賃金はすべて直接作業に基づくものである。また製造間接費の予定配賦から生じる原価差異は、売上原価に賦課するものとする。

〔財務資料〕 (単位：千円)

1. 直接工賃金当期支払高…………………………………… 255,000
2. 直接材料当期仕入高……………………………………… 181,000
3. 間接経費当期実際発生額………………………………… 70,000
4. 販売費及び一般管理費…………………………………… 180,000
5. 間接材料費当期実際発生額……………………………… 30,000
6. 直接材料期首有高………………………………………… 38,000
7. 直接材料期末有高………………………………………… 26,000
8. 間接労務費当期実際発生額……………………………… 40,000
9. 製造間接費当期配賦額………… 直接工賃金の60％を予定配賦
10. 売　上　高………………………………………………… 1,200,000
11. 期首仕掛品棚卸高………………………………………… 30,000
12. 期末仕掛品棚卸高………………………………………… 53,000
13. 期首製品棚卸高…………………………………………… 45,000
14. 期末製品棚卸高…………………………………………… 55,000
15. 営業外収益………………………………………………… 20,000
16. 営業外費用………………………………………………… 30,000
17. 直接工賃金期首未払高…………………………………… 43,000
18. 直接工賃金期末未払高…………………………………… 38,000

(注)原価差異については、加算する場合には「＋」、減算する場合には「－」を、〔　〕内に記入しなさい。

解答用紙

L社　　　　　製造原価報告書　（単位：千円）

自×年1月1日　至×年12月31日

I	材　料　費	（	）
II	労　務　費	（	）
III	経　　費	（	）
	合　計	（	）
	製造間接費配賦差異	〔 〕（	）
	当期総製造費用	（	）
	期首仕掛品棚卸高	（	）
	合　計	（	）
	期末仕掛品棚卸高	（	）
	（　　　　　）	（	）

L社　　　　　損益計算書　　　　　（単位：千円）

自×年1月1日　至×年12月31日

I	売　上　高		（	）
II	売　上　原　価			
	1　期首製品棚卸高	（　　）		
	2　（　　　　　）	（　　）		
	合　計	（　　）		
	3　期末製品棚卸高	（　　）		
	差　引	（　　）		
	原　価　差　異〔 〕	（　　）	（	）
	売　上　総　利　益		（	）
III	販売費及び一般管理費		（	）
	営　業　利　益		（	）
IV	営　業　外　収　益		（	）
V	営　業　外　費　用		（	）
	経　常　利　益		（	）

応　用　目標 20分　解答・解説 ▶ P333　check ☑ ☑ ☑

58 製造原価報告書と損益計算書2

　次の勘定科目を用いて、LEC工業の月次製造原価報告書及び損益計算書を作成しなさい。また、売上高総利益率を計算しなさい。

1．棚卸資産有高

	月初帳簿有高	月末帳簿有高
素　材	100,000円	250,000円
部　品	150,000円	110,000円
補修材	40,000円	50,000円
仕掛品	610,000円	400,000円
製　品	1,000,000円	1,500,000円

　なお、素材から正常な棚卸減耗が20,000円生じている。

2．直接工の作業時間及び賃率

　　直接工の実際消費賃率は1,000円/時間で、直接作業時間2,000時間、間接作業時間300時間、手待時間50時間であった。

3．その他

素材仕入高	1,000,000円
部品仕入高	600,000円
外注加工賃	100,000円
補修材仕入高	80,000円
機械油購入額	20,000円
間接工賃金当月支払高	650,000円
間接工賃金前月未払高	150,000円
間接工賃金当月未払高	200,000円
電力料金(測定額)	225,000円
保険料(月割額)	125,000円
減価償却費(月割額)	720,000円

4．製造間接費は直接作業時間を基準に予定配賦している。予定配賦率は@1,100円/時間であった。

解答用紙

製 造 原 価 報 告 書

(単位：円)

Ⅰ 直 接 材 料 費
　　月 初 材 料 棚 卸 高 ………（　　　　　　）
　　当 月 材 料 仕 入 高 ………（　　　　　　）
　　　　合　　計　　　　（　　　　　　）
　　月 末 材 料 棚 卸 高 ………（　　　　　　）　　（　　　　　　）
Ⅱ 直 接 労 務 費 …………………………………（　　　　　　）
Ⅲ 直 接 経 費
　　（　　　　　　　）…………………………（　　　　　　）
Ⅳ 製 造 間 接 費
　　間 接 材 料 費 ………（　　　　　　）
　　間 接 労 務 費 ………（　　　　　　）
　　（　　　　　　　）………（　　　　　　）
　　電 力 料 金 ………（　　　　　　）
　　保 険 料 ………（　　　　　　）
　　減 価 償 却 費 ………（　　　　　　）
　　　　小　　計　　　（　　　　　　）
　　製造間接費配賦差異 ………（　　　　　　）
　　製造間接費配賦額 …………………………（　　　　　　）
　　当 月 総 製 造 費 用 …………………………（　　　　　　）
　　月 初 仕 掛 品 棚 卸 高 ………………………（　　　　　　）
　　　　合　　計　　　…………………………（　　　　　　）
　　月 末 仕 掛 品 棚 卸 高 ………………………（　　　　　　）
　　当 月 製 品 製 造 原 価 ………………………（　　　　　　）

損　益　計　算　書　　　　　　（単位：円）

I 売　　　上　　　高　　　　　　　　　　　　7,000,000

II 売　　上　　原　　価

　月初製品棚卸高　　（　　　　　　）

　当月製品製造原価　（　　　　　　）

　　合　　　計　　　（　　　　　　）

　月末製品棚卸高　　（　　　　　　）

　　差　　　引　　　（　　　　　　）

　原　価　差　異　　（　　　　　　）　（　　　　　　）

　売　上　総　利　益　　　　　　　　　（　　　　　　）

売上高総利益率：　　　％

重要度 A

応用 目標 20分 解答・解説 ▶ P337 check ☑☑☑

59 標準原価計算1

　製品Yを製造する当工場では、標準原価計算を採用している。以下の〔資料〕に基づいて、下記の各問に答えなさい。

問1　直接材料費差異のうち、価格差異の金額はいくらか。
問2　直接労務費差異のうち、時間差異の金額はいくらか。
問3　製造間接費差異のうち、予算差異の金額はいくらか。
問4　製造間接費差異のうち、操業度差異の金額はいくらか。

〔資料〕
1．製品Yの標準原価カード

	（標準単価）	（標準消費量）	
直接材料費	300円 / kg	5 kg	1,500円
	（標準賃率）	（標準作業時間）	
直接労務費	700円 / 時間	4 時間	2,800円
	（標準配賦率）	（標準作業時間）	
製造間接費	500円 / 時間	4 時間	2,000円
製品Y 1個あたりの標準製造原価			6,300円

2．製造間接費
　製造間接費は直接作業時間を配賦基準として標準配賦される。また製造間接費は公式法変動予算により設定しており、変動費率は200円/時間、固定費月間予算額は7,500,000円である。なお、製造間接費差異の分析は四分法による。

3．当月の生産実績（単位：個）

月初仕掛品	2,000 (1/4)	・材料は工程の始点で投入されている。
当月着手	6,000	・（　）内は加工進捗度を示している。
合計	8,000	
月末仕掛品	3,000 (1/3)	
完成品	5,000	

4．当月直接材料費実際発生額
　　304円／kg　×　31,500kg　　　　＝　　9,576,000円
5．当月直接労務費実際発生額
　　720円／時間　×　23,000時間　　＝　16,560,000円
6．当月製造間接費実際発生額　　　　　12,150,000円
7．当月実際作業時間　　　　　　　　　23,000時間

[解答用紙]

問1	価 格 差 異	円（　　）
問2	時 間 差 異	円（　　）
問3	予 算 差 異	円（　　）
問4	操 業 度 差 異	円（　　）

(注)借方差異ならば「借」、貸方差異ならば「貸」を（　　）内に記入すること。

応用 目標 20分 解答・解説 ▶ P341 check ☑ ☑ ☑

60 標準原価計算2

　当社では、予算の作成に信頼しうる基礎を提供し、かつ原価管理を効果的にするために、標準原価計算制度を採用している。

問1　下記の〔資料〕に基づいて、予算の月間営業利益を計算しなさい。

問2　当社の6月の実績データに基づいて、解答用紙の標準製造原価差異分析表を完成しなさい。

〔資料〕

1．製品の予算販売単価と予算販売量

　　　予算販売単価　　　10,500円

　　　予算生産・販売量　　9,000個

2．製品1個あたり標準製造原価

直接材料費	80円 / kg × 35kg	=	2,800円
直接労務費	650円 / 時 × 4時間	=	2,600円
製造間接費	750円 / 時 × 4時間	=	3,000円
			8,400円

3．製造間接費変動予算(配賦基準は直接作業時間)

　　　変動費率：300円 / 時　　　固定費(月額)：16,200,000円

4．販売費及び一般管理費年間予算額　　76,800,000円

5．6月の実績データ

生産・販売量	8,600個	
直 接 材 料 費	82円 / kg×302,400kg	24,796,800円
直 接 労 務 費	645円 / 時間×34,600時間	22,317,000円
製 造 間 接 費	26,220,000円	

解答用紙

問1

	円

問2

標準製造原価差異分析表

直 接 材 料 費 総 差 異		( )
材 料 価 格 差 異	( )	
材 料 数 量 差 異	( )	
直 接 労 務 費 総 差 異		( )
労 働 賃 率 差 異	( )	
労 働 時 間 差 異	( )	
製 造 間 接 費 総 差 異		( )
予 算 差 異	( )	
能 率 差 異	△ 150,000	
操 業 度 差 異	( )	
標 準 製 造 原 価 差 異		( )

(注)不利な差異(借方差異)には、金額の前に△をつけること。

応用 目標 **30**分 解答・解説 ▶ **P345** check ☑ ☑ ☑

61 標準原価計算3

　神戸工業株式会社では製品αを量産しており、標準原価計算制度を適用している。以下の〔資料〕に基づいて、解答用紙に示した各勘定の空欄に適切な金額を記入しなさい。なお、当社はシングル・プランにより記帳している。

〔資料〕

1．製品αの標準原価カード

標準原価カード（製品α 1個あたり）			
費　目	標準単価	標準消費量	標準原価
直 接 材 料 費	@　104円	0.4 kg	41.6円
直 接 労 務 費	@1,050円	0.25時間	262.5円
製 造 間 接 費	@　550円	0.5 時間	275 円
完成品1個あたりの標準原価			579.1円

※　製造間接費は、公式法変動予算を設定し、機械作業時間を基準に配賦している。

　　年間基準操業度：3,120時間　　年間固定製造間接費予算額：936,000円

　なお、製造間接費差異の分析は能率差異を変動費のみから算定する3分法によっている。

2．実際直接材料費に関するデータ

　　材料Aをすべて直接材料として用いており、工程の始点で投入する。また払出単価の計算は総平均法によっており、棚卸減耗は生じていない。

　　　月初有高：@102円×40kg　　当月仕入高：@107円×160kg

　　　当月実際消費量：150kg

3．実際直接労務費に関するデータ

　　直接工の直接作業に関する賃金は以下のとおりである。

　　　前月未払高：30,600円　　当月支払高：122,400円　　当月未払高：40,800円

　　　当月実際直接作業時間：130時間

4．実際製造間接費に関するデータ

　　　当月実際間接材料費：　10,250円　当月実際間接労務費：　23,440円

　　　当月実際間接経費：　106,310円　当月実際機械作業時間：　240時間

5. 製品αの当月実際生産データ(単位：個)

月初仕掛品　　240 (1/3)
当月投入　　　400
合　計　　　　640
月末仕掛品　　120 (1/2)
完成品　　　　520

・(　)内の数値は加工進捗度を示している。

標準原価計算

解答用紙

材　料　A

月 初 有 高 （　　　）	仕　掛　品 （　　　）
当 月 仕 入 高 （　　　）	月 末 有 高 （　　　）
数 量 差 異 （　　　）	価 格 差 異 （　　　）
（　　　）	（　　　）

直接工直接賃金

当 月 支 払 高 （　　　）	前 月 未 払 高 （　　　）
当 月 未 払 高 （　　　）	仕　掛　品 （　　　）
賃 率 差 異 （　　　）	時 間 差 異 （　　　）
（　　　）	（　　　）

製 造 間 接 費

間 接 材 料 費 （　　　）	仕　掛　品 （　　　）
間 接 労 務 費 （　　　）	予 算 差 異 （　　　）
間 接 経 費 （　　　）	操 業 度 差 異 （　　　）
能 率 差 異 （　　　）	
（　　　）	（　　　）

仕　掛　品

月 初 有 高 （　　　）	当 月 完 成 高 （　　　）
直 接 材 料 費 （　　　）	月 末 有 高 （　　　）
直 接 労 務 費 （　　　）	
製 造 間 接 費 （　　　）	
（　　　）	（　　　）

応用 | **目標 15分** 解答・解説 ▶ **P349** | check ☑ ☑ ☑

62 標準原価計算4

当社はパーシャル・プランの標準原価計算制度を採用している。次の資料に基づいて、当月の仕掛品勘定と月次損益計算書を作成しなさい。

〔資料〕

1．原価標準

直接材料費 @ 500円×10kg		5,000円
加 工 費 @1,500円× 2h		3,000円
		8,000円

2．生産・販売データ（単位：個）

月初仕掛品	100(1/2)	月 初 製 品	50
当 月 投 入	500	完 成 品	400
合 計	600	合 計	450
月末仕掛品	200(1/2)	月 末 製 品	100
完 成 品	400	販 売 品	350

3．当月の原価実績

直接材料費	2,600,000円
加 工 費	1,450,000円

4．その他

(1) 製品の販売単価は@10,000円である。

(2) 標準原価差異は月ごとに損益計算に反映させており、その全額を売上原価に賦課する。

解答用紙

仕　掛　品

前 月 繰 越 （　　　　）	製　　　　品 （　　　　）	
材　　　　料 （　　　　）	標 準 原 価 差 異 （　　　　）	
加　工　費 （　　　　）	次 月 繰 越 （　　　　）	
（　　　　）	（　　　　）	

損　益　計　算　書　　　　（単位：円）

Ⅰ売　　上　　高　　　　　　　　　（　　　　　）
Ⅱ売　上　原　価
　期 首 製 品 棚 卸 高　（　　　　）
　当 期 製 品 製 造 原 価　（　　　　）
　　　合　　計　（　　　　）
　期 末 製 品 棚 卸 高　（　　　　）
　　　差　　引　（　　　　）
　（　　　　）　（　　　　）　（　　　　）
　売　上　総　利　益　　　　　　（　　　　　）

応 用 目標 **20**分 解答・解説 ▶ **P352** check ✓ ✓ ✓

63 全部と直接・2期比較

　以下のＴＫ製作所の〔資料〕に基づき、解答用紙に示した全部原価計算方式による損益計算書と直接原価計算方式による損益計算書を完成させなさい。ただし、ＴＫ製作所では、年間基準操業度を1,000単位として、加工費を生産量に基づいて予定配賦(正常配賦)している。なお、原価差異は、当期の売上原価に賦課し、売上原価から控除する場合は金額の前に「△」をつけて解答すること。

〔資料〕

1. 販売単価：9,000円

2. 製造原価

　① 当製作所で発生が見込まれる製造原価総額は、製品の年間生産量が1,100単位のとき5,700,000円、年間生産量が700単位のとき4,500,000円である。そこで、変動製造原価(直接材料費及び変動加工費)及び固定製造原価(固定加工費)への分解を高低点法により行い、公式法変動予算を採用する。

　② 製品単位あたりの変動製造原価：(各自推定)円

　③ 基準操業度における固定製造原価：(各自推定)円

　④ 第1期及び第2期において、加工費の実際発生額は各期における予算許容額と同額であり、固定製造原価の実際発生額(期間総額)は各期とも2,400,000円である。

3. 販売費及び一般管理費

　① 製品単位あたりの変動販売費：600円

　② 固定販売費(期間総額)：900,000円

　③ 固定一般管理費(期間総額)：650,000円

　④ 一般管理費は、すべて固定費である。

4. 生産・販売実績等

	第 1 期	第 2 期
期首製品在庫量	0単位	0単位
当期製品生産量	1,000単位	1,200単位
当期製品販売量	1,000単位	800単位
期末製品在庫量	0単位	400単位

(注)各期首・期末に仕掛品は存在しない。

解答用紙

(全部原価計算方式)　　　　　損 益 計 算 書　　　　　(単位：円)

	第 1 期	第 2 期
売上高	(　　　　　)	(　　　　　)
売上原価	(　　　　　)	(　　　　　)
原価差異	(　　　　　)	(　　　　　)
計	(　　　　　)	(　　　　　)
売上総利益	(　　　　　)	(　　　　　)
販売費及び一般管理費	(　　　　　)	(　　　　　)
営業利益	(　　　　　)	(　　　　　)

※　記入不要の欄がある場合には、「─」を記入すること。

(直接原価計算方式)　　　　　損 益 計 算 書　　　　　(単位：円)

	第 1 期	第 2 期
売上高	(　　　　　)	(　　　　　)
変動売上原価	(　　　　　)	(　　　　　)
変動製造マージン	(　　　　　)	(　　　　　)
変動販売費	(　　　　　)	(　　　　　)
貢献利益	(　　　　　)	(　　　　　)
固定費	(　　　　　)	(　　　　　)
営業利益	(　　　　　)	(　　　　　)

直接原価計算

応用 | 目標 **30**分 | 解答・解説 ▶ **P360** | check ☑☑☑

64 全部と直接・4期比較

　次の〔資料〕に基づき、各自、全部原価計算による損益計算書と直接原価計算による損益計算書を作成したうえで、以下の各問に答えなさい。なお、全部原価計算における固定製造原価の算定にあたっては生産量を基準に実際配賦を行うものとし、また製品の払出単価の計算は先入先出法による。

問1　第1期から第4期における全部原価計算の営業利益と直接原価計算の営業利益を答えなさい。

問2　第3期における直接原価計算の損益計算書を作成し、解答用紙の形式にしたがって固定費調整を行いなさい。

問3　第4期期首における全部原価計算による製品有高を算定しなさい。

〔資料〕

　第1期から第4期を通じて、販売単価、製品単位あたり変動費、固定費の実績に変化がなく、以下のようであったとする。

① 販売単価　　　　　　　@25,000円

② 製品単位あたり変動費

　　　　製造原価　　　　@12,000円　　　販売費　　　　　　　　@1,000円

③ （各期の）固定費

　　　　製造原価　　　13,200,000円　　　販売費一般管理費　　2,800,000円

④ 生産・販売数量等

	第1期	第2期	第3期	第4期
期首製品在庫量	0個	0個	500個	900個
当期製品生産量	2,000個	2,500個	2,400個	1,100個
当期製品販売量	2,000個	2,000個	2,000個	2,000個
期末製品在庫量	0個	500個	900個	0個

（注）各期とも期首・期末に仕掛品は存在しない。

解答用紙

問1

	第1期	第2期	第3期	第4期
全部原価計算の営業利益				
直接原価計算の営業利益				

問2

(第3期)　　損　益　計　算　書

売　　　　　上　　　　　高	（	）
変　動　売　上　原　価	（	）
変　動　製　造　マ　ー　ジ　ン	（	）
変　動　販　売　費	（	）
貢　　献　　利　　益	（	）
固　　　定　　　費	（	）
直接原価計算による営業利益	（	）
期末製品に含まれる固定製造原価	（	）
期首製品に含まれる固定製造原価	（	）
全部原価計算による営業利益	（	）

問3　第4期期首における全部原価計算による製品有高　　　　　　　　　　円

応 用 目標 **25**分 解答・解説 ▶ **P364** check ✓ ✓ ✓

65 直接・仕掛品があるケース

以下の〔資料〕に基づき、直接原価計算による月次損益計算書を作成しなさい。

〔資料〕

1．当月の生産・販売データ（単位：個）

月初仕掛品	100 (1/2)	月 初 製 品	200
当 月 投 入	1,600	当 月 完 成 品	1,400
合 計	1,700	合 計	1,600
月末仕掛品	300 (1/2)	月 末 製 品	50
当月完成品	1,400	当 月 販 売	1,550

・原料は工程の始点で投入される。

・（ ）内は加工進捗度を示す。

2．当月の売価・原価データ（単位：円）

		直接材料費	変動加工費
(1)	月初仕掛品	1,870,000	?
(2)	月末仕掛品	?	?
(3)	月初製品	3,860,000	?
(4)	月末製品	?	?

(5) 販売価格 ··· @40,000

(6) 販売費及び一般管理費

変動販売費 ·· 2,500,000

固定販売費 ·· 1,000,000

一般管理費(すべて固定費) ···················· 1,000,000

(7) 当月直接材料消費額 ······························ 32,160,000

(8) 当月加工費実際発生額

変動加工費 ·· 10,780,000

固定加工費 ·· 4,625,000

3．当社は実際総合原価計算を適用しているが、加工費については、製品生産量を配賦基準として、年間を通じて正常配賦している。年間の正常生産量は18,000個であり、加工費の年間予算は、変動費126,000,000円、固定費54,000,000円である。

4．当月の加工費配賦差異は、当月の売上原価に賦課する。

5．月末仕掛品、月末製品の評価は、先入先出法による。

解答用紙

月 次 損 益 計 算 書

Ⅰ 売　　上　　高		（　　　　　）	
Ⅱ 変 動 売 上 原 価			
1　月初製品棚卸高	（　　　　　）		
2　当月製品製造原価	（　　　　　）		
合　　　計	（　　　　　）		
3　月末製品棚卸高	（　　　　　）		
差　　引	（　　　　　）		
4　原 価 差 異	（　　　　　）	（　　　　　）	
変動製造マージン		（　　　　　）	
Ⅲ 変 動 販 売 費		（　　　　　）	
貢 献 利 益		（　　　　　）	
Ⅳ 固　　　定　　　費			
1　固 定 加 工 費	（　　　　　）		
2　固 定 販 売 費	1,000,000		
3　一 般 管 理 費	1,000,000	（　　　　　）	
営 業 利 益		（　　　　　）	

直接原価計算

重要度 **A**

応用 目標 **20**分 解答・解説 ▶ **P368** check ☑ ☑ ☑

66 損益分岐点分析1

製品Aを生産するL社の以下の〔資料〕に基づき、（問1）直接原価計算による営業利益、（問2）当期の損益分岐点売上高、（問3）次期の目標営業利益1,500,000円を達成する売上高を求めなさい。なお、次期も販売量以外の条件は当期と同様と仮定すること。

〔資料〕

1．生産・販売データ（単位：個）

期首仕掛品量	0	期首製品在庫量	200
当 期 投 入 量	1,000	当 期 完 成 量	1,000
合　　計	1,000	合　　計	1,200
期末仕掛品量	0	期末製品在庫量	400
当 期 完 成 量	1,000	当 期 販 売 量	800

2．製品1個あたり実際製造原価（前期以前も同様）

原料費（変動費）	2,000円
変動加工費	1,200円
固定加工費	800円
	4,000円

3．製品1個あたりの売価　　　　　6,000円

4．製品の倉出単価の計算は先入先出法による。

5．実際販売費及び一般管理費

| 製品1個あたり変動販売費 | 400円 |
| 固定販売管理費年額 | 280,000円 |

解答用紙

問1　直接原価計算による営業利益 [　　　　　] 円

問2　損益分岐点売上高 [　　　　　] 円

問3　目標営業利益達成売上高 [　　　　　] 円

応 用　目標 **15分**　解答・解説 ▶ **P370**　check ☑ ☑ ☑

67 損益分岐点分析2

当社では製品甲の連続大量生産を行っている。以下の〔資料〕を参照して、各問に答えなさい。

問1　高低点法により、製品1個あたりの変動費及び月間固定費を求めなさい。

問2　損益分岐点での月間販売数量を求めなさい。

問3　月間目標総資本営業利益率が15%となる月間目標販売数量を求めなさい。なお、当社の総資本は8,000,000円である。

〔資料〕

1．製品1個あたりのデータ

販 売 単 価：　200円

直 接 材 料 費：　80円

直 接 労 務 費：　50円

機械作業時間：　2時間

過去6ヵ月間、上記の条件で生産・販売が行われ、次の6ヵ月も同様と見込まれている。なお、各月初・月末に仕掛品・製品はない。

2．製造間接費(過去6ヵ月間)の実績データ

	機械作業時間	製造間接費
1月	418,000時間	14,550,000円
2月	490,000時間	15,750,000円
3月	465,000時間	15,300,000円
4月	390,000時間	14,200,000円
5月	400,000時間	14,400,000円
6月	470,000時間	15,560,000円

当社の正常操業圏は、月間生産量が200,000個から250,000個である。

解答用紙

問1　変動費 ☐ 円/個　月間固定費 ☐ 円

問2 ☐ 個　問3 ☐ 個

直接原価計算

応 用
68 損益分岐点分析3

目標 **20分** 解答・解説 ▶ **P373** check ✓ ✓ ✓

　当社は、当期に製品1,000個製造し、すべて販売した。そして、下記にある全部原価計算による損益計算書を作成した。次期の利益計画を策定するにあたり、製品原価の分析を行なったところ、製品単位あたり変動費は、直接材料費100円、直接労務費200円、製造間接費400円であった。また、販管費についても分析を行ったところ、変動販売費が100円であることが判明した。変動費以外の原価は固定費である。このような状況を前提に、各問に答えなさい。

損益計算書　　　　　　　（単位：円）

売　上　高	2,000,000
売 上 原 価	1,300,000
売上総利益	700,000
販売費及び一般管理費	400,000
営 業 利 益	300,000

問1　直接原価計算における損益計算書を作成しなさい。

問2　次期も当期と同じ条件で製品の製造・販売がなされると仮定すると、損益分岐点売上高がいくらになるか計算しなさい。

問3　現状の売上高を維持したまま、営業利益を1.5倍にするためには、いくら固定費を削減する必要があるのか計算しなさい。

問4　営業利益を1.5倍にするための目標売上高を計算しなさい。

解答用紙

問1

損　益　計　算　書　　（単位：円）

売　　上　　高	（	）
変　　動　　費	（	）
貢　献　利　益	（	）
固　　定　　費	（	）
営　業　利　益	（	）

問2　損益分岐点売上高　□□□□□□□□□□　円

問3　固定費削減目標額　□□□□□□□□□□　円

問4　目標売上高　□□□□□□□□□□　円

重要度 **A**

応用 **69** 損益分岐点分析4

当社はＡ製品を製造・販売している。当月の業績は下記のとおりであった。よって以下の各問に答えなさい。なお、月初及び月末に仕掛品及び製品の在庫はないものとする。

問1　当社の損益分岐点における月間売上高はいくらか求めなさい。

問2　次月に目標営業利益6,000,000円を達成するための売上数量を計算しなさい。ただし、次月においても販売単価、製品単位あたり変動費、月間固定費は当月と同一とする。

問3　次月において競業他社の出現により、販売単価を2,500円引き下げざるをえなくなったとして、当月と同額の営業利益を得るための売上数量を求めなさい。ただし、次月においても製品単位あたり変動費、月間固定費は当月と同一とする。

問4　関係部署の担当者の意見を集約すれば、販売単価を2,500円引き下げたとしても、次月の売上数量は1,600個が限界である。よって、この販売単価及び売上数量を前提とし、当月と同額の営業利益を得るため、固定費を削減する場合(現在毎月一定額支払っている従業員訓練費や研究開発費などを削減する予定である)、いくら削減すべきか計算しなさい。ただし、次月においても製品単位あたり変動費は当月と同一とする。

〔資料〕当月の実績データ

売上高			@40,000円×1,275個
原　価	変動費	変動製造原価	@21,000円×1,275個
		変動販売費	@ 9,000円×1,275個
	固定費	固定製造原価	7,500,000円
		固定販売費・一般管理費	1,200,000円

解答用紙

問1	＿＿＿＿＿＿ 円	問3	＿＿＿＿＿＿ 個
問2	＿＿＿＿＿＿ 個	問4	＿＿＿＿＿＿ 円

重要度 **B**

応用

70 本社工場会計1

目標 **20分**　解答・解説 ▶ **P379**　check ☑ ☐ ☐

　当社（本社東京）は、山梨に工場を持っており、本社会計から工場会計を独立させている。材料倉庫は工場内にある。材料の購入及び製品の販売は本社が行い、また材料の購入代金、従業員の賃金及び経費の支払いも本社で行っている。また工場で製造された製品はすべて工場の倉庫に保管される。よって下記の1月中の取引について、工場で行われる仕訳を解答用紙に記入しなさい。ただし、使用する勘定科目は以下のものに限る。

材　　料	賃　　金	経　　費	仕　掛　品
製造間接費	原価差異	製　　品	本　　社

〔1月中の取引〕

1．本社が当月、掛で購入した材料は2,000,000円で、検品のうえ工場の倉庫に受入れた。

2．工場で材料を消費した。なお材料の月初有高は300,000円、月末有高は800,000円であり、消費額のうち直接費は1,000,000円（指図書No.2へ600,000円、指図書No.3へ400,000円）であった。

3．工場の従業員に当月の賃金1,350,000円、諸手当500,000円が支給された。なお諸手当はすべて当月消費分である。

4．工場で賃金1,500,000円を消費した。なお消費額はすべて直接費（指図書No.1へ200,000円、指図書No.2へ600,000円、指図書No.3へ700,000円）であった。

5．工場の経費1,200,000円が支払われた。

6．工場で経費を消費した。なお経費の月初前払高は100,000円、月末前払高は200,000円である。また消費額のうち直接費は400,000円（指図書No.1へ130,000円、指図書No.2へ170,000円、指図書No.3へ100,000円）であった。

7．製造間接費を直接労務費法により予定配賦する。配賦率は110％である。

8．製造間接費の予定配賦額と実際発生額との差額を原価差異勘定に振替える。

9．指図書No.1及びNo.2が完成した。なお月初仕掛品原価は450,000円（すべて指図書No.1）である。

10．工場は、本社からの指示により指図書No.1の製品を得意先に納入した。

本社工場会計

解答用紙

	借方科目	金　額	貸方科目	金　額
1				
2				
3				
4				
5				
6				
7				
8				
9				
10				

応用 目標 **15分** 解答・解説 ▶ **P383** check ☑ ☑ ☑

71 本社工場会計2

　当社は、本社工場会計を採用しており、工場会計を本社会計から独立させている。以下の〔資料〕に基づき、3月中に行われた取引について、本社及び工場における仕訳を示しなさい。使用する勘定科目は、次の中から最も適当なものを選ぶこと。ただし、工場で記帳に使用する勘定科目は〔資料3〕で用いられている勘定科目に限る。なお、仕訳が必要ない場合には借方科目欄に「仕訳なし」と記入すること。

現	金	材	料	賃金・給料	製造間接費
仕 掛 品	製		品	本 社 元 帳	工 場 元 帳
減価償却累計額	買 掛		金	売 上	売 掛 金

〔資料1〕3月中に行われた取引
(1)　材料500,000円を掛購入し、材料が工場倉庫へ届けられた。
(2)　直接材料として400,000円が工場倉庫から出庫された。
(3)　工場従業員に対して500,000円の給与を現金で支払った。
(4)　直接労務費として700,000円が消費された。
(5)　製品製造に使用している機械について当月における減価償却費を計上した。なお、機械の減価償却費は年間で2,400,000円生じる。
(6)　製品1,300,000円が完成し、本社倉庫へ搬送された。なお、内部利益は計上していないものとする。

〔資料2〕本社工場間での取り決め事項
・　材料の発注は本社が行うことにしており、仕入先に対しては材料を工場倉庫に直接届けるよう契約している。
・　材料の購入代金を含めて支払い関係はすべて本社でなされる。
・　工場で製造された製品はすぐに本社へ搬送し、本社にて倉庫に保管し販売することにしている。

〔資料3〕3月1日における工場の元帳諸勘定残高

残高試算表 　　　　　　　　　(単位：円)

材　　　　料	300,000	賃　金・　給　料	200,000
仕　掛　品	450,000	本　社　元　帳	550,000
製　造　間　接　費	0		
	750,000		750,000

解答用紙

		借方科目	金　額	貸方科目	金　額
(1)	本社				
	工場				
(2)	本社				
	工場				
(3)	本社				
	工場				
(4)	本社				
	工場				
(5)	本社				
	工場				
(6)	本社				
	工場				

応用 目標 **10**分 解答・解説 ▶ P385 check ☑ ☑ ☑

72 仕訳問題1

当社は、工場会計を独立させており、代金の受払いについては本社で行っている。下記の一連の取引について、工場側で行う仕訳をしなさい。ただし、勘定科目は、各取引の下の勘定科目の中から最も適切なものを選び、記号で解答すること。

1. 製品用の素材750,000円(購入代価)及び買入部品300,000円(購入代価)を購入し、代金は掛けとした。なお、購入に際しては、材料副費を予定配賦しており、購入代価に対して8％を配賦する。
　ア. 材料　イ. 仕掛品　ウ. 製品　エ. 材料副費　オ. 製造間接費
　カ. 売上原価　キ. 本社

2. 直接工の賃金消費額を予定総平均賃率1,800円に基づき計上する。なお、作業時間の内訳は、直接作業時間2,500時間、間接作業時間200時間であった。
　ア. 材料　イ. 仕掛品　ウ. 製品　エ. 賃金　オ. 製造間接費
　カ. 売上原価　キ. 本社

3. 直接作業時間を配賦基準として製造間接費を各製造指図書に予定配賦する。なお、製造間接費の年間予算額は34,320,000円、年間予定総直接作業時間は31,200時間である。
　ア. 材料　イ. 仕掛品　ウ. 製品　エ. 製造間接費　オ. 外注加工費
　カ. 売上原価　キ. 本社

4. 製造間接費の実際発生額は2,900,000円であった。そこで、予定配賦額と実際発生額との差額を予算差異と操業度差異に分析し、原価差異の勘定へ振替える。
　ア. 材料　イ. 仕掛品　ウ. 製品　エ. 製造間接費　オ. 予算差異
　カ. 操業度差異　キ. 本社

5. 材料副費の実際発生額は91,000円であった。そこで、予定配賦額と実際発生額との差額を原価差異の勘定へ振替える。
　ア. 材料　イ. 仕掛品　ウ. 製品　エ. 材料副費　オ. 製造間接費
　カ. 材料副費差異　キ. 本社

解答用紙

	借方科目	金　額	貸方科目	金　額
1				
2				
3				
4				
5				

重要度 **A**

応 用　目標 **10分**　解答・解説 ▶ **P388**　check ☑ ☑ ☑

73 仕訳問題2

当工場は、部門別個別原価計算を採用しており、製造部門として切削部と組立部、補助部門として修繕部がある。下記の一連の内容について、仕訳をしなさい。ただし、勘定科目は、各取引の下の勘定科目の中から最も適切なものを選び、記号で解答すること。

1. 製造部門費を、直接作業時間を配賦基準として製品に予定配賦する。予定配賦率は切削部3,500円／時間、組立部2,000円／時間であり、当月の実際直接作業時間は切削部600時間、組立部1,600時間である。
   ア．仕掛品　イ．製品　ウ．製造間接費　エ．切削部費
   オ．組立部費　カ．修繕部費　キ．原価差異

2. 当月の製造間接費の実際発生額を部門別に集計した結果は、切削部2,040,000円、組立部3,080,000円、修繕部265,000円であった。そこで、各部門へ振替える。
   ア．仕掛品　イ．製品　ウ．製造間接費　エ．切削部費
   オ．組立部費　カ．修繕部費　キ．原価差異

3. 補助部門費を、修繕時間を配賦基準として製造部門に予定配賦する。修繕部の予定配賦率は2,500円／時間であり、当月の実際修繕時間は切削部40時間、組立部60時間である。
   ア．仕掛品　イ．製品　ウ．製造間接費　エ．切削部費
   オ．組立部費　カ．修繕部費　キ．原価差異

4. 修繕部費の配賦差異を原価差異の勘定へ振替える。
   ア．仕掛品　イ．製品　ウ．製造間接費　エ．切削部費
   オ．組立部費　カ．修繕部費　キ．原価差異

5. 各製造部門費の配賦差異を原価差異の勘定へ振替える。
   ア．仕掛品　イ．製品　ウ．製造間接費　エ．切削部費
   オ．組立部費　カ．修繕部費　キ．原価差異

仕訳対策

解答用紙

	借方科目	金　　額	貸方科目	金　　額
1				
2				
3				
4				
5				

応用　目標 **10**分　解答・解説 ▶ **P391**　check ☑ ☑ ☑

74 仕訳問題3

当工場では、製品Lを量産しており、標準原価計算を採用している。また、勘定記入の方法については、パーシャル・プランによっている。下記の一連の内容について、仕訳をしなさい。ただし、勘定科目は、各取引の下の勘定科目の中から最も適切なものを選び、記号で解答すること。

1. 当月の完成品原価を仕掛品勘定から製品勘定へ振替える。なお、当月において、月初及び月末に仕掛品はなく、生産量は2,000個である。また、製品Lの原価標準は次のとおりである。

	単　価	消費量	金　額
直接材料費	800円 / kg	0.5kg	400円
直接労務費	1,500円 / 時間	0.8時間	1,200円
製造間接費	3,000円 / 時間	0.8時間	2,400円
			4,000円

　　ア. 材料　　イ. 仕掛品　　ウ. 製品　　エ. 賃金　　オ. 製造間接費
　　カ. 売上原価　　キ. 標準原価差異

2. 当月の製造費用を各原価要素の勘定から仕掛品勘定へ振替える。なお、当月の製造費用は、直接材料費840,000円、直接労務費2,340,000円、製造間接費4,980,000円であった。

　　ア. 材料　　イ. 仕掛品　　ウ. 製品　　エ. 賃金　　オ. 製造間接費
　　カ. 売上原価　　キ. 標準原価差異

3. 直接材料費差異を原価差異の発生する勘定から原価差異の勘定へ振替える。
　　ア. 材料　　イ. 仕掛品　　ウ. 製品　　エ. 賃金　　オ. 製造間接費
　　カ. 売上原価　　キ. 標準原価差異

4. 直接労務費差異を原価差異の発生する勘定から原価差異の勘定へ振替える。
　　ア. 材料　　イ. 仕掛品　　ウ. 製品　　エ. 賃金　　オ. 製造間接費
　　カ. 売上原価　　キ. 標準原価差異

5. 製造間接費差異を原価差異の発生する勘定から原価差異の勘定へ振替える。
   ア．材料　　イ．仕掛品　　ウ．製品　　エ．賃金　　オ．製造間接費
   カ．売上原価　　キ．標準原価差異

解答用紙

	借方科目	金　額	貸方科目	金　額
1				
2				
3				
4				
5				

解答・解説編

解答・解説編には、問題編〈基本〉と問題編〈応用〉に掲載した問題の解答とその詳しい解説を掲載しました。間違えてしまった問題は解説をよく読んで理解していきましょう。また、各問題ごとに「日商簿記2級光速マスター NEO 工業簿記テキスト」のどこで学習した内容かを明示していますので、苦手な論点や理解の不足している分野があった場合は、「日商簿記2級光速マスター NEO 工業簿記 テキスト」をもう一度開いて復習してください。

1 一巡の仕訳と勘定記入

解　答

	借方科目	金　　額	貸方科目	金　　額
1	材　　　　料	950,000	買　掛　金	950,000
2	仕　掛　品 製 造 間 接 費	750,000 250,000	材　　　　料	1,000,000
3	賃　　　　金	870,000	当 座 預 金	870,000
4	仕　掛　品 製 造 間 接 費	600,000 282,000	賃　　　　金	882,000
5	経　　　　費	140,000	当 座 預 金	140,000
6	仕　掛　品 製 造 間 接 費	20,000 122,000	経　　　　費	142,000
7	仕　掛　品	654,000	製 造 間 接 費	654,000
8	製　　　　品	1,900,000	仕　掛　品	1,900,000
9	売　掛　金	2,157,500	売　　　　上	2,157,500
10	売 上 原 価	1,726,000	製　　　　品	1,726,000

材 料			
前 月 繰 越	180,000	仕 掛 品	750,000
買 掛 金	950,000	製造間接費	250,000

賃 金			
当 座 預 金	870,000	未 払 賃 金	124,000
		仕 掛 品	600,000
		製造間接費	282,000

経 費			
前 払 経 費	5,000	仕 掛 品	20,000
当 座 預 金	140,000	製造間接費	122,000

製 品			
前 月 繰 越	286,000	売 上 原 価	1,726,000
仕 掛 品	1,900,000		

仕 掛 品			
前 月 繰 越	230,000	製 品	1,900,000
材 料	750,000		
賃 金	600,000		
経 費	20,000		
製造間接費	654,000		

製 造 間 接 費			
材 料	250,000	仕 掛 品	654,000
賃 金	282,000		
経 費	122,000		

売 上 原 価			
製 品	1,726,000		

売 上			
		売 掛 金	2,157,500

解　説

ここがポイント！
工業簿記では、製品を製造するのに要した金額（製造原価）の流れをしっかりつかむことが大切です。材料費、労務費、経費の消費額のうち、製造直接費はそのまま仕掛品勘定へ、製造間接費は一旦、製造間接費勘定へ振替えられた後、仕掛品勘定へ配賦されます。勘定記入から仕訳を導き出せるようにしていきましょう。

　本問の取引が勘定上でどのように流れるかを、以下の勘定連絡図で示しています。材料、賃金、経費の各勘定から消費額がどのような流れを経て、最終的に売上原価となるのかを確認してください。

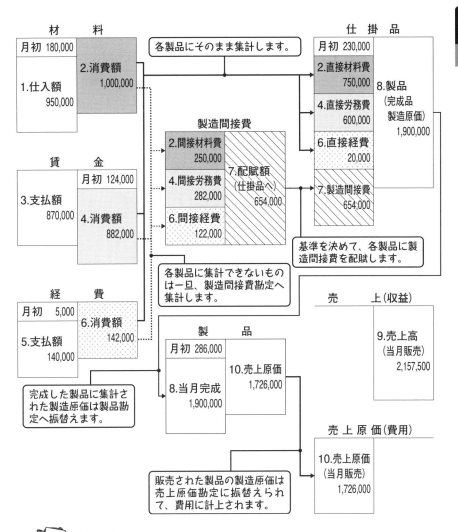

材　　料	
月初 180,000	2.消費額 1,000,000
1.仕入額 950,000	

各製品にそのまま集計します。

仕　掛　品	
月初 230,000	2.直接材料費 750,000
	4.直接労務費 600,000
	6.直接経費 20,000
	7.製造間接費 654,000

8.製品（完成品製造原価） 1,900,000

製造間接費

2.間接材料費 250,000	7.配賦額（仕掛品へ） 654,000
4.間接労務費 282,000	
6.間接経費 122,000	

基準を決めて、各製品に製造間接費を配賦します。

賃　　金	
	月初 124,000
3.支払額 870,000	4.消費額 882,000

各製品に集計できないものは一旦、製造間接費勘定へ集計します。

経　　費	
月初 5,000	6.消費額 142,000
5.支払額 140,000	

売　上（収益）

	9.売上高（当月販売） 2,157,500

製　　品	
月初 286,000	10.売上原価 1,726,000
8.当月完成 1,900,000	

完成した製品に集計された製造原価は製品勘定へ振替えます。

売 上 原 価（費用）

10.売上原価（当月販売） 1,726,000	

販売された製品の製造原価は売上原価勘定に振替えられて、費用に計上されます。

復習しよう！

製造原価は製品に直接集計できるか否かで、振替える先が変わりますが、最終的には仕掛品勘定の借方に集計します。

製造直接費 → 各製品に直接集計できる　　→（そのまま）仕掛品勘定借方へ
製造間接費 → 各製品に直接集計できない →（一旦）製造間接費勘定へ
　　　　　　 → 基準を設けて各製品に配分 → 仕掛品勘定借方へ

基 本  テキスト 第2章

2 材料の購入

解 答

	借方科目	金 額	貸方科目	金 額
1	材　　　　　料	123,000	買　　掛　　金 材　料　副　費	120,000 3,000
2	材料副費配賦差異	500	材　料　副　費	500
3	買　　掛　　金	2,000	材　　　　　料	2,000

解 説

ここがポイント!

材料の購入に関する仕訳は、一番はじめに登場する工業簿記上の処理です。商業簿記のように仕入を行っても、「仕入」勘定を用いず、「材料」勘定を用いることが重要です。また、本問のように「材料」を仕入れたという表現でなく、「素材」や「工場消耗品」を仕入れたという場合でも、勘定科目としては「素材」勘定や「工場消耗品」勘定が与えられていないため、「材料」勘定を利用します。問題に与えられた勘定科目を臨機応変に使用しましょう。

1. 材料の仕入

　素材と工場消耗品を仕入れたため、材料勘定を用いて仕訳を行います。仕訳では購入原価を用いるので、その計算が必要となります。購入原価は、購入代価と材料副費配賦額の合計なので、計算すると次のとおりです。

素材の購入代価	@1,000円×100kg	100,000円
工場消耗品の購入代価		20,000円
材料副費配賦額		3,000円
合　計		123,000円

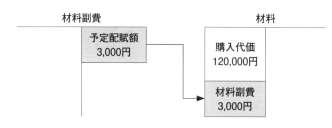

2．材料副費配賦差異の認識

　　材料副費予定配賦額3,000円と実際発生額3,500円の差額として、材料副費配賦差異500（借方差異（不利差異））を認識します。

　　「材料副費」勘定の貸方に500を転記するためには、解答の仕訳が必要となります。「材料副費配賦差異」勘定が借方に記入されますので、借方差異となります。もしくは、予定よりも実際の原価が500多くなったため、不利差異と判断できます。

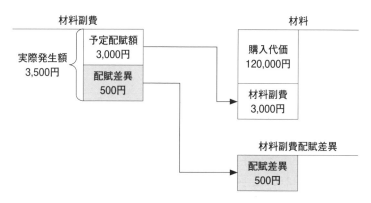

3．材料の値引き

　　材料の品質不良や品違いなどにより値引きを受けた場合、材料の金額が減少するため購入時の仕訳とは逆の仕訳を行えばよいのです。

基 本 テキスト 第2章

3 材料の消費（実際価格）

解 答

問1

直接材料費：	320,000 円
間接材料費：	120,000 円
棚卸減耗損：	60,000 円

日付	借方科目	金　額	貸方科目	金　額
8 /15	仕　掛　品	320,000	材　　料	320,000
8 /21	製 造 間 接 費	120,000	材　　料	120,000
8 /31	製 造 間 接 費	60,000	材　　料	60,000

問2

直接材料費：	336,000 円
間接材料費：	112,000 円
棚卸減耗損：	61,250 円

問3

直接材料費：	351,750 円
間接材料費：	117,250 円
棚卸減耗損：	58,625 円

解　説

ここが
ポイント！

先入先出法、移動平均法、総平均法のどれを採用するかによって、材料出庫額（材料消費額）が異なります。棚卸減耗についても直接材料費、間接材料費と同様に計算します。なお、棚卸減耗は「**間接経費**」に分類されるものですから、工業簿記上は「**製造間接費**」勘定を用いて処理します。

問1　先入先出法

先に購入したものが先に消費されると考えて8/15、8/21、8/31における消費額を計算します。

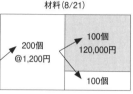
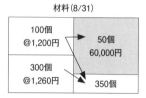

先に購入した200個（@1,000円）が先に消費され、残り100個は後から購入した@1,200円で計算します。	@1,200円で100個の計算をします。	月末における帳簿残高が400個、実地棚卸高が350個ですので、棚卸減耗50個を認識します。通常の材料消費と同様に計算します。

問2　移動平均法

新たに材料を購入する度に平均単価を計算し、8/15、8/21、8/31における消費額を計算します。

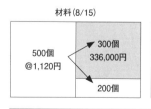
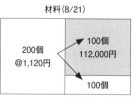
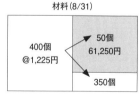

8/15の平均単価　（@1,000円×200個＋@1,200円×300個）÷500個＝@1,120円
8/25の平均単価　（@1,120円×100個＋@1,260円×300個）÷400個＝@1,225円

問3　総平均法

　　月末までに購入した材料の平均単価を計算し、8/15、8/21、8/31におけ
る消費額を計算します。

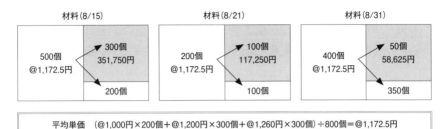

基　本　📖　テキスト　第2章

4 材料の消費 (予定価格)

解　答

問1

材 料 消 費 額：	39,000 円
材料消費価格差異：	3,650 円（不利差異）

借方科目	金　　額	貸方科目	金　　額
仕　　掛　　品	39,000	材　　　　料	39,000
材料消費価格差異	3,650	材　　　　料	3,650

問2

材 料 消 費 額：	46,800 円
材料消費価格差異：	4,150 円（有利差異）

借方科目	金　　額	貸方科目	金　　額
仕　　掛　　品	46,800	材　　　　料	46,800
材　　　　料	4,150	材料消費価格差異	4,150

解　説

**ここが
ポイント！** 材料消費時に予定価格を用いて直接材料費や間接材料費を計算すると、実際価格との間にズレが生じ、材料消費価格差異を認識します。予定価格より実際価格が大きければ借方差異、予定価格より実際価格が小さければ貸方差異になります。

問1

材料消費額は予定価格@100円を用いて計算します。

予定消費額：@100円×390kg＝39,000円

これと、実際価格を用いて計算した材料消費額との差額を計算すれば材料消費価格差異が求まります。そこで、次のように実際価格により直接材料費を計算します。

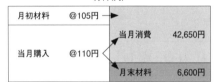

材料(kg)			
月初材料	50kg	当月消費	390kg
当月購入	400kg	月末材料	60kg

材料(円)			
月初材料	@105円	当月消費	42,650円
当月購入	@110円	月末材料	6,600円

月末材料
@110円×60kg＝6,600円
実際消費額
（@105円×50kg＋@110円×400kg）－6,600円＝42,650円　もしくは
@105円×50kg＋@110円×（390kg－50kg）＝42,650円

材料消費価格差異：39,000円－42,650円＝△3,650円

→　3,650円の不利差異

＜勘定連絡＞

材　料			
前月繰越	5,250円	仕掛品	39,000円
当月購入高	44,000円	材料消費価格差異	3,650円
		次月繰越	6,600円

仕　掛　品	
材　料　39,000円	

材料消費価格差異	
材　料　3,650円	

問2

材料消費額は予定価格@120円を用いて計算します。

予定消費額：@120円×390kg＝46,800円

これと、問1で計算した実際材料消費額42,650円との差額を計算すれば材料消費価格差異が求まります。

材料消費価格差異：46,800円－42,650円＝4,150円

→4,150円の有利差異

＜勘定連絡＞

材 料			
前月繰越	5,250円	仕掛品	46,800円
当月購入高	44,000円		
		次月繰越	6,600円
材料消費価格差異	4,150円		

仕 掛 品	
材　料　46,800円	

材料消費価格差異	
	材　料　4,150円

基　本　📖　テキスト　第2章

5 支払賃金の計算

解　答

借方科目	金　　額	貸方科目	金　　額
賃　　　　　金	1,350,000	預　　り　　金	90,000
従業員諸手当	20,000	現　　　　　金	1,280,000

解　説

ここが
ポイント！
　支払賃金は基本賃金と加給金（定時外作業手当）の合計として求めることができ、「賃金」勘定で処理します。定時外作業手当以外の手当は「従業員諸手当」勘定で処理します。なお、「預り金」勘定は、「所得税預り金」勘定と「社会保険料預り金」勘定の2つに分けることもありますので、与えられた勘定科目をよく確認しましょう。

1．支払賃金の計算

　　基 本 賃 金　@900円×1,350時間（1,200時間＋150時間）　1,215,000円
　　加 給 金　　　　　　　　　　　　　　　　　　　　　　　　　　135,000円
　　合 　 計　　　　　　　　　　　　　　　　　　　　　　　　1,350,000円

　支払賃金1,350,000円に従業員諸手当20,000円を合算すれば給与支給総額1,370,000円が求まります。ここから、所得税・社会保険料預り金90,000円を控除すれば現金支給額1,280,000円が求まります。

現金支給額　1,280,000円		所得税・社会保険料預り金　90,000円
給与支給総額　1,370,000円		
支払賃金　1,350,000円		従業員諸手当　20,000円
基本賃金　1,215,000円	加給金　135,000円	

2．未払賃金の再振替（参考）

　本問では再振替仕訳は問われていませんが、経過勘定項目である前月未払賃金135,000円（＝＠900円×150時間）を月初に再振替します。

　　　　（借）未 払 賃 金　　135,000　　　　（貸）賃　　　　金　　135,000

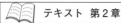

6 消費賃金の計算

解答

	借方科目	金　額	貸方科目	金　額
①	未　払　賃　金	142,500	賃　　　　金	142,500
②	賃　　　　金	95,000	未　払　賃　金	95,000
③	仕　　掛　　品	1,045,000	賃　　　　金	1,045,000
④	製　造　間　接　費	190,000	賃　　　　金	190,000
⑤	賃　率　差　異	67,500	賃　　　　金	67,500

解説

ここがポイント！
消費賃金とは、直接労務費と間接労務費のことです。材料消費額の計算と同様に予定賃率を用いて計算することができ、その場合、賃率差異という原価差異が生じます。予定賃率に基づく消費賃金が実際賃率に基づく消費賃金より小さければ借方差異(不利差異)、大きければ貸方差異(有利差異)になります。

1．予定賃率の算定

　年間予定賃金総額(賃金予算) 14,820,000円を年間予定総就業時間15,600時間で割り算すれば、予定賃率を求めることができます。

　予定賃率：14,820,000円÷15,600時間＝@950円

2．未払賃金の再振替

　予定賃率を用いている場合、未払賃金を予定賃率を用いて計算することがあります。前月未払賃金142,500円(＝@950円×150時間)を月初に再振替します。前月末に行われた未払賃金の計上の仕訳と逆の仕訳を行えばよいのです。

3．未払賃金の計上

当月未払賃金95,000円(＝@950円×100時間)を月末に見越計上します。

4．直接労務費の計算

直接労務費1,045,000円(＝@950円×1,100時間)を「賃金」勘定から「仕掛品」勘定へ振替えます。

5．間接労務費の計算

間接労務費190,000円(＝@950円×200時間)を「賃金」勘定から「製造間接費」勘定へ振替えます。

6．賃率差異の認識

賃率差異は、予定消費賃金と実際消費賃金との差額として求めることができます。ここで、予定消費賃金は予定直接労務費と予定間接労務費の合計となります。

予定消費賃金：1,045,000円＋190,000円＝1,235,000円

実際消費賃金は、当月支払賃金に当月未払賃金を加算し、前月未払賃金を控除することで求めることができます。

実際消費賃金：1,350,000円＋95,000円－142,500円＝1,302,500円

よって、賃率差異を求めると次のとおりです。

賃率差異：1,235,000円－1,302,500円＝△67,500円

→67,500円の借方差異

＜勘定連絡＞

賃　金		
当月支払賃金 1,350,000円	前月未払賃金 142,500円	
	直接労務費 1,045,000円	
	間接労務費 190,000円	
当月未払賃金 95,000円	賃率差異 67,500円	

仕掛品
賃金 1,045,000円

製造間接費
賃金 190,000円

賃率差異
賃金 67,500円

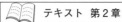

基　本	テキスト 第2章

7 材料費・労務費の計算

解　答

	借方科目	金　額	貸方科目	金　額
1	仕　　掛　　品	500,000	材　　　　　料	600,000
	製 造 間 接 費	100,000		
2	材料消費価格差異	10,000	材　　　　　料	10,000
	製 造 間 接 費	10,200	材　　　　　料	10,200
3	仕　　掛　　品	400,000	賃　　　　　金	500,000
	製 造 間 接 費	100,000		
4	賃　　　　　金	475,000	預　　り　　金	55,000
			現　　　　　金	420,000
5	賃　　　　　金	50,000	未 払 賃 金	50,000
	賃　　　　　金	15,000	賃 率 差 異	15,000

解　説

予定価格や予定賃率を用いて材料や賃金の消費額を計算している場合には、これを消費額として計上した後に、実際消費額を計算して、予定消費額との差額で、材料消費価格差異や賃率差異を求めます。仕訳だけでなく、勘定記入も併せて行っていくと差異の計算を容易に行えますので、必ず勘定を書いて計算してみてください。

〈主要材料の消費と消費価格差異の計上〉

1．主要材料の消費（予定消費額の計上）

　　予定価格で消費額を計算して、直接材料費は仕掛品勘定借方へ、間接材料費は製造間接費勘定借方へ、それぞれ振替えます。

　　直接材料費　予定価格@500円×1,000kg＝500,000円…仕掛品勘定借方へ
　　間接材料費　予定価格@500円×　200kg＝100,000円…製造間接費勘定借方へ
　　合　　　計　予定消費額　　　　　　　　600,000円

2．材料消費価格差異の計上と棚卸減耗損の計上

⑴　材料消費価格差異の計上

　　1．で計算した予定消費額と、先入先出法で計算した実際消費額との差額を材料消費価格差異勘定に計上します。

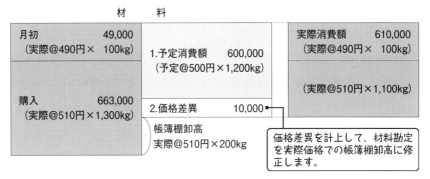

⑵　棚卸減耗損の計上

　　⑴で修正した材料勘定の帳簿棚卸高を、棚卸減耗損を計上して実地棚卸高に修正します。

　　下の勘定は、修正後の残高で示してあります。

〈直接工賃金の支払、消費、及び賃率差異の計上〉

3．賃金の消費（予定消費額の計上）

　　予定賃率で消費額を計算して、直接材料費と同様に、直接労務費は仕掛品勘定借方へ、間接労務費は製造間接費勘定借方へ、それぞれ振替えます。

　直接労務費　予定賃率@200円×2,000時間＝400,000円…仕掛品勘定借方へ
　間接労務費　予定賃率@200円×　500時間＝100,000円…製造間接費勘定借方へ
　合　　　計　予定消費額　　　　　　　　　500,000円

4．賃金の支払

　　賃金勘定借方には、現金支払額ではなく、支給総額を計上します。

　　　現金支払額：支給総額475,000円－預り金55,000円（社会保険料等）
　　　　　　　　　＝420,000円

5．未払賃金の計上と賃率差異の計上

（1） 当月末未払賃金の計上

当月末未払賃金を、賃金勘定借方に計上します。これにより、実際消費額を要支払額により計算できます。

実際消費額（要支払額）：当月支払475,000円－前月未払40,000円
＋当月未払50,000円
＝485,000円

（2） 賃率差異の計上

3．で計算した予定消費額と、上記(1)で求めた実際消費額との差額を賃率差異勘定に計上します。なお、ここで賃金勘定に賃率差異を計上することで、賃金勘定が貸借一致することを確認しましょう。

賃　　　金

4.当月支払　475,000（実際）	前月未払　40,000（実際）	
	3.予定消費額　500,000（予定@200円×2,500時間）	実際消費額　485,000
5.(1)当月未払　50,000（実際）		
5.(2)賃率差異　15,000		

復習しよう！

材料消費価格差異も賃率差異も、以下の式で計算され、有利か不利か判断されます。

予定消費額－実際消費額＝マイナスの金額　→　借方差異（不利差異）
予定消費額－実際消費額＝プラスの金額　　→　貸方差異（有利差異）

なお、差異勘定へ振替えたときに借方なら借方差異、貸方なら貸方差異です。材料勘定や賃金勘定では反対側に差異が記入されることに注意しましょう。

基 本	📖 テキスト 第2章

8 経費の計算

解 答

問1　各経費の当月消費額

(1)	外注加工賃	420,000 円	(4)	電 力 料	120,000 円
(2)	減価償却費	40,500 円	(5)	ガ ス 代	38,540 円
(3)	保 険 料	32,500 円	(6)	棚卸減耗損	28,000 円

問2　当月の直接経費と間接経費

直 接 経 費	420,000 円	間 接 経 費	259,540 円

解 説

経費に関しては、各費目の消費額の計算が最も重要となります。与えられた資料を整理して、各費目の消費額をすばやく計算していけるようにしましょう。

問1　各経費の当月消費額

各経費の当月消費額は次のように計算を行います。

(1)　外注加工賃(支払経費)

当月要支払高を計算して、当月消費額とします。

当月消費額：当月支払高－前月未払高＋当月未払高
　　　　　　＝410,000円－30,000円＋40,000円
　　　　　　＝420,000円

(2)　減価償却費(月割経費)

年額を月割計算することにより、当月消費額とします。

当月消費額：年額486,000円÷12ヵ月＝40,500円

(3) 保険料（月割経費）

　　減価償却費と同様に、当月消費額を計算します。

　　　消費額：年額390,000円÷12ヵ月＝32,500円

(4) 電力料（測定経費）

　　当月測定量に基づく当月発生額120,000円を当月消費額とします。

(5) ガス代（測定経費）

　　当月測定量（使用量）に基づく発生額を計算して、当月消費額とします。

　　　消費額：固定料金5,000円＋従量料金15円／m³×当月使用量2,236m³

　　　　　　＝38,540円

(6) 棚卸減耗損（発生経費）

　　当月の実際発生量に基づいて、当月消費額を計算します。

　　　消費額：材料帳簿棚卸高－材料実地棚卸高

　　　　　　＝＠700円×960個－＠700円×920個

　　　　　　＝28,000円

問2　当月の直接経費と間接経費

(1) 直接経費

　　本問では、外注加工賃420,000円のみが直接経費となります。

(2) 間接経費

　　外注加工賃を除く経費がすべて間接経費となります。

　　　間接経費：40,500円＋32,500円＋120,000円＋38,540円＋28,000円

　　　　　　　＝259,540円

復習しよう！

　　各費目の消費額の計算方法をテキスト2日目に戻って復習しておき
ましょう。

9 製造間接費の実際配賦

解　答

問1

#100	#200
2,000,000 円	3,000,000 円

問2

#100	#200
2,500,000 円	2,500,000 円

問3

#100	#200
1,500,000 円	3,500,000 円

問4

#100	#200
3,000,000円	2,000,000 円

問5

借方科目	金　額	貸方科目	金　額
仕　掛　品	5,000,000	製 造 間 接 費	5,000,000

解 説

製造間接費はその発生と関連性のある基準に基づいて配賦するのが正確な計算となります。基準として何を用いるのかによって、各製品へ配賦される金額が異なることを確認しましょう。

問1　**直接材料費基準**

製造間接費配賦率：5,000,000円÷(2,000,000円＋3,000,000円)＝@1円

　製造指図書＃100への配賦額：@1円×2,000,000円＝2,000,000円

　製造指図書＃200への配賦額：@1円×3,000,000円＝3,000,000円

問2　**直接労務費基準**

製造間接費配賦率：5,000,000円÷(2,500,000円＋2,500,000円)＝@1円

　製造指図書＃100への配賦額：@1円×2,500,000円＝2,500,000円

　製造指図書＃200への配賦額：@1円×2,500,000円＝2,500,000円

問3　**直接作業時間基準**

製造間接費配賦率：5,000,000円÷(3,000時間＋7,000時間)＝@500円

　製造指図書＃100への配賦額：@500円×3,000時間＝1,500,000円

　製造指図書＃200への配賦額：@500円×7,000時間＝3,500,000円

問4　**機械作業時間基準**

製造間接費配賦率：5,000,000円÷(30,000時間＋20,000時間)＝@100円

　製造指図書＃100への配賦額：@100円×30,000時間＝3,000,000円

　製造指図書＃200への配賦額：@100円×20,000時間＝2,000,000円

問5

「製造間接費」勘定から「仕掛品」勘定へ振替えます。

製造間接費				仕　掛　品	
実際発生額　5,000,000円	仕掛品	5,000,000円		実際配賦額　5,000,000円	

基本

テキスト 第3章

10 個別原価計算に関する仕訳

解説解答 基本

解　答

	借方科目	金　額	貸方科目	金　額
(1)	仕　掛　品 製 造 間 接 費	2,660,000 470,000	材　　　　料 賃 金・ 給 料	1,763,000 1,367,000
(2)	仕　掛　品	300,000	現　　　　金	300,000
(3)	仕　掛　品	1,261,000	製 造 間 接 費	1,261,000
(4)	製　　　　品	3,288,000	仕　掛　品	3,288,000
(5)	原 価 差 異	25,000	製 造 間 接 費	25,000

解　説

ここが
ポイント！

個別原価計算は、異なる製品を受注生産するため、特定製造指図書を発行して製造活動を行って、製造指図書別に製造原価を集計していきます。製造原価が製造指図書別に集計されるタイミングと勘定記入の関係を確認しておきましょう。

〈原価の集計過程〉

(1) 材料と賃金・給料を消費した場合には、これらの勘定の貸方に記入するとともに、製造指図書番号が判明する消費額(直接材料費と直接労務費)は仕掛品勘定借方に、不明な消費額(間接材料費と間接労務費)は製造間接費勘定借方に、それぞれ振替えます。

(2) 下請業者にメッキ加工を依頼して、加工後支払う外注加工賃は、加工した製造指図書にそのまま集計(賦課)できますので、直接経費となります。ただし本間では外注加工賃勘定や経費勘定を使用することができません。そこで、支払額＝消費額として仕掛品勘定借方に直接計上します。

(3) 「直接作業時間を基準にして製造間接費を予定配賦している」、とありますので、あらかじめ予定配賦率を算定しておきます。

$$\text{予定配賦率：} \frac{\text{年間製造間接費予算}}{\text{年間予定直接作業時間}} = \frac{15,600,000\ \text{円}}{12,000\ \text{時間}} = 1,300\ \text{円／時間}$$

次に、予定配賦率に各製造指図書の直接作業時間を乗じて、各製造指図書別の配賦額を求め、製造間接費勘定から、仕掛品勘定に振替えます。

予定配賦額合計：1,300円／時間×(400時間＋350時間＋220時間)
＝1,261,000円

(4) ここまでに製造指図書別に集計された製造原価をまとめて、製造指図書別原価計算表を作成すると、次のようになります。

> (1)～(2)で、指図書別に直接集計

製造指図書	No. 3	No. 4	No. 5	合 計
直接材料費	648,000	540,000	405,000	1,593,000
直接労務費	440,000	385,000	242,000	1,067,000
直 接 経 費	200,000	100,000	－	300,000
製造間接費	520,000	455,000	286,000	1,261,000
製造原価合計	1,808,000	1,480,000	933,000	4,221,000
	完 成	完 成		

> (3)で、指図書別に予定配賦

そして、完成した製造指図書の製品の原価(1,808,000円＋1,480,000円)を仕掛品勘定から製品勘定へ振替えます。

製造指図書に製造原価が集計されると、(借方)仕掛品と仕訳されます。確認してみましょう。

(5)　製造間接費配賦差異は、予定配賦額と実際発生額の差額で計算します。具体的には製造間接費勘定の貸借差額で算定できます。

製造間接費

(5)実際発生額合計 1,286,000	(3)予定配賦額合計 1,261,000	
	差異	25,000	→原価差異勘定借方へ

製造間接費配賦差異：予定配賦額1,261,000円－実際発生額1,286,000円
＝△25,000円（借方差異）

 復習しょう!

　　　製造間接費配賦差異も、材料消費価格差異や賃率差異と同様に、以下の式で計算され有利か不利か判断されます。

　予定配賦額－実際発生額＝マイナスの金額　→　借方差異（不利差異）
　予定配賦額－実際発生額＝プラスの金額　　→　貸方差異（有利差異）
先に計算していた予定額よりも、実際発生額が大きければ、思っていたより原価がかかってしまったので、不利な差異、逆に予定額よりも実際発生額が小さければ、思っていたより原価がかからなかったので、有利な差異と覚えてください。

11 原価計算表と勘定の関係

解　答

仕　掛　品

12/ 1	月　初　有　高	1,700,000	12/31	当　月　完　成　品	(3,600,000)
31	直　接　材　料　費	(1,335,000)	〃	月　末　有　高	(1,264,000)
〃	直　接　労　務　費	(707,000)			
〃	製　造　間　接　費	(1,122,000)			
		(4,864,000)			(4,864,000)

製　品

12/ 1	月　初　有　高	1,069,000	12/31	売　上　原　価	(3,481,500)
31	当　月　完　成　品	(3,600,000)	〃	月　末　有　高	(1,187,500)
		(4,669,000)			(4,669,000)

解　説

ここが
ポイント！

製造指図書別に集計される製造原価と仕掛品勘定・製品勘定に記入される製造原価との間には一定の関係があります。

　仕掛品勘定には、当月加工活動を行った製造指図書に集計された製造原価について記入されます。したがって、前月中に完成した製造指図書の製造原価については記入されません。

また製品勘定には当月製品倉庫の在庫となった製造指図書に集計された製造原価が記入されます。

本問では解答用紙より、12月中の記入を求められていることが判明します。そこで以下のとおり、製造指図書別の原価計算表のデータを整理して解答していきます。

1．12月中の各製造指図書の整理

　　No.101：　12月1日現在　完成済・未引渡　→　月初製品
　　　　　　　12月4日　　　引渡済　　　　　→　12売上原価

No.102：	12月 1日現在	着手済・未完成	→	月初仕掛品
	12月 8日	完成済	→	当月完成品
	12月12日	引渡済	→	12月売上原価
No.103：	12月 8日	着手		
	12月29日	完成済	→	当月完成品
	12月31日現在	未引渡	→	月末製品
No.104：	12月25日	着手		
	12月31日現在	未完成	→	月末仕掛品

　上記の状況といかなる金額で計算されるかをまとめると、次のようになります。

仕　掛　品

| 月初仕掛品No.102
(着手〜11月末の製造原価) | 当月完成品No.102
　　　　　　No.103
(着手〜完成の製造原価) |
| 当月投入　No.102
　　　　　No.103
　　　　　No.104
(12月中投入の製造原価) | 月末仕掛品No.104
(着手〜12月末の製造原価) |

製　　品

| 月初製品　No.101
(着手〜完成の製造原価) | 売上原価　No.101
　　　　　No.102
(着手〜完成の製造原価) |
| 当月完成品No.102
　　　　　　No.103
(着手〜完成の製造原価) | 月末製品　No.103
(着手〜完成の製造原価) |

2．仕掛品勘定の記入〜No.102、No.103、No.104

　12月に製造活動を行ったNo.102、No.103、No.104の製造原価に基づいて、原価計算表を作成して仕掛品勘定を完成させます。

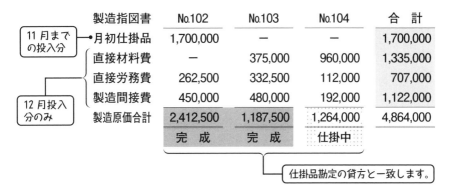

製造指図書	No.102	No.103	No.104	合　計
月初仕掛品	1,700,000	—	—	1,700,000
直接材料費	—	375,000	960,000	1,335,000
直接労務費	262,500	332,500	112,000	707,000
製造間接費	450,000	480,000	192,000	1,122,000
製造原価合計	2,412,500	1,187,500	1,264,000	4,864,000
	完　成	完　成	仕掛中	

11月までの投入分 → 月初仕掛品
12月投入分のみ

仕掛品勘定の貸方と一致します。

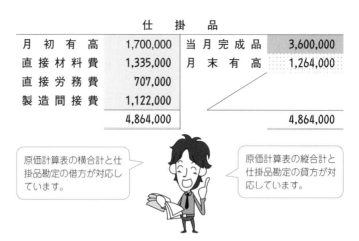

仕 掛 品

月 初 有 高	1,700,000	当 月 完 成 品	3,600,000
直 接 材 料 費	1,335,000	月 末 有 高	1,264,000
直 接 労 務 費	707,000		
製 造 間 接 費	1,122,000		
	4,864,000		4,864,000

原価計算表の横合計と仕掛品勘定の借方が対応しています。

原価計算表の縦合計と仕掛品勘定の貸方が対応しています。

3. 製品勘定の記入〜№101、№102、№103

　11月に完成済・在庫となっていた№101と、12月に完成した№102、№103の製造原価に基づいて、製品勘定を完成させます。

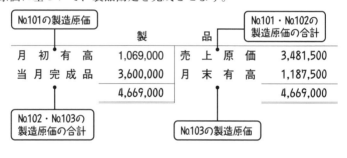

№101の製造原価

№101・№102の製造原価の合計

製 品

月 初 有 高	1,069,000	売 上 原 価	3,481,500
当 月 完 成 品	3,600,000	月 末 有 高	1,187,500
	4,669,000		4,669,000

№102・№103の製造原価の合計

№103の製造原価

製造指図書に集計された合計金額を製品勘定にあてはめて解答します。

基　本

テキスト　第3章

解答解説
基本

12 個別原価計算における仕損の処理

解　答

	No.101	No.101-1	No.200	合　計
前 月 繰 越	25,000	－	－	25,000
直 接 材 料 費	250,000	50,000	200,000	500,000
直 接 労 務 費	100,000	10,000	80,000	190,000
製 造 間 接 費	150,000	15,000	120,000	285,000
小 　 　 計	525,000	75,000	400,000	1,000,000
仕 　 損 　 費	75,000	△75,000	－	0
合 　 　 計	600,000	0	400,000	1,000,000
備 　 　 考	完 成	No.101へ振替	仕掛中	

仕 　 掛 　 品

前 月 繰 越	(25,000)	製　　　品	(600,000)
材 　 料	(500,000)	仕 掛 品	(75,000)
賃 　 金	(190,000)	次 月 繰 越	(400,000)
製 造 間 接 費	(285,000)		
仕 掛 品	(75,000)		
	(1,075,000)		(1,075,000)

解　説

ここが ポイント！

個別原価計算において仕損が発生し、補修を行なう場合、補修指図書が発行されます。補修にかかった原価を補修指図書に集計し、その金額を「仕損費」という形で仕損の元となった製造指図書へ振替えます。原価計算表の記入は機械的に行うことができますが、仕掛品勘定への記入において、相手勘定科目が「仕掛品」となっている箇所が借方と貸方にあり、この解釈が問題となります。

　　貸方の「仕掛品」の意味：補修にかかった製造原価、つまり仕損費
　　借方の「仕掛品」の意味：仕損費を「直接経費」として処理している
なお、問題によっては貸借の「仕掛品」を相殺して計上しないこともありますので、臨機応変に対応しましょう。

1．直接材料費の賦課

製造指図書 No.101　　：@500円×500kg ＝250,000円
製造指図書 No.101-1：@500円×100kg ＝ 50,000円
製造指図書 No.200　　：@500円×400kg ＝200,000円

2．直接労務費の賦課

製造指図書 No.101　　：@1,000円×100h ＝100,000円
製造指図書 No.101-1：@1,000円× 10h ＝ 10,000円
製造指図書 No.200　　：@1,000円× 80h ＝ 80,000円

3．製造間接費の配賦

製造指図書 No.101　　：@1,500円×100h ＝150,000円
製造指図書 No.101-1：@1,500円× 10h ＝ 15,000円
製造指図書 No.200　　：@1,500円× 80h ＝120,000円

製造指図書No.101-1に集計された金額は仕損費として、その発生元である
No.101に対して賦課(直課)します。これを仕損費の**直接経費処理**と言います。

	No.101	No.101-1	No.200	合　計
前 月 繰 越	25,000	―	―	25,000
直 接 材 料 費	250,000	50,000	200,000	500,000
直 接 労 務 費	100,000	10,000	80,000	190,000
製 造 間 接 費	150,000	15,000	120,000	285,000
小　　　計	525,000	75,000	400,000	1,000,000
仕　　損　　費	75,000 ←	△75,000	―	0
合　　　計	600,000	0	400,000	1,000,000
備　　　考	完　成	No.101へ振替	仕掛中	

仕掛品勘定の借方に記入される。

仕掛品勘定の貸方に記入される。

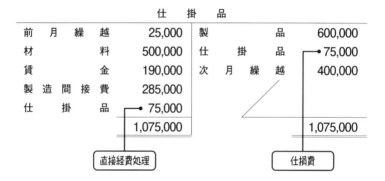

仕　掛　品

前　月　繰　越	25,000	製　　　　品	600,000
材　　　料	500,000	仕　掛　品	75,000
賃　　　金	190,000	次　月　繰　越	400,000
製　造　間　接　費	285,000		
仕　掛　品	75,000		
	1,075,000		1,075,000

直接経費処理

仕損費

解 答

問1

予定配賦率：	500円

問2

予定配賦額：	4,650,000 円

借方科目	金　額	貸方科目	金　額
仕　　掛　　品	4,650,000	製　造　間　接　費	4,650,000

問3

製造間接費配賦差異：	270,000 円（借方差異）

借方科目	金　額	貸方科目	金　額
製造間接費配賦差異	270,000	製　造　間　接　費	270,000

問4

予 算 差 異：	80,000 円（貸方差異）
操 業 度 差 異：	350,000 円（借方差異）

借方科目	金　額	貸方科目	金　額
操　業　度　差　異	350,000	製造間接費配賦差異	270,000
		予　算　差　異	80,000

解　説

ここがポイント！

製造間接費の予定配賦を行うと、予定配賦額と実際発生額との間にズレが生じます。これを製造間接費配賦差異といいますが、なぜこのような差異が生じたのか分析するために予算差異と操業度差異という2つの原価差異に分解します。分解の方法は、固定予算を利用しているのか変動予算を利用しているのかによって異なります。次の問題とセットでおさえると学習の効率がいいです。

問1　予定配賦率の算定

製造間接費予算額を基準操業度で割ることで求めることができます。

　　予定配賦率：5,000,000円÷10,000時間＝@500円

問2　予定配賦額の算定

予定配賦率に実際操業度を掛けることで求めることができます。

　　予定配賦額：@500円×9,300時間＝4,650,000円

「製造間接費」勘定から「仕掛品」勘定へ予定配賦額を振替えます。

製造間接費			仕　掛　品	
実際発生額 4,920,000円	仕　掛　品 4,650,000円		予定配賦額 4,650,000円	

問3　製造間接費配賦差異の算定

予定配賦額と実際発生額との差額を計算することで求めることができます。

　　製造間接費配賦差異：4,650,000円－4,920,000円＝△270,000円

　　　　　　　　　　　　　　　　　　　→270,000円の借方差異

「製造間接費」勘定から「製造間接費配賦差異」勘定へ振替えます。

問 4　製造間接費配賦差異の分析

　予算差異：予算許容額5,000,000円－実際発生額4,920,000円＝80,000円

　　　　　　　　　　　　　　　　　　　　　→ 80,000円の貸方差異

　操業度差異：予定配賦額4,650,000円－予算許容額5,000,000円＝△350,000円

　　　　　　　　　　　　　　　　　　　　　→350,000円の借方差異

　もしくは、操業度差異を計算するにあたっては、予定配賦率に実際操業度と基準操業度の差を掛けても求めることができます。

　操業度差異：予定配賦率@500円×（9,300時間－10,000時間）＝△350,000円

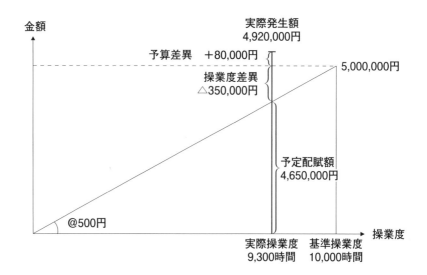

なお、仕訳としては、「製造間接費配賦差異」勘定から、「予算差異」勘定と「操業度差異」勘定への振替えを行います。

テキスト 第3章

基本 14 製造間接費の予定配賦（変動予算）

解 答

問 1

変 動 費 率：	200 円
固 定 費 率：	300 円
製造間接費配賦率：	500 円

問 2

予定配賦額：	4,650,000 円

借方科目	金　額	貸方科目	金　額
仕　　掛　　品	4,650,000	製　造　間　接　費	4,650,000

問 3

製造間接費配賦差異：	270,000 円（借方差異）

借方科目	金　額	貸方科目	金　額
製造間接費配賦差異	270,000	製　造　間　接　費	270,000

問 4

予 算 差 異：	60,000 円（借方差異）
操業度差異：	210,000 円（借方差異）

借方科目	金　額	貸方科目	金　額
予　算　差　異	60,000	製造間接費配賦差異	270,000
操　業　度　差　異	210,000		

解　説

ここが ポイント！

前問と同様に製造間接費の予定配賦を行っていますが、本問では公式法変動予算を用いています。固定予算との違いは予算許容額が異なるだけですので、予定配賦率、予定配賦額、製造間接費配賦差異は同じとなることを確認しましょう。

問1　変動費率、固定費率、予定配賦率の算定

　　変 動 費 率：変動費予算額2,000,000円÷基準操業度10,000時間＝@200円

　　固 定 費 率：固定費予算額3,000,000円÷基準操業度10,000時間＝@300円

　　予定配賦率：変動費率@200円＋固定費率@300円＝@500円

　　　　　　　もしくは、予算額5,000,000円÷基準操業度10,000時間＝@500円

問2　予定配賦額の算定

　　予定配賦率に実際操業度を掛けることで求めることができます。

　　予定配賦額：@500円×9,300時間＝4,650,000円

　「製造間接費」勘定から「仕掛品」勘定へ予定配賦額を振替えます。

製造間接費		仕　掛　品	
実際発生額 4,920,000円	仕　掛　品 4,650,000円	予定配賦額 4,650,000円	

問3　製造間接費配賦差異の算定

　　予定配賦額と実際発生額との差額を計算することで求めることができます。

　　製造間接費配賦差異：4,650,000円－4,920,000円＝△270,000円

　　　　　　　　　　　　　　　　　　　→270,000円の借方差異

　「製造間接費」勘定から「製造間接費配賦差異」勘定へ振替えます。

製造間接費		仕　掛　品	
実際発生額 4,920,000円	仕　掛　品 4,650,000円	予定配賦額 4,650,000円	
	製造間接費配賦差異　270,000円	製造間接費配賦差異	
		製造間接費　270,000円	

問4　製造間接費配賦差異の分析

　公式法変動予算を用いている場合、予算許容額は実際操業度における製造間接費の発生目標額を表すことになります。つまり、実際操業度9,300時間を前提とした変動費発生目標額に固定費の発生目標額を合算することで求まります。

　　　予算許容額：@200円×9,300時間＋3,000,000円＝4,860,000円

　予算許容額を用いて、製造間接費配賦差異を予算差異と操業度差異に分解します。

予算差異　　：予算許容額4,860,000円－実際発生額4,920,000円＝△60,000円
　　　　　　　　　　　　　　　　　　　　　　　　→ 60,000円の借方差異
操業度差異：予定配賦額4,650,000円－予算許容額4,860,000円＝△210,000円
　　　　　　　　　　　　　　　　　　　　　　　　→210,000円の借方差異

　もしくは、操業度差異を計算するにあたっては、固定費率に実際操業度と基準操業度の差を掛けても求めることができます。

　　　操業度差異：固定費率@300円×（9,300時間－10,000時間）＝△210,000円

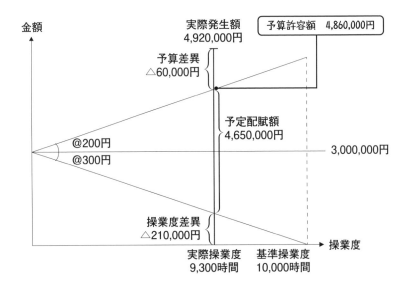

　なお、仕訳としては、「製造間接費配賦差異」勘定から、「予算差異」勘定と「操業度差異」勘定への振替えを行います。

製造間接費配賦差異

	予算差異 60,000円
発生額 270,000円	操業度差異 210,000円

予算差異

製造間接費配賦差異 60,000円

操業度差異

製造間接費配賦差異 210,000円

基 本 テキスト 第4章

15 第一次集計

解 答

部門費配賦表 （単位：円）

	金額	製造部門		補助部門		
		切削部門	組立部門	動力部門	修繕部門	工場事務部門
部 門 個 別 費	3,491,165	1,761,370	1,252,555	227,140	131,560	118,540
部 門 共 通 費						
建物減価償却費	1,800,000	600,000	450,000	262,500	262,500	225,000
建物火災保険料	450,000	150,000	112,500	65,625	65,625	56,250
福利施設負担額	468,000	144,000	168,000	96,000	48,000	12,000
電 力 料	1,190,835	264,630	396,945	308,735	132,315	88,210
機 械 保 険 料	3,600,000	1,080,000	1,620,000	540,000	360,000	－
部 門 費	11,000,000	4,000,000	4,000,000	1,500,000	1,000,000	500,000

借方科目	金 額	貸方科目	金 額
切 削 部 門 費	4,000,000	製 造 間 接 費	11,000,000
組 立 部 門 費	4,000,000		
動 力 部 門 費	1,500,000		
修 繕 部 門 費	1,000,000		
工 場 事 務 部 門 費	500,000		

解 説

ここが
ポイント！
　部門別計算の第一次集計では、各原価部門における製造間接費の発生
額を計算します。各部門でいくらかかったのか明確な部門個別費、各
部門でいくらかかったのか明確でない部門共通費に製造間接費は分類さ
れます。

　部門個別費　→　各原価部門へ直課（賦課）

　部門共通費　→　各原価部門へ配賦

なお、部門共通費を配賦するための基準としては、部門共通費の発生と関連性あ
るものを選択すればよいのです。

1．建物減価償却費の配賦

　　建物占有面積を基準に原価部門へ配賦します。

　　　配賦率：1,800,000円÷4,800㎡＝@375円

　　　切 削 部 門：@375円×1,600㎡＝600,000円

　　　組 立 部 門：@375円×1,200㎡＝450,000円

　　　動 力 部 門：@375円× 700㎡＝262,500円

　　　修 繕 部 門：@375円× 700㎡＝262,500円

　　　工場事務部門：@375円× 600㎡＝225,000円

2．建物火災保険料の配賦

　　建物占有面積を基準に原価部門へ配賦します。

　　　配賦率：450,000円÷4,800㎡＝@93.75円

　　　切 削 部 門：@93.75円×1,600㎡＝150,000円

　　　組 立 部 門：@93.75円×1,200㎡＝112,500円

　　　動 力 部 門：@93.75円× 700㎡＝ 65,625円

　　　修 繕 部 門：@93.75円× 700㎡＝ 65,625円

　　　工場事務部門：@93.75円× 600㎡＝ 56,250円

３．福利施設負担額の配賦
従業員数を基準に原価部門へ配賦します。
　　配賦率：468,000円÷156人＝@3,000円
　　切　削　部　門：@3,000円×48人＝144,000円
　　組　立　部　門：@3,000円×56人＝168,000円
　　動　力　部　門：@3,000円×32人＝96,000円
　　修　繕　部　門：@3,000円×16人＝48,000円
　　工場事務部門：@3,000円×　4 人＝12,000円

４．電力料の配賦
電力消費量を基準に原価部門へ配賦します。
　　配賦率：1,190,835円÷540kwh＝@2205.25円
　　切　削　部　門：@2205.25円×120kwh＝264,630円
　　組　立　部　門：@2205.25円×180kwh＝396,945円
　　動　力　部　門：@2205.25円×140kwh＝308,735円
　　修　繕　部　門：@2205.25円×　60kwh＝132,315円
　　工場事務部門：@2205.25円×　40kwh＝　88,210円

５．機械保険料の配賦
機械帳簿価額を基準に原価部門へ配賦します。
　　配賦率：3,600,000円÷10,000万円＝@360円
　　切　削　部　門：@360円×3,000万円＝1,080,000円
　　組　立　部　門：@360円×4,500万円＝1,620,000円
　　動　力　部　門：@360円×1,500万円＝　540,000円
　　修　繕　部　門：@360円×1,000万円＝　360,000円

　　以上の計算結果に基づき、「製造間接費」勘定から各原価部門を表す勘定へ振替えの仕訳を行います。

＜勘定連絡図＞

製造間接費

	切削部門費 4,000,000円
発生額 11,000,000円	組立部門費 4,000,000円
	動力部門費 1,500,000円
	修繕部門費 1,000,000円
	工場事務部門費 500,000円

切削部門費
製造間接費 4,000,000円

組立部門費
製造間接費 4,000,000円

動力部門費
製造間接費 1,500,000円

修繕部門費
製造間接費 1,000,000円

工場事務部門費
製造間接費 500,000円

基 本　テキスト 第4章

16 第二次集計（直接配賦法）

解 答

部門費配賦表　　　　　　　　　（単位：円）

	金額	製造部門		補助部門		
		切削部門	組立部門	動力部門	修繕部門	工場事務部門
部　門　費	36,501,300	12,100,000	8,430,000	10,640,000	4,464,000	867,300
動力部門費	10,640,000	6,650,000	3,990,000			
修繕部門費	4,464,000	1,860,000	2,604,000			
工場事務部門費	867,300	495,600	371,700			
製造部門費	36,501,300	21,105,600	15,395,700			

借方科目	金　額	貸方科目	金　額
切　削　部　門　費	9,005,600	動　力　部　門　費	10,640,000
組　立　部　門　費	6,965,700	修　繕　部　門　費	4,464,000
		工　場　事　務　部　門　費	867,300

解　説

ここが
ポイント！

直接配賦法により、補助部門費を製造部門へ配賦します。その際に、補助部門間の用役授受を計算上無視することがポイントになります。計算ミスにだけ気をつけましょう。

1．動力部門費の配賦

　　動力部門は修繕部門へ5,000Mh、工場事務部門へ250Mh の用役提供を行っていますが、これを無視して切削部門と組立部門へ動力部門費を配賦します。

　　　動力部門費配賦率：10,640,000円÷(50,000Mh ＋30,000Mh)＝@133円

　　　切削部門への配賦額：@133円×50,000Mh ＝6,650,000円

　　　組立部門への配賦額：@133円×30,000Mh ＝3,990,000円

2．修繕部門費の配賦

　　修繕部門は動力部門へ 8 回、工場事務部門へ 1 回の用役提供を行っていますが、これを無視して切削部門と組立部門へ修繕部門費を配賦します。

　　　修繕部門費配賦率：4,464,000円÷(10回＋14回)＝@186,000円

　　　切削部門への配賦額：@186,000円×10回＝1,860,000円

　　　組立部門への配賦額：@186,000円×14回＝2,604,000円

3．工場事務部門費の配賦

　　工場事務部門は動力部門へ12人、工場事務部門へ 4 人の用役提供を行っていますが、これを無視して切削部門と組立部門へ工場事務部門費を配賦します。

　　　工場事務部門費配賦率：867,300円÷(48人＋36人)＝@10,325円

　　　切削部門への配賦額：@10,325円×48人＝495,600円

　　　組立部門への配賦額：@10,325円×36人＝371,700円

　以上の計算結果から、補助部門の各勘定から製造部門の各勘定へ振替えの仕訳を行えばよいのです。

＜勘定連絡図＞

動力部門費

| 部門費
10,640,000円 | 切削部門費
6,650,000円 |
| | 組立部門費
3,990,000円 |

切削部門費

| 部門費
12,100,000円 |
| 動力部門費
6,650,000円 |
| 修繕部門費
1,860,000円 |
| 工場事務部門費
495,600円 |

修繕部門費

| 部門費
4,464,000円 | 切削部門費
1,860,000円 |
| | 組立部門費
2,604,000円 |

組立部門費

| 部門費
8,430,000円 |
| 動力部門費
3,990,000円 |
| 修繕部門費
2,604,000円 |
| 工場事務部門費
371,700円 |

工場事務部門費

| 部門費
867,300円 | 切削部門費
495,600円 |
| | 組立部門費
371,700円 |

17 第二次集計（相互配賦法）

解 答

部門費配賦表　　　　　　（単位：円）

	金額	製造部門		補助部門		
		切削部門	組立部門	動力部門	修繕部門	工場事務部門
部　門　費	46,603,150	12,000,000	8,700,000	21,437,500	918,600	3,547,050
第 一 次 配 賦						
動力部門費	21,437,500	12,500,000	8,750,000	－	62,500	125,000
修繕部門費	918,600	480,000	360,000	45,200	－	33,400
工場事務部門費	3,547,050	1,391,000	1,947,400	69,550	139,100	－
第 二 次 配 賦				114,750	201,600	158,400
動力部門費	114,750	67,500	47,250			
修繕部門費	201,600	115,200	86,400			
工場事務部門費	158,400	66,000	92,400			
製 造 部 門 費	46,603,150	26,619,700	19,983,450			

	借方科目	金　額	貸方科目	金　額
1	切 削 部 門 費	14,371,000	動 力 部 門 費	21,437,500
	組 立 部 門 費	11,057,400	修 繕 部 門 費	918,600
	動 力 部 門 費	114,750	工場事務部門費	3,547,050
	修 繕 部 門 費	201,600		
	工 場 事 務 部 門 費	158,400		
2	切 削 部 門 費	248,700	動 力 部 門 費	114,750
	組 立 部 門 費	226,050	修 繕 部 門 費	201,600
			工場事務部門費	158,400

解　説

ここが ポイント！ 相互配賦法による補助部門費の配賦では、まず、補助部門間の用役授受もすべて計算上反映し、第一次配賦を行います。その後、再び残りの補助部門費を直接配賦法により製造部門へ配賦することになります。このような二段階の計算を行う分、手間はかかりますが、いきなり直接配賦法を適用するよりも正確に配賦を行うことができます。

1．第一次配賦（動力部門費）

　　修繕部門への250Mh、工場事務部門への500Mh も含めて、動力部門から他の補助部門への用役提供を計算に反映します。

　　　　動力部門費配賦率：21,437,500円÷85,750Mh ＝@250円

　　　　切 削 部 門 へ の 配 賦 額：@250円× 50,000Mh ＝ 12,500,000円

　　　　組 立 部 門 へ の 配 賦 額：@250円× 35,000Mh ＝　8,750,000円

　　　　修 繕 部 門 へ の 配 賦 額：@250円×　　250Mh ＝　　　62,500円

　　　　工場事務部門への配賦額：@250円×　　500Mh ＝　　125,000円

2．第一次配賦（修繕部門費）

　　動力部門への4,520時間、工場事務部門への3,340時間も含めて、修繕部門から他の補助部門への用役提供を計算に反映します。

　　　　修繕部門費配賦率：918,600円÷91,860時間＝@10円

　　　　切 削 部 門 へ の 配 賦 額：@10円× 48,000h＝480,000円

　　　　組 立 部 門 へ の 配 賦 額：@10円× 36,000h＝360,000円

　　　　動 力 部 門 へ の 配 賦 額：@10円×　4,520h＝ 45,200円

　　　　工場事務部門への配賦額：@10円×　3,340h＝ 33,400円

3．第一次配賦（工場事務部門費）

　　動力部門への 5 人、修繕部門への10人も含めて、工場事務部門から他の補助部門への用役提供を計算に反映します。

　　　　工場事務部門費配賦率：3,547,050円÷255人＝@13,910円

　　　　切削部門への配賦額：@13,910円× 100人 ＝ 1,391,000円

　　　　組立部門への配賦額：@13,910円× 140人 ＝ 1,947,400円

　　　　動力部門への配賦額：@13,910円×　 5人＝　 69,550円

　　　　修繕部門への配賦額：@13,910円×　10人＝　139,100円

ここまでの計算結果を補助部門費配賦表に記入すると次のとおりです。

部門費配賦表

(単位：円)

	金額	製造部門		補助部門		
		切削部門	組立部門	動力部門	修繕部門	工場事務部門
部　　門　　費	46,603,150	12,000,000	8,700,000	21,437,500	918,600	3,547,050
第 一 次 配 賦						
動 力 部 門 費	21,437,500	12,500,000	8,750,000	－	62,500	125,000
修 繕 部 門 費	918,600	480,000	360,000	45,200	－	33,400
工場事務部門費	3,547,050	1,391,000	1,947,400	69,550	139,100	－
第 二 次 配 賦				114,750	201,600	158,400
動 力 部 門 費						
修 繕 部 門 費						
工場事務部門費						
第 二 次 集 計 額						

各補助部門費の残りの金額を直接配賦法により製造部門へ配賦します。

4．第二次配賦(動力部門費)

修繕部門への250Mh、工場事務部門への500Mh を無視して、動力部門から製造部門への用役提供を計算に反映します。

動力部門費配賦率：114,750円÷(50,000Mh +35,000Mh)＝@1.35円

切削部門への配賦額：@1.35円×50,000Mh ＝67,500円

組立部門への配賦額：@1.35円×35,000Mh ＝47,250円

5．第二次配賦(修繕部門費)

動力部門への4,520時間、工場事務部門への3,340時間を無視して、修繕部門から製造部門への用役提供を計算に反映します。

修繕部門費配賦率：201,600円÷(48,000h +36,000h)＝@2.4円

切削部門への配賦額：@2.4円×48,000h ＝115,200円

組立部門への配賦額：@2.4円×36,000h ＝ 86,400円

6．第二次配賦(工場事務部門費)

動力部門への 5 人、修繕部門への10人を無視して、工場事務部門から製造部門への用役提供を計算に反映します。

工場事務部門費配賦率：158,400円÷(100人＋140人)＝@660円

切削部門への配賦額：@660円×100人＝66,000円

組立部門への配賦額：@660円×140人＝92,400円

以上の計算結果から、補助部門の各勘定から製造部門の各勘定へ振替えの仕訳を行えばよいのです。

＜勘定連絡図＞

動力部門費		切削部門費	
部門費 21,437,500円	切削部門費 12,567,500円	部門費 12,000,000円	
	組立部門費 8,797,250円	動力部門費 12,567,500円	第二次集計額 26,619,700円
修繕部門費 45,200円	修繕部門費 62,500円	修繕部門費 595,200円	
工場事務部門費 69,550円	工場事務部門費 125,000円	工場事務部門費 1,457,000円	

修繕部門費	
部門費 918,600円	切削部門費 595,200円
	組立部門費 446,400円
動力部門費 62,500円	動力部門費 45,200円
工場事務部門費 139,100円	工場事務部門費 33,400円

工場事務部門費		組立部門費	
部門費 3,547,050円	切削部門費 1,457,000円	部門費 8,700,000円	
	組立部門費 2,039,800円	動力部門費 8,797,250円	第二次集計額 19,983,450円
動力部門費 125,000円	動力部門費 69,550円	修繕部門費 446,400円	
修繕部門費 33,400円	修繕部門費 139,100円	工場事務部門費 2,039,800円	

基　本　　テキスト　第4章

18 部門別計算の仕訳と勘定記入

解　答

	借方科目	金　額	貸方科目	金　額
1	仕　　掛　　品 製 造 間 接 費	1,176,000 932,000	材　　　　　料 賃　　　　　金 経　　　　　費	970,000 632,000 506,000
2	切 削 部 門 費 組 立 部 門 費 動 力 部 門 費 修 繕 部 門 費	432,000 284,000 120,000 96,000	製 造 間 接 費	932,000
3	切 削 部 門 費 組 立 部 門 費	123,600 92,400	動 力 部 門 費 修 繕 部 門 費	120,000 96,000
4	仕　　掛　　品	932,000	切 削 部 門 費 組 立 部 門 費	555,600 376,400
5	製　　　　　品	1,276,000	仕　　掛　　品	1,276,000

材　料

前 月 繰 越	××	1. 仕 掛 品	698,000
当 月 購 入	××	1. 製造間接費	272,000

賃　金

当 月 支 払	××	前 月 未 払	××
		1. 仕 掛 品	382,000
		1. 製造間接費	250,000

経　費

前 月 前 払	××	1. 仕 掛 品	96,000
当 月 支 払	××	1. 製造間接費	410,000

仕　掛　品

前 月 繰 越	74,000	5. 製　品	1,276,000
1. 材　料	698,000		
1. 賃　金	382,000		
1. 経　費	96,000		
4. 切削部門費	555,600		
4. 組立部門費	376,400		

製　品

前 月 繰 越	××	
5. 仕 掛 品	1,276,000	

製 造 間 接 費

1. 材　料	272,000	2. 切削部門費	432,000
1. 賃　金	250,000	2. 組立部門費	284,000
1. 経　費	410,000	2. 動力部門費	120,000
		2. 修繕部門費	96,000

切 削 部 門 費

2. 製造間接費	432,000	4. 仕 掛 品	555,600
3. 動力部門費	66,000		
3. 修繕部門費	57,600		

組 立 部 門 費

2. 製造間接費	284,000	4. 仕 掛 品	376,400
3. 動力部門費	54,000		
3. 修繕部門費	38,400		

動 力 部 門 費

2. 製造間接費	120,000	3. 切削部門費	66,000
		3. 組立部門費	54,000

修 繕 部 門 費

2. 製造間接費	96,000	3. 切削部門費	57,600
		3. 組立部門費	38,400

解　説

ここがポイント！

部門別計算を行う場合に、製造間接費が各部門に集計されて、最終的に各製品に配賦されるまでの流れを、勘定記入と結びつけて確認しておきましょう。そして、勘定記入から仕訳を導き出せるようにしてください。部門別計算の各段階の計算がどのような意味を持つのかを勘定記入と併せて学習すると効果的です。

なお、製造指図書別に製造直接費が集計されるときは、部門別計算を行わない場合と同様に処理されることも、併せて確認しておきましょう。

1．材料費、労務費、経費の消費

費目別計算を行って、消費額を製造直接費と製造間接費に分けます。なお勘定記入する方法は基本1と同様となります。

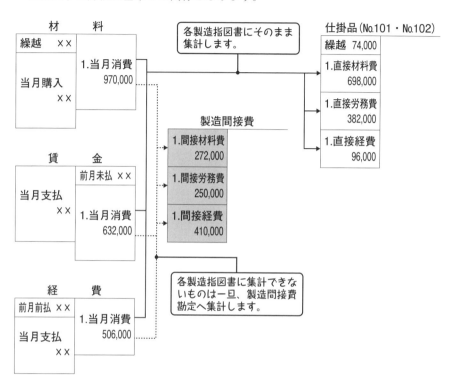

(1) 材料費

(借)仕　掛　品　　698,000　　（貸)材　　　料　970,000
　　　　　－No.101・No.102－

　　製 造 間 接 費　272,000

(2) 労務費

(借)仕　掛　品　　382,000　　（貸)賃　　　金　632,000
　　　　　－No.101・No.102－

　　製 造 間 接 費　250,000

(3) 経費

(借)仕　掛　品　　　96,000　　　(貸)経　　　　費　　　506,000
　　　　－No101・No102－
　　　製造間接費　　　410,000

上記の(1)～(3)の仕訳をまとめると、解答の仕訳となります。

2．製造間接費の各部門への配分（第1次集計）

　　本問では、配分額が与えられていますので、これを製造間接費勘定から、各部門費勘定に振替えます。

(借)切削部門費　　　432,000　　　(貸)製造間接費　　　932,000
　　組立部門費　　　284,000
　　動力部門費　　　120,000
　　修繕部門費　　　 96,000

3．補助部門費の製造部門への配賦（第2次集計・直接配賦法）

　　補助部門費を製造部門に問題文の割合で配賦します。その際には、下記のような簡単な部門費配賦表を作成すると、仕訳しやすくなるでしょう。

部門費配賦表

	合　計	製　造		補　助	
		切　削	組　立	動　力	修　繕
第1次集計額	932,000	432,000	284,000	120,000	96,000
動力部門費	120,000	66,000	54,000		
修繕部門費	96,000	57,600	38,400		
製造部門費	932,000	555,600	376,400		

切削部門と組立部門に
動力…55％：45％
修繕…60％：40％
の割合で配賦します。

(1) 動力部門費の配賦

　　切削部へ：120,000円×55％＝66,000円

　　組立部へ：120,000円×45％＝54,000円

(借)切削部門費　　　66,000　　　(貸)動力部門費　　　120,000
　　組立部門費　　　54,000

(2)　修繕部門費の配賦

切削部へ：96,000円×60％＝57,600円

組立部へ：96,000円×40％＝38,400円

(借) 切 削 部 門 費　　57,600　　　(貸) 修 繕 部 門 費　　96,000
　　 組 立 部 門 費　　38,400

上記(1)と(2)の仕訳をまとめると、解答の仕訳となります。

4．製造部門費の実際配賦

製造部門に集計された製造間接費を部門別に各製造指図書に配賦します。本問では配賦額が与えられていますので、この金額の合計を各製造部門費勘定から仕掛品勘定に振替えます。

(借) 仕　掛　品　　932,000　　　(貸) 切 削 部 門 費　　555,600
　　 −No. 101・No. 102 −　　　　　　　 組 立 部 門 費　　376,400

5．製品(No.101)の完成

製造指図書別に 1．～ 4．までの結果から、指図書別原価計算表を作成して、製造指図書No.101の製造原価を仕掛品勘定から製品勘定に振替えます。

	No.101	No.102	合　計
月初仕掛品原価	74,000	−	74,000
直 接 材 料 費	408,000	290,000	698,000
直 接 労 務 費	210,000	172,000	382,000
直 接 経 費	60,000	36,000	96,000
切 削 部 門 費	305,600	250,000	555,600
組 立 部 門 費	218,400	158,000	376,400
合　計	1,276,000	906,000	2,182,000
	完　成		

(借) 製　　　品　　1,276,000　　　(貸) 仕　掛　品　　1,276,000
　　　　　　　　　　　　　　　　　　　 −No. 101 −

前記の部門別計算の結果を勘定記入すると、次のようになります。

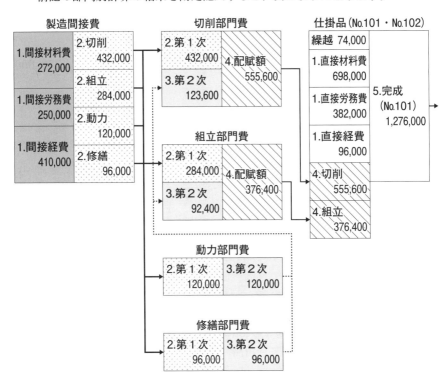

第2次集計が終わると、次に各製造部門から製品に製造間接費が配賦されることを勘定で確認しましょう。

基　本	テキスト　第5章

19 単純総合原価計算の基礎

解　答

問1

①月末仕掛品原価：	385,800 円
②完成品総合原価：	3,742,200 円
③完成品単位原価：	891 円

問2

①月末仕掛品原価：	390,000 円
②完成品総合原価：	3,738,000 円
③完成品単位原価：	890 円

解　説

ここがポイント！

平均法による計算では、月初仕掛品と当月投入分を区別しないで計算するため、月末仕掛品も完成品も同じ単価で計算します。それに対して、先入先出法では月初仕掛品と当月投入分を区別して計算するため、月末仕掛品と完成品の単価は異なります。基本的な計算となりますので、安定して解答を出せるようにしましょう。

問1　平均法

原料費は完成品と月末仕掛品に対して**実在量**を基準に按分します。

月末仕掛品が負担する原料費

$1,896,000$円$\div 4,800$個$\times 600$個$=237,000$円

完成品が負担する原料費

$1,896,000$円$-237,000$円$=1,659,000$円　もしくは

@395円$\times 4,200$個$=1,659,000$円

次に、加工費は完成品と月末仕掛品に対して**完成品換算量**を基準に按分します。月末仕掛品の完成品換算量を計算すると、600個$\times 0.5=300$個となります。

月末仕掛品が負担する加工費

$2,232,000$円$\div 4,500$個$\times 300$個$=148,800$円

完成品が負担する加工費

$2,232,000$円$-148,800$円$=2,083,200$円　もしくは

@496円$\times 4,200$個$=2,083,200$円

以上から、平均法に基づく月末仕掛品原価、完成品総合原価、完成品単位原価を算定すると以下のとおりです。

月末仕掛品原価：$237,000$円$+148,800$円$=385,800$円

完成品総合原価：$1,659,000$円$+2,083,200$円$=3,742,200$円

完成品単位原価：$3,742,200$円$\div 4,200$個$=$@891円　もしくは

@395円$+$@496円$=$@891円

問2　先入先出法

原料費は完成品と月末仕掛品に対して**実在量**を基準に按分します。

月末仕掛品が負担する原料費

$1,720,000$円$\div 4,300$個$\times 600$個$＝240,000$円

完成品が負担する原料費

$(176,000$円$＋1,720,000$円$)－240,000$円$＝1,656,000$円　もしくは

$176,000$円$＋@400$円$\times(4,200$個$－500$個$)＝1,656,000$円

次に、加工費は完成品と月末仕掛品に対して**完成品換算量**を基準に按分します。月末仕掛品の完成品換算量を計算すると、600個$\times 0.5＝300$個となります。

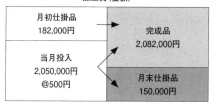

月末仕掛品が負担する加工費

$2,050,000$円$\div 4,100$個$\times 300$個$＝150,000$円

完成品が負担する加工費

$(182,000$円$＋2,050,000$円$)－150,000$円$＝2,082,000$円　もしくは

$182,000$円$＋@500$円$\times(4,200$個$－400$個$)＝2,082,000$円

以上から、先入先出法に基づく月末仕掛品原価、完成品総合原価、完成品単位原価を算定すると以下のとおりです。

月末仕掛品原価：$240,000$円$＋150,000$円$＝390,000$円

完成品総合原価：$1,656,000$円$＋2,082,000$円$＝3,738,000$円

完成品単位原価：$3,738,000$円$\div 4,200$個$＝@890$円

基 本　　テキスト　第5章

20 単純総合原価計算（複数原材料）

解 答

①月末仕掛品原価：	29,340円
②完成品総合原価：	200,000円
③完成品単位原価：	125円

解 説

ここが
ポイント!

複数原材料の計算では、仕掛品が完成品に比べてどれだけ原価を負担するのか考えることが重要です。特定の地点で完成品と同じだけの原材料を投入するのであれば、完成品1個と仕掛品1個が負担する原料費は同じになりますから、実在量を基準に計算します。それに対して、平均投入する場合は加工進捗度によって投入される原材料は異なりますので、完成品換算量を基準に計算します。

1. A原料費の計算

A原料は工程の始点で投入されているため、完成品1個でも仕掛品1個でも負担するA原料費の金額は同じとなります。したがって、**実在量**を基準に按分します。

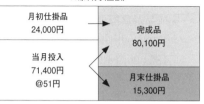

月末仕掛品が負担するＡ原料費

　　71,400円÷1,400個×300個＝15,300円

完成品が負担するＡ原料費

　　(24,000円＋71,400円)−15,300円＝80,100円　　もしくは

　　24,000円＋@51円×(1,600個−500個)＝80,100円

2．Ｂ原料費の計算

　Ｂ原料は工程の50％地点で投入されているため、50％を通過した良品であれば完成品でも仕掛品でも同じだけＢ原料が投入されています。したがって、Ａ原料費と同様に**実在量**を基準に按分しますが、月初仕掛品は30％地点までしか加工していないため、まだＢ原料は投入されていません。そこで、Ｂ原料費の按分計算において**月初仕掛品はゼロ**と考えます。

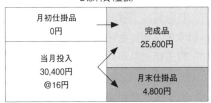

月末仕掛品が負担するＢ原料費

　　30,400円÷1,900個×300個＝4,800円

完成品が負担するＢ原料費

　　(0 円＋30,450円)−4,800円＝25,600円　　もしくは

　　0 円＋@16円×(1,600個− 0 個)＝25,600円

3．Ｃ原料費の計算

　Ｃ原料は工程の始点から終点にかけて平均投入されるため、加工費と同じように原価が発生することになります。加工進捗度が終点に近づけば近づく程、多くのＣ原料が発生することになります。そこで、**完成品換算量**を基準に按分します。

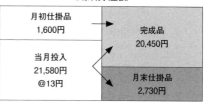

C原料費（完成品換算量）

| 月初仕掛品 150個 | 完成品 1,600個 |
| 当月投入 1,660個 ＜貸借差額＞ | 月末仕掛品 210個 |

C原料費（金額）

| 月初仕掛品 1,600円 | 完成品 20,450円 |
| 当月投入 21,580円 @13円 | 月末仕掛品 2,730円 |

　　月末仕掛品が負担するC原料費
　　　21,580円÷1,660個×210個＝2,730円
　　完成品が負担するC原料費
　　　（1,600円＋21,580円）－2,730円＝20,450円　もしくは
　　　1,600円＋@13円×（1,600個－150個）＝20,450円

4．D原料費の計算

　　D原料は工程の終点で投入されるため、完成品のみがD原料費25,750円を負担することになります。
　　月末仕掛品が負担するD原料費
　　　0円
　　完成品が負担するB原料費
　　　25,750円

5．加工費の計算

　　加工費は完成品換算量を基準に按分します。

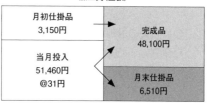

加工費（完成品換算量）

| 月初仕掛品 150個 | 完成品 1,600個 |
| 当月投入 1,660個 ＜貸借差額＞ | 月末仕掛品 210個 |

加工費（金額）

| 月初仕掛品 3,150円 | 完成品 48,100円 |
| 当月投入 51,460円 @31円 | 月末仕掛品 6,510円 |

　　月末仕掛品が負担する加工費
　　　51,460円÷1,660個×210個＝6,510円
　　完成品が負担する加工費
　　　（3,150円＋51,460円）－6,510円＝48,100円　もしくは
　　　3,150円＋@31円×（1,600個－150個）＝48,100円

なお、C原料費の計算と加工費の計算はまとめて行うこともできます。

以上から、月末仕掛品原価、完成品総合原価、完成品単位原価を算定すると以下のとおりです。

月末仕掛品原価：15,300円＋4,800円＋2,730円＋ 0 円＋6,510円＝29,340円
完成品総合原価：80,100円＋25,600円＋20,450円＋25,750円＋48,100円
　　　　　　　　　　　　　　　　　　　　　　　　　　＝200,000円
完成品単位原価：200,000円÷1,600個＝@125円

基 本	📖 テキスト 第6章

21 単純総合原価計算（正常減損）1

解 答

	完成品総合原価	月末仕掛品原価
問1	4,700,000 円	647,200 円
問2	4,745,280 円	601,920 円
問3	4,752,000 円	595,200 円

解 説

ここがポイント！

減損の発生地点によって両者負担なのか完成品のみの負担なのか異なります。

　　月末仕掛品の加工進捗度＞減損発生地点　→　両者負担

　　月末仕掛品の加工進捗度＜減損発生地点　→　完成品のみの負担

なお、減損の発生地点が不明の場合は両者負担で処理します。

問1

　月末仕掛品の加工進捗度60％＞減損の発生地点20％より、減損費について
は完成品と月末仕掛品の**両者負担**とします。

月末仕掛品が負担する原料費

　　1,248,000円÷1,200個×200個＝208,000円

完成品が負担する原料費

　　1,248,000円－208,000円＝1,040,000円　　もしくは

　　@1,040円×1,000個＝1,040,000円

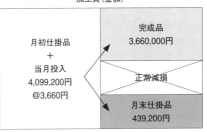

月末仕掛品が負担する加工費

　　4,099,200円÷1,120個×120個＝439,200円

完成品が負担する加工費

　　4,099,200円－439,200円＝3,660,000円　　もしくは

　　@3,660円×1,000個＝3,660,000円

　以上から、月末仕掛品原価、完成品総合原価を算定すると以下のとおりです。

　　月末仕掛品原価：208,000円＋439,200円＝647,200円

　　完成品総合原価：1,040,000円＋3,660,000円＝4,700,000円

問2

　月末仕掛品の加工進捗度60％＜減損の発生地点80％より、月末仕掛品は減損の発生原因になっていません。したがって、減損費については**完成品のみの負担**とします。

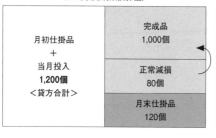

原料費（実在量）

月初仕掛品 ＋ 当月投入 **1,300個** ＜貸方合計＞	完成品 1,000個
	正常減損 100個
	月末仕掛品 200個

原料費（金額）

| 月初仕掛品 ＋ 当月投入 1,248,000円 @960円 | 完成品 1,056,000円 |
| | 月末仕掛品 192,000円 |

　月末仕掛品が負担する原料費

　　1,248,000円÷1,300個×200個＝192,000円

　完成品が負担する原料費

　　1,248,000円－192,000円＝1,056,000円　もしくは

　　@960円×(1,000個＋100個)＝1,056,000円

加工費（完成品換算量）

月初仕掛品 ＋ 当月投入 **1,200個** ＜貸方合計＞	完成品 1,000個
	正常減損 80個
	月末仕掛品 120個

加工費（金額）

| 月初仕掛品 ＋ 当月投入 4,099,200円 @3,416円 | 完成品 3,689,280円 |
| | 月末仕掛品 409,920円 |

　月末仕掛品が負担する加工費

　　4,099,200円÷1,200個×120個＝409,920円

　完成品が負担する加工費

　　4,099,200円－409,920円＝3,689,280円　もしくは

　　@3,416円×(1,000個＋80個)＝3,689,280円

　以上から、月末仕掛品原価、完成品総合原価を算定すると以下のとおりです。

　　月末仕掛品原価：192,000円＋409,920円＝601,920円

　　完成品総合原価：1,056,000円＋3,689,280円＝4,745,280円

問3

　減損は終点発生であるため、月末仕掛品は減損の発生原因になっていません。したがって、減損費については**完成品のみの負担**とします。

月末仕掛品が負担する原料費

　　1,248,000円÷1,300個×200個＝192,000円

完成品が負担する原料費

　　1,248,000円－192,000円＝1,056,000円　　もしくは

　　@960円×（1,000個＋100個）＝1,056,000円

月末仕掛品が負担する加工費

　　4,099,200円÷1,220個×120個＝403,200円

完成品が負担する加工費

　　4,099,200円－403,200円＝3,696,000円　　もしくは

　　@3,360円×（1,000個＋100個）＝3,696,000円

以上から、月末仕掛品原価、完成品総合原価を算定すると以下のとおりです。

　　月末仕掛品原価：192,000円＋403,200円＝595,200円

　　完成品総合原価：1,056,000円＋3,696,000円＝4,752,000円

基 本	📖 テキスト 第6章

22 単純総合原価計算（正常減損）2

解 答

	完成品総合原価	月末仕掛品原価
問1	4,564,320 円	667,680 円
問2	4,620,000 円	612,000 円
問3	4,627,200 円	604,800 円

解 説

ここが
ポイント！

前問が平均法に基づく計算を行っていましたが、本問では先入先出法に基づく計算が求められています。先入先出法を採用している場合、減損はすべて当月投入分から発生したと考えて計算します。

問1

　　月末仕掛品の加工進捗度60％＞減損の発生地点20％より、減損費については完成品と月末仕掛品の**両者負担**とします。

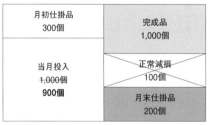

原料費（実在量）

月初仕掛品 300個	完成品 1,000個
当月投入 ~~1,000個~~ **900個**	正常減損 100個
	月末仕掛品 200個

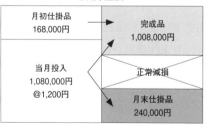

原料費（金額）

月初仕掛品 168,000円	完成品 1,008,000円
当月投入 1,080,000円 @1,200円	正常減損
	月末仕掛品 240,000円

月末仕掛品が負担する原料費

　　1,080,000円÷900個×200個＝240,000円

完成品が負担する原料費

　　（168,000円＋1,080,000円）－240,000円＝1,008,000円　　もしくは

　　168,000円＋@1,200円×（1,000個－300個）＝1,008,000円

加工費（完成品換算量）			加工費（金額）		
月初仕掛品 120個		完成品 1,000個	月初仕掛品 420,000円		完成品 3,556,320円
当月投入 ~~1,020個~~ **1,000個** <貸借差額>		正常減損 20個	当月投入 3,564,000円 @3,564円		正常減損
		月末仕掛品 120個			月末仕掛品 427,680円

月末仕掛品が負担する加工費

　　3,564,000円÷1,000個×120個＝427,680円

完成品が負担する加工費

　　（420,000円＋3,564,000円）－427,680円＝3,556,320円　　もしくは

　　420,000円＋@3,564円×（1,000個－120個）＝3,556,320円

以上から、月末仕掛品原価、完成品総合原価を算定すると以下のとおりです。

　　月末仕掛品原価：240,000円＋427,680円＝667,680円

　　完成品総合原価：1,008,000円＋3,556,320円＝4,564,320円

問2

　月末仕掛品の加工進捗度60％＜減損の発生地点80％より、月末仕掛品は減損の発生原因になっていません。したがって、減損費については**完成品のみの負担**とします。

原料費（実在量）　　　　　　　　　　　　　原料費（金額）

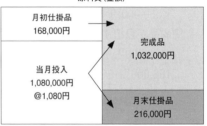

月末仕掛品が負担する原料費

　1,080,000円÷1,000個×200個＝216,000円

完成品が負担する原料費

　(168,000円＋1,080,000円)－216,000円＝1,032,000円　もしくは

　168,000円＋@1,080円×(1,000個＋100個－300個)＝1,032,000円

加工費（完成品換算量）　　　　　　　　　　加工費（金額）

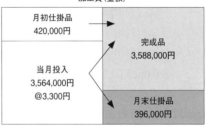

月末仕掛品が負担する加工費

　3,564,000円÷1,080個×120個＝396,000円

完成品が負担する加工費

　(420,000円＋3,564,000円)－396,000円＝3,588,000円　もしくは

　420,000円＋@3,300円×(1,000個＋80個－120個)＝3,588,000円

以上から、月末仕掛品原価、完成品原価を算定すると以下のとおりです。

　月末仕掛品原価：216,000円＋396,000円＝612,000円

　完 成 品 原 価：1,032,000円＋3,588,000円＝4,620,000円

問3

　減損は終点発生であるため、月末仕掛品は減損の発生原因になっていません。したがって、減損費については**完成品のみの負担**とします。

月末仕掛品が負担する原料費

　1,080,000円÷1,000個×200個＝216,000円

完成品が負担する原料費

　(168,000円＋1,080,000円)－216,000円＝1,032,000円　　もしくは

　168,000円＋@1,080円×(1,000個＋100個－300個)＝1,032,000円

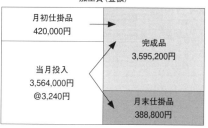

月末仕掛品が負担する加工費

　3,564,000円÷1,100個×120個＝388,800円

完成品が負担する加工費

　(420,000円＋3,564,000円)－388,800円＝3,595,200円　　もしくは

　420,000円＋@3,240円×(1,000個＋100個－120個)＝3,595,200円

以上から、月末仕掛品原価、完成品原価を算定すると以下のとおりです。

　月末仕掛品原価：216,000円＋388,800円＝604,800円

　完 成 品 原 価：1,032,000円＋3,595,200円＝4,627,200円

基 本

テキスト 第6章

23 単純総合原価計算（正常仕損）

解 答

	完成品総合原価	月末仕掛品原価
問1	4,660,000 円	639,200 円
問2	4,697,280 円	601,920 円
問3	4,704,000 円	595,200 円

解 説

ここが
ポイント！

今度は減損ではなく仕損についての問題ですが、減損も仕損も処理方法はほぼ同じです。唯一異なるのが、仕損は評価額がありますので、評価額の処理方法に着目しましょう。

問1

　月末仕掛品の加工進捗度60％＞仕損の発生地点20％より、仕損費については完成品と月末仕掛品の**両者負担**とします。なお、仕損には評価額があり、主として原材料の価値に依存しているとあるため、原料費の計算にあたっては仕損品の評価額48,000円（@480円×100個）を考慮することに留意しましょう。

原料費（実在量）

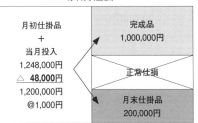

原料費（金額）

月末仕掛品が負担する原料費

　　$1,200,000円÷1,200個×200個＝200,000円$

完成品が負担する原料費

　　$1,200,000円－200,000円＝1,000,000円$　もしくは

　　$@1,000円×1,000個＝1,000,000円$

月末仕掛品が負担する加工費

　　$4,099,200円÷1,120個×120個＝439,200円$

完成品が負担する加工費

　　$4,099,200円－439,200円＝3,660,000円$　もしくは

　　$@3,660円×1,000個＝3,660,000円$

以上から、月末仕掛品原価、完成品原価を算定すると以下のとおりです。

　　月末仕掛品原価：$200,000円＋439,200円＝639,200円$
　　完 成 品 原 価：$1,000,000円＋3,660,000円＝4,660,000円$

問2

　　月末仕掛品の加工進捗度60％＜仕損の発生地点80％より、月末仕掛品は仕損の発生原因になっていません。したがって、仕損費については**完成品のみの負担**とします。

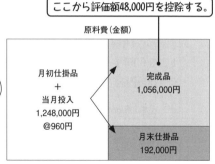

原料費（実在量）

月初仕掛品 ＋ 当月投入 **1,300個** <貸方合計>	完成品 1,000個
	正常仕損 100個
	月末仕掛品 200個

原料費（金額）

ここから評価額48,000円を控除する。

月初仕掛品 ＋ 当月投入 1,248,000円 @960円	完成品 1,056,000円
	月末仕掛品 192,000円

月末仕掛品が負担する原料費

　　1,248,000円÷1,300個×200個＝192,000円

完成品が負担する原料費

　　1,248,000円－192,000円－**48,000円**＝1,008,000円　　もしくは

　　@960円×（1,000個＋100個）－**48,000円**＝1,008,000円

加工費（完成品換算量）

月初仕掛品 ＋ 当月投入 **1,200個** <貸方合計>	完成品 1,000個
	正常仕損 80個
	月末仕掛品 120個

加工費（金額）

月初仕掛品 ＋ 当月投入 4,099,200円 @3,416円	完成品 3,689,280円
	月末仕掛品 409,920円

月末仕掛品が負担する加工費

　　4,099,200円÷1,200個×120個＝409,920円

完成品が負担する加工費

　　4,099,200円－409,920円＝3,689,280円　　もしくは

　　@3,416円×（1,000個＋80個）＝3,689,280円

以上から、月末仕掛品原価、完成品原価を算定すると以下のとおりです。

　　月末仕掛品原価：192,000円＋409,920円＝601,920円

　　完 成 品 原 価：1,008,000円＋3,689,280円＝4,697,280円

問3

　　仕損は終点発生であるため、月末仕掛品は仕損の発生原因になっていません。したがって、仕損費については**完成品のみの負担**とします。

ここから評価額48,000円を控除する。

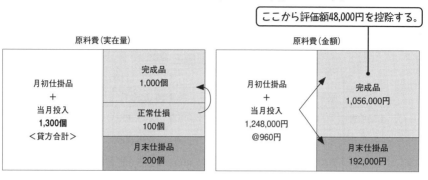

月末仕掛品が負担する原料費

　　1,248,000円÷1,300個×200個＝192,000円

完成品が負担する原料費

　　1,248,000円－192,000円－**48,000円**＝1,008,000円　　もしくは

　　@960円×（1,000個＋100個）－**48,000円**＝1,008,000円

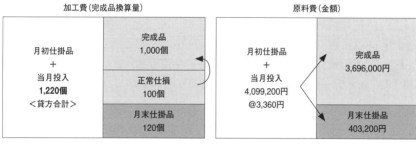

月末仕掛品が負担する加工費

　　4,099,200円÷1,220個×120個＝403,200円

完成品が負担する加工費

　　4,099,200円－403,200円＝3,696,000円　　もしくは

　　@3,360円×（1,000個＋100個）＝3,696,000円

以上から、月末仕掛品原価、完成品原価を算定すると以下のとおりです。

　　月末仕掛品原価：192,000円＋403,200円＝595,200円

　　完 成 品 原 価：1,008,000円＋3,696,000円＝4,704,000円

基　本
テキスト　第7章

24 工程別総合原価計算

解　答

工程別総合原価計算表

	第　1　工　程			第　2　工　程		
	原　料　費	加　工　費	合　　　計	前工程費	加　工　費	合　　　計
月初仕掛品原価	140,000	63,000	203,000	240,000	165,250	405,250
当月製造費用	616,000	405,000	1,021,000	1,035,000	876,000	1,911,000
合　　　計	756,000	468,000	1,224,000	1,275,000	1,041,250	2,316,250
差引：月末仕掛品原価	135,000	54,000	189,000	225,000	91,250	316,250
完成品総合原価	621,000	414,000	1,035,000	1,050,000	950,000	2,000,000
完成品単位原価	@　270	@　180	@　450	@　420	@　380	@　800

解　説

ここが
ポイント!

工程別総合原価計算（累加法）では、工程ごとに完成品原価を計算して次工程に振替えます。第2工程に振替えられる第1工程完成品は、「前工程費」として扱われ、第2工程の始点で投入される原料費と同様と考えて、生産データを整理して計算を行っていきます。

工程別総合原価計算では、工程ごとに仕掛品勘定を作成して、第1工程から順に完成品原価を計算していきます。

1．生産データの整理

　第1工程は原料費、加工費別に、第2工程は前工程費、加工費別にデータを整理します。

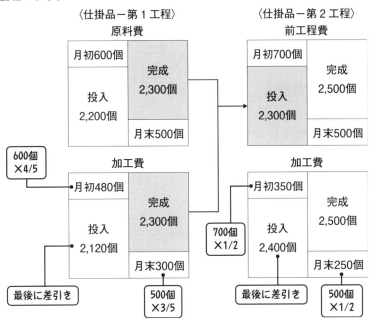

2．第1工程の計算（平均法）

(1)　原料費

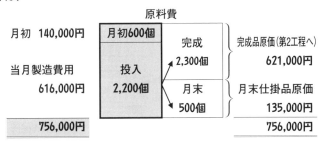

月末仕掛品原価： $\dfrac{140,000\ 円 + 616,000\ 円}{2,300\ 個 + 500\ 個} \times 500\ 個 = 135,000\ 円$

完成品総合原価：140,000 円 + 616,000 円 - 135,000 円 = 621,000 円

完成品単位原価：621,000 円 ÷ 2,300 個 = @ 270 円

(2) 加工費

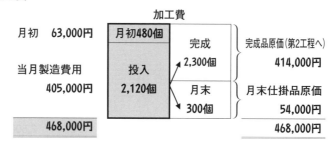

$$月末仕掛品原価： \frac{63,000 \text{円} + 405,000 \text{円}}{2,300 \text{個} + 300 \text{個}} \times 300 \text{個} = 54,000 \text{円}$$

完成品総合原価：63,000 円＋405,000 円－54,000 円＝414,000 円

完成品単位原価：414,000 円÷2,300 個＝@180 円

(3) 合　計

第1工程月末仕掛品原価：135,000円＋54,000円＝189,000円

第1工程完成品総合原価：621,000円＋414,000円＝1,035,000円→第2工程へ

第1工程完成品単位原価：@270円＋@180円＝@450円

第1工程の計算は、工程が一つの場合と全く同じです。

3. 第2工程の計算（先入先出法）

(1) 前工程費

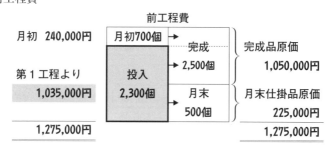

月末仕掛品原価：$\dfrac{1,035,000\ 円}{2,300\ 個} \times 500\ 個 = 225,000\ 円$

完成品総合原価：240,000 円＋ 1,035,000 円－ 225,000 円＝ 1,050,000 円

完成品単位原価：1,050,000 円÷ 2,500 個＝@ 420 円

第2工程の前工程費は第1工程の
完成品を第2工程の始点で投入した
ように計算します。

(2)　加工費

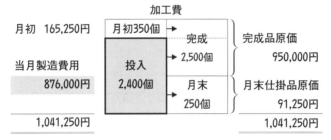

月末仕掛品原価：$\dfrac{876,000\ 円}{2,400\ 個} \times 250\ 個 = 91,250\ 円$

完成品総合原価：165,250 円＋ 876,000 円－ 91,250 円＝ 950,000 円

完成品単位原価：950,000 円÷ 2,500 個＝@ 380 円

(3)　合　計

第2工程月末仕掛品原価：225,000円＋91,250円＝316,250円

第2工程完成品総合原価：1,050,000円＋950,000円＝2,000,000円

第2工程完成品単位原価：@420円＋@380円＝@800円

⚠ここに注意！

工程別総合原価計算では、それぞれの工程の計算自体は単一工程の場合と同じですが、第2工程の前工程費は第1工程の結果を受けて計算されますので、落ちついて計算してください。

テキスト　第7章

25 等級別総合原価計算1

解 答

月末仕掛品原価		
793,600 円		
A 製品完成品総合原価	B 製品完成品総合原価	C 製品完成品総合原価
1,875,000 円	1,800,000 円	1,125,000 円
A 製品完成品単位原価	B 製品完成品単位原価	C 製品完成品単位原価
750 円	600 円	562.5 円

解 説

ここがポイント！

等級別総合原価計算にはいくつか計算方法がありますが、2級の試験ではいわゆる完成品原価按分法が問われます。各等級製品の完成品原価合計を求め、その金額を各等級製品へ按分する計算を行います。その際に、各等級製品に等価係数を掛けた「積数」に基づいて按分します。なお、等価係数は比率で与えられることもあれば、重量や長さなどで表されることもあります。

解答解説

基本

1．各等級製品の完成品原価合計の計算

　まずは、等級製品A、B、Cの区別を無視して、完成品7,500個と月末仕掛品2,000個の金額を計算します。本問では、発生点のわからない仕損が生じており、このような場合、仕損費を完成品と月末仕掛品の**両者負担**とします。

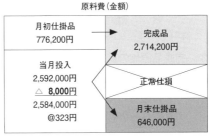

　月末仕掛品が負担する原料費

　　$(2,592,000円 - 8,000円) ÷ 8,000個 × 2,000個 = 646,000円$

　完成品が負担する原料費

　　$(776,200円 + 2,592,000円 - 8,000円) - 646,000円 = 2,714,200円$　もしくは

　　$776,200円 + @323円 × (7,500個 - 1,500個) = 2,714,200円$

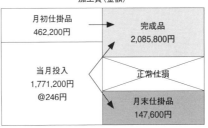

　月末仕掛品が負担する加工費

　　$1,771,200円 ÷ 7,200個 × 600個 = 147,600円$

　　完成品が負担する加工費

　　$(462,200円 + 1,771,200円) - 147,600円 = 2,085,800円$　もしくは

　　$462,200円 + @246円 × (7,500個 - 900個) = 2,085,800円$

　以上から、月末仕掛品原価、完成品原価合計を算定すると以下のとおりです。

　　月末仕掛品原価：$646,000円 + 147,600円 = 793,600円$

　　完成品原価合計：$2,714,200円 + 2,085,800円 = 4,800,000円$

2．各等級製品の積数を算定

各等級製品の実在量に等価係数を掛け、積数を算定します。

A製品の積数：2,500個×1,000g ＝2,500,000g

B製品の積数：3,000個× 800g ＝2,400,000g

C製品の積数：2,000個× 750g ＝1,500,000g

合　　計　　6,400,000g

3．完成品原価の算定

積数に基づいて、完成品原価合計4,800,000円を按分します。

A製品への按分額：4,800,000円÷6,400,000g ×2,500,000g ＝1,875,000円

B製品への按分額：4,800,000円÷6,400,000g ×2,400,000g ＝1,800,000円

C製品への按分額：4,800,000円÷6,400,000g ×1,500,000g ＝1,125,000円

4．完成品単位原価の算定

完成品原価を実在量で割ることで算定することができます。

A製品の完成品単位原価：1,875,000円÷2,500個＝750円

B製品の完成品単位原価：1,800,000円÷3,000個＝600円

C製品の完成品単位原価：1,125,000円÷2,000個＝562.5円

基　本	テキスト　第7章

26 等級別総合原価計算2

解　答

月末仕掛品原価
705,600 円

A 製品完成品総合原価	B 製品完成品総合原価	C 製品完成品総合原価
1,881,250 円	1,806,000 円	1,128,750 円

A 製品完成品単位原価	B 製品完成品単位原価	C 製品完成品単位原価
752.5 円	602 円	564.375 円

解　説

ここが
ポイント！

仕損が終点で発生する場合、各等級製品の完成品原価合計を求める際に仕損費を含ませて求めます。仕損の処理方法と等級別計算の計算手続きを整理できていないとうまく計算するこができません。

1．各等級製品の完成品原価合計の計算

　まずは、等級製品A、B、Cの区別を無視して、完成品7,500個と月末仕掛品2,000個の金額を計算します。本問では、仕損が終点発生であるため、**仕損費を完成品原価合計に含めます**。

原料費（実在量）

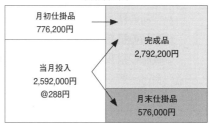

原料費（金額）

月末仕掛品が負担する原料費

$\quad$ 2,592,000円÷9,000個×2,000個＝576,000円

完成品が負担する原料費

$\quad$ （776,200円＋2,592,000円）－576,000円－**80,000円**＝2,712,200円　もしくは

$\quad$ 776,200円＋@288円×（7,500個＋1,000個－1,500個）－**80,000円**

$$＝2,712,200円$$

加工費（完成品換算量）　　　　　　　　　　　　　加工費（金額）

月末仕掛品が負担する加工費

$\quad$ 1,771,200円÷8,200個×600個＝129,600円

完成品が負担する加工費

$\quad$ （462,200円＋1,771,200円）－129,600円＝2,103,800円　もしくは

$\quad$ 462,200円＋@216円×（7,500個＋1,000個－900個）＝2,103,800円

以上から、月末仕掛品原価、完成品原価合計を算定すると以下のとおりです。

$\quad$ 月末仕掛品原価：576,000円＋129,600円＝705,600円

$\quad$ 完成品原価合計：2,712,200円＋2,103,800円＝4,816,000円

2．各等級製品の積数を算定

各等級製品の実在量に等価係数を掛け、積数を算定します。

$\quad$ A製品の積数：2,500個×1,000g ＝2,500,000g

$\quad$ B製品の積数：3,000個×　800g ＝2,400,000g

$\quad$ C製品の積数：2,000個×　750g ＝1,500,000g

$\quad\quad$ 合　　計　　6,400,000g

3．完成品総合原価の算定

　　積数に基づいて、完成品原価合計4,816,000円を按分します。

　　　　A製品への按分額：4,816,000円÷6,400,000g ×2,500,000g ＝1,881,250円

　　　　B製品への按分額：4,816,000円÷6,400,000g ×2,400,000g ＝1,806,000円

　　　　C製品への按分額：4,816,000円÷6,400,000g ×1,500,000g ＝1,128,750円

4．完成品単位原価の算定

　　完成品原価を実在量で割ることで算定することができます。

　　　　A製品の完成品単位原価：1,881,250円÷2,500個＝752.5円

　　　　B製品の完成品単位原価：1,806,000円÷3,000個＝602円

　　　　C製品の完成品単位原価：1,128,750円÷2,000個＝564.375円

基本 📖 テキスト 第7章

27 組別総合原価計算

解 答

組別総合原価計算表

	組 製 品 A			組 製 品 B		
	直接材料費	加 工 費	合　　計	直接材料費	加 工 費	合　　計
月初仕掛品原価	332,000	119,500	451,500	324,000	100,200	424,200
当 月 製 造 費 用	2,118,000	1,380,500	3,498,500	1,190,000	2,136,100	3,326,100
合　　　　　計	2,450,000	1,500,000	3,950,000	1,514,000	2,236,300	3,750,300
差引：月末仕掛品原価	525,000	125,000	650,000	170,000	156,300	326,300
完成品総合原価	1,925,000	1,375,000	3,300,000	1,344,000	2,080,000	3,424,000
完成品単位原価	@ 3,850	@ 2,750	@ 6,600	@ 1,680	@ 2,600	@ 4,280

解 説

ここが ポイント！

組別総合原価計算は、異種製品（本問では組製品Aと組製品B）を同じ工程で製造する場合に適用されます。そこで、原価データをそれぞれの製品に分け、後は単純総合原価計算と同様に、製品別に、材料費（本問では直接材料費）と加工費（本問では直接労務費と製造間接費）に分けて計算を行えばよいということを確認しておきましょう。

1．製造間接費の予定配賦額

　　当月製造費用について、直接材料費と直接労務費は製品別に与えられていますが、製造間接費は製品別に与えられていません。そこで各製品に予定配賦される製造間接費を計算します。なお、この予定配賦額は直接労務費とあわせて加工費として計算します。

　　　　予定配賦率：25,000,000円÷50,000時間＝500円／時間

　　　　組製品Aへ：500円／時間×1,600時間＝800,000円

　　　　組製品Bへ：500円／時間×2,400時間＝1,200,000円

原価データを
組製品Ａと組製品Ｂに
分けてから計算します。

2．組製品Ａの計算（平均法・正常減損終点発生・完成品のみの負担）

　組製品Ａのデータだけを用いて、直接材料費、加工費別に生産データを整理
し、そこに原価データをあてはめて、平均法によって按分計算を行います。

(1)　直接材料費

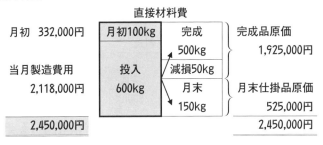

$$\text{月末仕掛品原価：} \frac{332,000\,円 + 2,118,000\,円}{500\text{kg} + 50\text{kg} + 150\text{kg}} \times 150\text{kg} = 525,000\,円$$

完成品総合原価：332,000 円 + 2,118,000 円 − 525,000 円 = 1,925,000 円

完成品単位原価：1,925,000 円 ÷ 500kg ＝ @ 3,850 円

(2)　加工費（直接労務費・製造間接費）

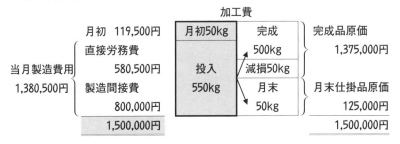

$$\text{月末仕掛品原価：} \frac{119,500\,円 + 580,500\,円 + 800,000\,円}{500\text{kg} + 50\text{kg} + 50\text{kg}} \times 50\text{kg} = 125,000\,円$$

完成品総合原価 : 119,500 円＋ 580,500 円＋ 800,000 円－ 125,000 円
　　　　　　　　＝ 1,375,000 円

完成品単位原価 : 1,375,000 円÷ 500kg ＝＠ 2,750 円

(3) 合　計

　　月末仕掛品原価 : 525,000 円＋ 125,000 円＝ 650,000 円

　　完成品総合原価 : 1,925,000 円＋ 1,375,000 円＝ 3,300,000 円

　　完成品単位原価 :＠ 3,850 円＋＠ 2,750 円＝＠ 6,600 円

3. 組製品Bの計算(先入先出法)

　　組製品Aと同様に、組製品Bのデータだけを用いて、先入先出法によって計算を行います。

(1) 直接材料費

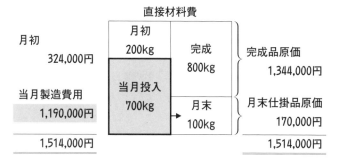

月末仕掛品原価 : $1,190,000 円 \times \dfrac{100kg}{700kg} = 170,000 円$

完成品総合原価 : 324,000円＋1,190,000円－170,000円＝1,344,000円

完成品単位原価 : 1,344,000円÷800kg ＝＠1,680円

(2)　加工費(直接労務費・製造間接費)

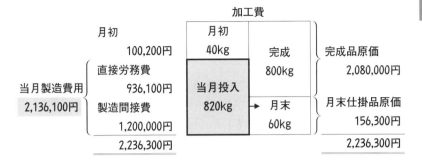

$$月末仕掛品原価：(936,100円＋1,200,000円)×\frac{60\text{kg}}{820\text{kg}}=156,300円$$

完成品総合原価：100,200円＋936,100円＋1,200,000円－156,300円
　　　　　　　＝2,080,000円

完成品単位原価：2,080,000円÷800kg＝@2,600円

(3)　合　計

月末仕掛品原価：170,000円＋156,300円＝326,300円

完成品総合原価：1,344,000円＋2,080,000円＝3,424,000円

完成品単位原価：@1,680円＋@2,600円＝@4,280円

先入先出法では、当月製造費用を整理した生産データで按分します。

基 本

テキスト 第8章

28 製造原価報告書

解 答

製 造 原 価 報 告 書 （単位：万円）

Ⅰ	直 接 材 料 費				
	1	期首原料棚卸高	（ 1,000 ）		
	2	当期原料仕入高	（ 4,000 ）		
		合 計	（ 5,000 ）		
	3	期末原料棚卸高	（ 800 ）	（	4,200 ）
Ⅱ	直 接 労 務 費			（	2,000 ）
Ⅲ	製 造 間 接 費				
	1	間 接 材 料 費	（ 660 ）		
	2	間 接 労 務 費	（ 1,000 ）		
	3	電 力 料	（ 200 ）		
	4	保 険 料	（ 240 ）		
	5	減 価 償 却 費	（ 700 ）		
		合 計	（ 2,800 ）		
		製造間接費配賦差異	（ 400 ）	（	2,400 ）
		当 期 総 製 造 費 用		（	8,600 ）
		期 首 仕 掛 品 棚 卸 高		（	400 ）
		合 計		（	9,000 ）
		期 末 仕 掛 品 棚 卸 高		（	1,000 ）
		当 期 製 品 製 造 原 価		（	8,000 ）

解 説

ここが
ポイント！

製造原価報告書に計上する製造原価（当期総製造費用）は、仕掛品勘定の借方に集計された金額と対応します。よって、費目別計算を正確に行って、金額を求めることがポイントとなります。ただし、製造間接費は仕掛品勘定へ予定配賦されますが、製造原価報告書には、いったん費目別に実際発生額を計上してから製造間接費配賦差異を加減して、予定配賦額に修正することに注意しましょう。

解解
説答

基本

1．各費目の消費額の分類と振替先

(1) 材料費

　　原　　　料：すべて直接材料費 → 仕掛品勘定へ

　　補 助 材 料：すべて間接材料費 → 製造間接費勘定へ

(2) 労務費

　　直接工賃金：すべて直接労務費 → 仕掛品勘定へ

　　間接工賃金：すべて間接労務費 → 製造間接費勘定へ

　　給　　　料：すべて間接労務費 → 製造間接費勘定へ

(3) 経　費

　　電　力　料：すべて間接経費 → 製造間接費勘定へ

　　保　険　料：すべて間接経費 → 製造間接費勘定へ

　　減価償却費：すべて間接経費 → 製造間接費勘定へ

2．主要な勘定記入（単位：万円）

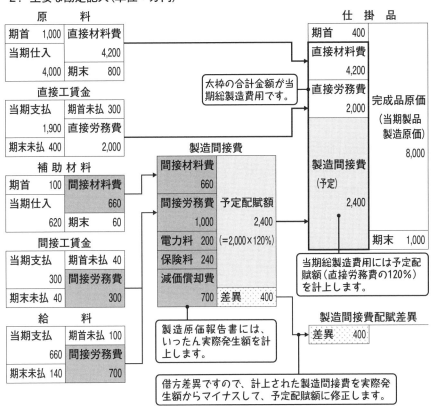

基 本

29 損益計算書

解 答

損 益 計 算 書

Ⅰ 売 上 高			(2,200,000)
Ⅱ 売 上 原 価			
1 期 首 製 品 棚 卸 高		(286,000)	
2 （当期製品製造原価）		(1,848,000)	
合 計		(2,134,000)	
3 期 末 製 品 棚 卸 高		(460,000)	
差 引		(1,674,000)	
4 原 価 差 異		(24,000)	(1,698,000)
売 上 総 利 益			(502,000)
Ⅲ 販売費及び一般管理費			(120,000)
営 業 利 益			(382,000)

解 説

ここが
ポイント！

損益計算書の売上原価の部は、製品勘定と対応しています。よって、問題文の総勘定元帳の記入を推定して完成させ、製品勘定より損益計算書の数値を求めてみましょう。

費目別計算から製品別計算までの工業簿記一巡の流れを考えながら推定してください。

また原価差異は、売上原価に賦課して次のように処理します。

　　有利差異 → 売上原価（差引の金額）からマイナスします。

　　不利差異 → 売上原価（差引の金額）にプラスします。

1．総勘定元帳の金額推定

　　判明する部分から順に金額を求めて、記入を完成させていきます。

　⑴　材料勘定貸方・当期消費高

　　　貸借差額より、1,000,000円となります。

各勘定の記入内容から売上原価に賦課する原価差異を見つけ出しましょう。

(2)　賃金勘定貸方・当期消費高

　　　貸借差額より、872,000円となります。

(3)　製造間接費勘定貸方・配賦差異

　　　貸借差額より、14,000円となります。

(4)　仕掛品勘定借方・直接材料費

　　　材料勘定貸方・当期消費高と製造間接費勘定借方・間接材料費の差額より求めます。

　　　　　1,000,000円－250,000円＝750,000円

(5)　仕掛品勘定借方・直接労務費

　　　賃金勘定貸方・当期消費高と製造間接費勘定借方・間接労務費の差額より求めます。

　　　　　872,000円－282,000円＝590,000円

(6)　仕掛品勘定借方・製造間接費

　　　製造間接費勘定貸方・正常配賦額より、640,000円となります。

(7)　仕掛品勘定貸方及び製品勘定借方・当月完成高

　　　仕掛品勘定貸借差額より、1,848,000円となります。

(8)　製品勘定貸方・売上原価

　　　売上原価勘定借方・製品より、1,674,000円となります。

(9)　売上原価勘定借方・原価差異

　　　賃金勘定貸方・賃率差異(借方差異)と製造間接費勘定貸方・配賦差異(借方差異)の合計より求めます。

　　　　　10,000円＋14,000円＝24,000円

(10)　売上原価勘定貸方・損益及び損益勘定借方・売上原価

　　　売上原価勘定貸借差額より、1,698,000円となります。

前記の結果をまとめると以下のようになります。カッコつきの金額が推定した金額です。

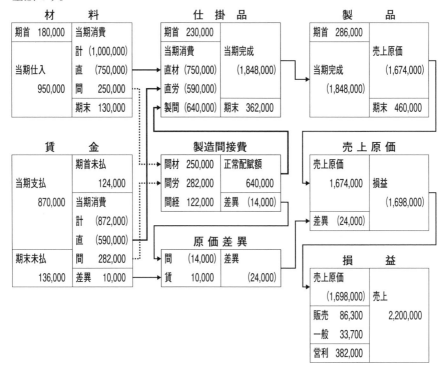

2. 損益計算書の作成

推定した勘定記入の結果から、次のように損益計算書の数値を求めます。

(1) 売上高

損益勘定貸方・売上より、2,200,000円となります。

(2) 売上原価

製品勘定の記入内容より、差引まで記入します。

なお、原価差異は借方差異24,000円ですので、差引に加算します。

(3) 販売費及び一般管理費

損益勘定借方より、販売費と一般管理費の合計となります。

　　86,300円＋33,700円＝120,000円

基　本	テキスト 第9章

30 標準原価カード

解　答

①	5	②	900	③	6
④	2,400	⑤	7,500		

月初仕掛品原価	600,000 円
月末仕掛品原価	1,350,000 円

解　説

標準原価計算では、完成品原価、月初・月末仕掛品原価はすべて製品単位あたりの標準原価に基づいて算定します。完成品数量と標準原価での完成品原価が資料で与えられていますので、ここから標準原価カードの空欄の数値を推定し、月初・月末仕掛品原価を求めます。

1．標準原価カードの推定

①〜⑤の数値を判明する部分から順に求めていきます。

①の推定

　@標準直接材料費＝標準価格×@標準消費量（①）より、

　1,500円＝300円×①kg

　よって、①＝5（kg）となります。

②の推定

　@標準直接労務費＝標準賃率（②）×@標準直接作業時間より、

　3,600円＝②円×4時間

　よって、②＝900（円）となります。

⑤の推定

　完成品原価＝@標準原価（⑤）×完成品数量より、

　9,000,000円＝⑤円×1,200個

　よって、⑤＝7,500（円）となります。

④の推定

　@標準直接材料費＋@標準直接労務費＋@標準製造間接費（④）＝@標準原価より、

　　　1,500円＋3,600円＋④円＝⑤7,500円

　　　よって、④＝2,400（円）となります。

③の推定

　@標準製造間接費＝標準配賦率×@標準操業度（③）より、

　　　④2,400円＝400円×③時間

　　よって、③＝6（時間）となります。

２．月初・月末仕掛品原価の計算

　標準原価カードのうち、直接労務費と製造間接費が加工費となりますので、これらは加工費の生産データにより計算を行います。

⑴　生産データの整理

仕掛品（直接材料費）	
月初200個	完成 1,200個
投入 1,300個	
	月末300個

仕掛品（加工費）	
月初50個	完成 1,200個
投入 1,300個	
	月末150個

⑵　月初・月末仕掛品原価の計算

　月初仕掛品原価の金額は、次のように計算します（月末仕掛品も同様）。

　　月初仕掛品原価：@標準直接材料費×月初仕掛品数量

　　　　　　　　　　＋（@標準直接労務費＋@標準製造間接費）×月初仕掛品加工換算量

　　月初仕掛品原価：@1,500円×200個＋（@3,600円＋@2,400円）×50個

　　　　　　　　　＝600,000円

　　月末仕掛品原価：@1,500円×300個＋（@3,600円＋@2,400円）×150個

　　　　　　　　　＝1,350,000円

> 月初・月末仕掛品原価と完成品総合原価は、原価要素別の製品単位あたり標準原価に各数量または各加工換算量を乗じて計算します。

基 本　📖 テキスト 第9章

31 標準原価計算の勘定記入

解 答

(1) シングル・プラン

仕　掛　品

前　月　繰　越	(472,000)	製　　　　　品	(7,040,000)
材　　　　　料	(1,800,000)	次　月　繰　越	(944,000)
賃　　　　　金	(2,688,000)		
製　造　間　接　費	(3,024,000)		
	(7,984,000)		(7,984,000)

(2) パーシャル・プラン

仕　掛　品

前　月　繰　越	(472,000)	製　　　　　品	(7,040,000)
材　　　　　料	(1,880,000)	次　月　繰　越	(944,000)
賃　　　　　金	(2,720,000)	原　価　差　異	(188,000)
製　造　間　接　費	(3,100,000)		
	(8,172,000)		(8,172,000)

解 説

ここが
ポイント!

標準原価計算での仕掛品勘定の記入方法で、シングル・プランとパーシャル・プランとの異なる点は、当月投入の記入額です。

① シングル・プラン　→ 標準原価で記入します。
② パーシャル・プラン → 実際原価で記入します。

なお、いずれの方法でも仕掛品勘定の、完成品原価、月初・月末仕掛品原価は標準原価で記入します。また、標準原価の各金額は与えられた製品1個あたり標準原価に、直接材料費は各数量を、加工費(直接労務費・製造間接費)は各加工換算量を乗じて計算します。

1．生産データの整理

仕掛品（直接材料費）

月初100個	完成 800個
投入 900個	
	月末200個

仕掛品（加工費）

月初40個	完成 800個
投入 840個	
	月末80個

2．勘定記入

(1) シングル・プラン

　　仕掛品勘定はすべて標準原価で記入します。よって、仕掛品勘定では原価差異は把握されません（原価差異は、材料、賃金、製造間接費の各勘定で把握されます）。なお各金額は以下のように計算します。

仕 掛 品

前 月 繰 越	472,000 （標準）	製　　　品	7,040,000 （標準）
材　　　料	1,800,000 （標準）		
賃　　　金	2,688,000 （標準）	次 月 繰 越	944,000 （標準）
製造間接費	3,024,000 （標準）		

当月投入額はすべて標準原価で記入します。

前月繰越：@2,000円×100個＋（@3,200円＋@3,600円）×40個
　　　　　＝472,000円（月初仕掛品原価）

材料：@2,000円×900個＝1,800,000円

賃金：@3,200円×840個＝2,688,000円

製造間接費：@3,600円×840個＝3,024,000円

製品：@8,800円×800個＝7,040,000円（完成品原価）

次月繰越：@2,000円×200個＋（@3,200円＋@3,600円）×80個
　　　　　＝944,000円（月末仕掛品原価）

(2)　パーシャル・プラン

　　仕掛品勘定のうち、当月投入のみ実際発生額で記入し、他はすべて標準原価で記入します。したがって、仕掛品勘定の貸借差額で原価差異が把握されます（原価差異は、材料、賃金、製造間接費の各勘定では把握されません）。なお各金額は以下のように計算します。

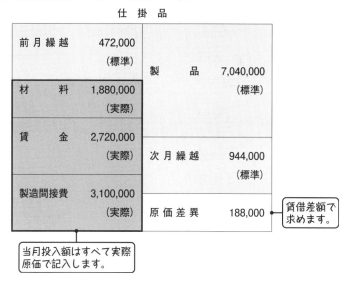

仕　掛　品

前月繰越：@2,000円×100個＋（@3,200円＋@3,600円）×40個
　　　　　＝472,000円（月初仕掛品原価）

材料：資料3.より、実際原価1,880,000円

賃金：資料3.より、実際原価2,720,000円

製造間接費：資料3.より、実際原価3,100,000円

製品：@8,800円×800個＝7,040,000円（完成品原価）

次月繰越：@2,000円×200個＋（@3,200円＋@3,600円）×80個
　　　　　＝944,000円（月末仕掛品原価）

原価差異：貸借差額より、188,000円（借方差異）

基 本

テキスト 第9章

32 標準原価差異の分析1

解 答

問1

材 料		
仕 掛 品	(	320,000)
製 造 間 接 費	(	20,000)

賃 金		
仕 掛 品	(	277,200)
製 造 間 接 費	(	12,000)

製 造 間 接 費

材 料	(	20,000)	仕 掛 品	(	99,000)
賃 金	(	12,000)			
諸 口	(	67,000)			
	(	99,000)		(	99,000)

仕 掛 品

前 月 繰 越	(	15,600)	製 品	(	650,000)
材 料	(	320,000)	次 月 繰 越	(	21,750)
賃 金	(	277,200)	原 価 差 異	(	40,050)
製 造 間 接 費	(	99,000)			
	(	711,800)		(	711,800)

問2

直接材料費差異	△ 23,000	円
内訳 価格差異	△ 20,000	円
数量差異	△ 3,000	円
直接労務費差異	△ 16,000	円
内訳 賃率差異	△ 13,200	円
作業時間差異	△ 2,800	円
製造間接費差異	△ 1,050	円

|解　説|

ここがポイント!

標準原価差異は、各原価要素の当月投入額に関しての、標準原価と実際原価(実際発生額)との差額で計算します。また、さらに原価差異を分析するときには、標準投入についてのデータの整理が重要になりますので、確実にマスターしておきましょう。

問1　勘定記入(パーシャル・プラン)

仕掛品勘定の記入方法、月初・月末仕掛品原価及び完成品原価の計算方法だけでなく、各原価要素勘定の記入内容も確認しておきましょう。

1. 生産データの整理

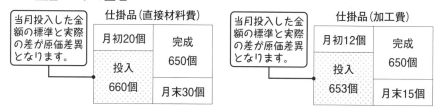

当月投入した金額の標準と実際の差が原価差異となります。

仕掛品(直接材料費)

月初20個	完成
投入	650個
660個	月末30個

当月投入した金額の標準と実際の差が原価差異となります。

仕掛品(加工費)

月初12個	完成
投入	650個
653個	月末15個

2. 勘定記入

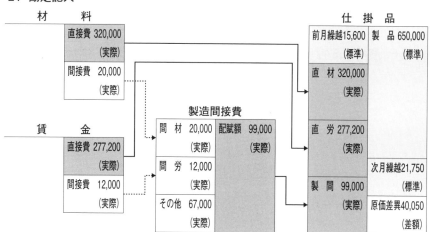

完成品原価：@1,000円×650個＝650,000円

月初仕掛品原価：@450円×20個＋(@400円＋@150円)×12個＝15,600円

月末仕掛品原価：@450円×30個＋(@400円＋@150円)×15個＝21,750円

問2　差異分析

1．直接材料費差異

STEP 1 当月投入標準原価と実際発生額の差額から直接材料費差異を求めます。

　　当月投入直接材料費の標準原価：@450円×660個＝297,000円

　　直接材料費差異：標準原価297,000円－実際発生額320,000円

　　　　　　　　　＝△23,000円（借方差異）

STEP 2 直接材料費差異を図示します。

① 標準、実際ともに、当月投入直接材料費を、材料単価×材料消費量に分析します。なお標準消費量は、単位あたり標準消費量に当月投入量を乗じて求めます。

　　標準消費量：3kg／個×660個＝1,980kg

　　標準原価：標準単価150円／kg×標準消費量1,980kg＝297,000円

　　実際発生額：実際単価×実際消費量2,000kg＝320,000円

　　よって、実際単価は160円／kgとなります。

② 標準原価を内側に、実際原価を外側に、それぞれとって図示すると、差の部分が直接材料費差異となります。

実際直接材料費（外枠：面積）320,000円

実際160円/kg		
	直接材料費差異	△23,000円（借方）
標準150円/kg	標準直接材料費（内枠：面積）297,000円	

　　　　　　　　　　　　　　　　標準1,980kg　　実際2,000kg

内枠の標準直接材料費と外枠の実際直接材料費の差異を分析します。

STEP 3 直接材料費差異を価格差異と数量差異とに分析します。

　　図のうち、標準単価のところで、直接材料費差異を二つに分けて、価格差異と数量差異とに分析します。

| 実際160円/kg | 実際直接材料費320,000円 | | 標準よりも1kgあた
り10円高い材料を
2,000kg使用したこ
とを意味します。 |
| --- | --- | --- | --- |
| | 価格差異
△20,000円（借方） | | |
| 標準150円/kg | | | |
| | 標準直接材料費
297,000円 | 数量差異
△3,000円
（借方） | 標準で150円/kgの材
料を、標準より20kg
多く使用したことを
意味します。 |

標準1,980kg　　実際2,000kg

価格差異：（標準単価150円／kg－実際単価160円／kg）×実際消費量2,000kg
　　　　　＝△20,000円（借方差異）

数量差異：標準単価150円／kg×（標準消費量1,980kg－実際消費量2,000kg）
　　　　　＝△3,000円（借方差異）

標準と比較した実際の良否を分析し
ていきます。価格の差と数量の差が
どんな結果だったかを考えてみま
しょう。

2．直接労務費差異

　直接労務費差異は、直接材料費差異と同様に計算して、賃率差異と作業時間
差異とに分析します。ただし、標準直接作業時間は加工費の生産データに基づ
いて計算することに注意してください。

(1)　直接労務費差異

　　　　当月投入直接労務費の標準原価：@400円×653個＝261,200円

　　　　直接労務費差異：標準原価261,200円－実際発生額277,200円
　　　　　　　　　　　　＝△16,000円（借方差異）

(2)　直接労務費差異の差異分析

　　標準、実際ともに、当月投入直接労務費を、賃率×直接作業時間に分析し
ます。なお標準直接作業時間は、単位あたり標準直接作業時間に当月投入加
工換算量を乗じて求めます。

　　　　標準直接作業時間：2h／個×653個＝1,306h

　　　　標準原価：標準賃率200円／h×標準直接作業時間1,306h＝261,200円

　　　　実際発生額：実際賃率×実際直接作業時間1,320h＝277,200円

　　よって、実際賃率は210円／hとなります。

賃率差異：(標準賃率200円／h −実際賃率210円／h)×実際時間1,320h
　　　　　＝△13,200円(借方差異)

作業時間差異：標準賃率200円／h×(標準時間1,306h −実際時間1,320h)
　　　　　＝△2,800円(借方差異)

⚠ここに注意！

分析の際の標準消費量や標準直接作業時間は、次のように各自で計算が必要に
なります。
　標準消費量＝単位あたり標準消費量×当月投入量
　標準直接作業時間＝単位あたり標準直接作業時間×当月投入加工換算量

3．製造間接費差異
　　当月投入製造間接費の標準原価：@150円×653個＝97,950円
　　当月投入製造間接費の実際発生額：99,000円(製造間接費勘定借方合計より)
　　製造間接費差異：標準原価97,950円−実際発生額99,000円
　　　　　＝△1,050円(借方差異)

復習しよう！

　標準原価差異の計算を行う場合には、図の中での引き算は必ず内側
(標準)の数値から外側(実際)の数値を引きます。引き算の順序を間
違えると、差異が貸方差異なのか借方差異なのかを間違えかねないので、気を
つけましょう。

基 本		テキスト 第9章

33 標準原価差異の分析2

解 答

製造間接費差異の内訳：予　算　差　異	(借)	28,000	円
変動費能率差異	(借)	2,000	円
固定費能率差異	(借)	3,000	円
操 業 度 差 異	(借)	42,000	円

解 説

ここが
ポイント!

製造間接費差異は当月投入製造間接費の標準原価(標準配賦額)と実際
発生額の差額で計算します。それぞれの差異をグラフの中でどのよう
に示し、計算するのかをしっかり確認しておきましょう。

STEP 1 当月投入製造間接費の標準配賦額を求めます。

1．生産データの整理(加工換算量)

仕掛品(加工費)

月初75個

完成
1,200個

当月投入した金
額の標準と実際
の差が原価差異
となります。

投入
1,325個

月末200個

2．製造間接費標準配賦額

製造間接費標準配賦額：@5,000円×1,325個＝6,625,000円

STEP **2** 製造間接費差異を計算・図示します。

1. 製造間接費差異の総額の計算

製造間接費（シングル・プラン前提）

製造間接費差異：標準配賦額6,625,000円－実際発生額6,700,000円
＝△75,000円（借方差異）

2. 製造間接費差異の図示

下記のように、①から順に金額や数値を求め、グラフを作成していきます。

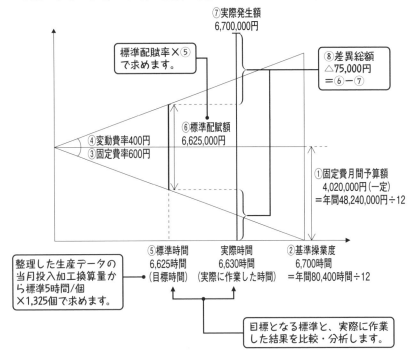

③　固定費率：年間固定費予算48,240,000円÷基準操業度80,400時間
　　　　　　　＝600円／時間
④　変動費率：標準配賦率1,000円／時間－固定費率600円／時間＝400円／時間

⚠ ここに注意！

標準原価差異の図の中での金額の示し方は次のとおりです。
　　直接材料費差異・直接労務費差異　→　面積で示します。
　　製造間接費差異　　　　　　　　　→　直線の(縦の)長さで示します。

STEP ③ 製造間接費差異を分析します（4分法）。

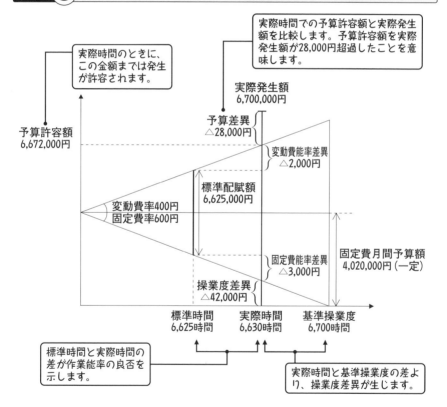

実際時間での予算許容額と実際発生額を比較します。予算許容額を実際発生額が28,000円超過したことを意味します。

実際時間のときに、この金額までは発生が許容されます。

実際発生額
6,700,000円

予算許容額
6,672,000円

予算差異
△28,000円

変動費能率差異
△2,000円

標準配賦額
6,625,000円

変動費率400円
固定費率600円

固定費能率差異
△3,000円

固定費月間予算額
4,020,000円（一定）

操業度差異
△42,000円

標準時間
6,625時間

実際時間
6,630時間

基準操業度
6,700時間

標準時間と実際時間の差が作業能率の良否を示します。

実際時間と基準操業度の差より、操業度差異が生じます。

予　算　差　異：実際時間での予算許容額6,672,000円＊－実際発生額6,700,000円
　　　　　　　　＝△28,000円(借方差異)

＊　　実際時間での予算許容額：変動費予算許容額＋固定費月間予算額
　　　　　　　　　　　　　　　＝400円／時間×6,630時間＋4,020,000円
　　　　　　　　　　　　　　　＝6,672,000円

変動費能率差異：標準時間における変動費配賦額－実際時間における変動費配賦額
　　　　　　　　＝変動費率×標準時間－変動費率×実際時間
　　　　　　　　＝変動費率400円／時間×(標準時間6,625時間－実際時間6,630時間)
　　　　　　　　＝△2,000円(借方差異)

固定費能率差異：標準時間における固定費配賦額－実際時間における固定費配賦額
　　　　　　　　＝固定費率×標準時間－固定費率×実際時間
　　　　　　　　＝固定費率600円／時間×(標準時間6,625時間－実際時間6,630時間)
　　　　　　　　＝△3,000円(借方差異)

操業度差異：実際時間における固定費配賦額－固定費月間予算額
　　　　　　　＝固定費率×実際時間－固定費率×基準操業度
　　　　　　　＝固定費率600円／時間×(実際時間6,630時間－基準操業度6,700時間)
　　　　　　　＝△42,000円(借方差異)

> 製造間接費差異は公式を丸暗記するのではなく、差異の意味や有利・不利を考えて、グラフで分析できるようにしましょう。

復習しよう！

　　製造間接費差異を分析するためのグラフでは、横軸に操業度(内側から必ず、標準、実際、基準の順)、縦軸に原価をとります。よって金額が直線の縦の長さで示されます(面積ではありません)。
また差異を求めるために、引き算を行うときは必ずグラフ上の内側の数値から外側の数値を引いて計算します。なお、内側の数値や金額と比較して、これを超過したら不利、下回ったら有利と考えると、差異を計算しやすくなるでしょう。

基　本　　📖　テキスト　第10章

34 損益分岐点分析1

解　答

(1)　損益分岐点売上高　　　　　　　　　　| 1,875,000 | 円

　　損益分岐点販売量　　　　　　　　　　| 6,250 | 個

(2)　目標営業利益1,704,000円を達成する売上高　| 4,537,500 | 円

　　目標営業利益1,704,000円を達成する販売量　| 15,125 | 個

(3)　安全余裕率　　　　　　　　　　　　| 37.5 | ％

解　説

**ここが
ポイント!**

損益分岐点分析は、原価、販売量、利益の関係を分析するものです。求めたい売上高または販売量を用いて、営業利益を式に表してみましょう。いずれの場合も必ず次の関係が成立します。

営業利益 ＝ 売上高 － 変動費 － 固定費

以下に示すように、直接原価計算方式の簡単な損益計算書を作成すると分析が容易に行えるでしょう。

1．損益計算書の作成

　　変動費は常に売上高に比例して発生します。そして、売上高に対する変動費の割合を変動費率といい、次のように計算します。

$$変動費率：\frac{変動費（900,000円 ＋ 180,000円）}{売上高 3,000,000円} ＝ 0.36$$

　　この関係を利用すると、売上高をＸ円と仮定した場合の損益計算書を作成することができます。そして営業利益について、Ｘを用いた式で表すことで、様々な分析を行うことができるようになります。これを利用して損益計算書を作成すると、次のようになります。

売上高	X
変動費	0.36 X
貢献利益	0.64 X
固定費	1,200,000
営業利益	0.64 X － 1,200,000

> この営業利益（0.64 X － 1,200,000）円がいくらになるかを考えることで分析を行います。

2．損益分岐点売上高及び販売量

　損益分岐点では、営業利益がゼロとなります。したがって、上記1．の損益計算書の営業利益より、以下の関係が成立します。

　　0.64 X － 1,200,000 ＝ 0

　これを解くと、X ＝1,875,000円となり、損益分岐点売上高は1,875,000円となります。

　また販売単価@300円より、損益分岐点売上高をこれで除すと、損益分岐点販売量を求めることができます。

　　損益分岐点販売量：1,875,000円÷@300円＝6,250個

3．目標営業利益1,704,000円を達成する売上高及び販売量

　営業利益が1,704,000円となりますから、このときの売上高及び販売量は上記1．の損益計算書の営業利益を用いて、次のように求めます。

　　0.64 X － 1,200,000 ＝ 1,704,000

　これを解くと、X ＝4,537,500円となり、目標営業利益1,704,000円達成売上高は4,537,500円となります。

　また販売単価@300円より、目標営業利益1,704,000円達成売上高をこれで除すと、そのときの販売量を求めることができます。

　　目標営業利益1,704,000円達成販売量：4,537,500円÷@300円＝15,125個

4．安全余裕率

　問題文の式を用いて計算します。

　　安全余裕率：$\dfrac{3,000,000\,円 － 1,875,000\,円}{3,000,000\,円} \times 100 ＝ 37.5\%$

予算売上高
3,000,000円（100％）

損益分岐点売上高
1,875,000円（62.5％）

安全余裕額
1,125,000円（37.5％）

⚠ここに注意!

前記の解説では、売上高をX円として損益計算書を作成して、分析しましたが、本問のように販売単価が判明する場合には販売量をY個として計算・分析することもできます。

〈販売量をY個とした場合の分析〉

1．損益計算書の作成

　販売単価が与えられていますし、単位あたり変動売上原価や単位あたり変動販売費も判明しますから、販売量をY個と仮定して損益計算書を作成することができます。そして営業利益について、Yを用いた式で表すことで、様々な分析を行うことができるようになります。

　　　単位あたり変動費：変動売上原価@90円＋変動販売費@18円＝@108円

売上高	300 Y
変動費	108 Y
貢献利益	192 Y
固定費	1,200,000
営業利益	192 Y − 1,200,000

この営業利益（192 Y − 1,200,000）円がいくらになるかを考えることで分析を行います。

2．損益分岐点売上高及び販売量

営業利益をゼロとおいて分析を行います。

　　　192 Y − 1,200,000 ＝ 0

これを解くと、Y＝6,250個となり、損益分岐点販売量は6,250個となります。また販売単価@300円より、このときの売上高を求めることができます。

　　　損益分岐点売上高：@300円×6,250個＝1,875,000円

3．目標営業利益1,704,000円を達成する売上高及び販売量

営業利益を1,704,000円とおいて分析を行います。

　　　192 Y − 1,200,000 ＝ 1,704,000

これを解くと、Y＝15,125個となり、目標営業利益1,704,000円達成販売量は15,125個となります。

　　また販売単価@300円より、このときの売上高を求めることができます。

　　　目標営業利益1,704,000円達成売上高：@300円×15,125個＝4,537,500円

●解答・解説編

基　本　📖　テキスト　第10章

35 損益分岐点分析2

解　答

問1　変動費率

| 0.6 |

問2　損益分岐点売上高

| 8,400,000 | 円

問3　製品販売数量が9,000個の場合の営業利益

| 960,000 | 円

解　説

ここが ポイント!

本問で変動費となるのは変動売上原価（直接材料費、変動加工費）と変動販売費なので、集計し忘れないように気をつけましょう。

問1　変動費率

$$\text{変動費率：} \frac{3,060,000\text{円}+2,380,000\text{円}+680,000\text{円}}{10,200,000\text{円}} = 0.6$$

問2　損益分岐点売上高

求める売上高をX円とすると、損益計算書は以下のようになります。

売上高	X
変動費	0.6 X
貢献利益	0.4 X
固定費	3,360,000
営業利益	0.4 X − 3,360,000

損益分岐点では、営業利益がゼロとなります。よって、上記の損益計算書より、以下の関係が成立します。

$$0.4X - 3,360,000 = 0$$

これを解くと、X＝8,400,000円となり、損益分岐点売上高は8,400,000円となります。

問3　製品販売数量が9,000個の場合の営業利益

　　問題の損益計算書は、8,500個の場合のものです。ここで、貢献利益は製品販売数量に比例しますので、製品1個あたりの貢献利益を求めると、以下のようになります。

　　製品1個あたり貢献利益：4,080,000円÷8,500個＝@480円

　　したがって、製品販売数量が9,000個のときの営業利益は以下のように計算できます。

　　製品販売数量が9,000個の場合の営業利益：@480円×9,000個－3,360,000円
　　　　　　　　　　　　　　　　　　　　　＝960,000円

製品1個あたりの販売価格と変動費は、問題の損益計算書の金額を販売量8,500個で割ると求められます。

復習しよう！

　　損益分岐点分析を行う際には、直接原価計算を前提に分析します。
　このとき、損益計算書に計上される売上高と費用の関係の整理が重要になります。
　① 変動費 → 売上高または販売量に比例して発生します。
　② 固定費 → 売上高または販売量にかかわらず一定額発生します。
以上の関係から、直接原価計算方式で、不明な金額を売上高あるいは販売量を用いて表し、損益計算書を作成して分析できるようにしましょう。

36 直接と全部の損益計算書

解　答

（直接原価計算方式）　　損　益　計　算　書

	第　1　期	第　2　期
売上高	（　2,500,000　）	（　2,500,000　）
変動売上原価	（　1,000,000　）	（　1,000,000　）
変動製造マージン	（　1,500,000　）	（　1,500,000　）
変動販売費	（　100,000　）	（　100,000　）
貢献利益（限界利益）	（　1,400,000　）	（　1,400,000　）
固定費	（　1,300,000　）	（　1,300,000　）
営業利益	（　100,000　）	（　100,000　）

（全部原価計算方式）　　損　益　計　算　書

	第　1　期	第　2　期
売上高	（　2,500,000　）	（　2,500,000　）
売上原価	（　1,900,000　）	（　1,600,000　）
売上総利益	（　600,000　）	（　900,000　）
販売費及び一般管理費	（　500,000　）	（　500,000　）
営業利益	（　100,000　）	（　400,000　）

解　説

ここが
ポイント！

直接原価計算と全部原価計算の違いは計上される固定製造原価です。
直接原価計算は発生額（期間総額）が全額当期の費用に計上されます。
　一方、全部原価計算は発生額をいったん仕掛品勘定に集計し、完成分
を製品勘定に振替えた後、販売分が売上原価として当期の費用に計上されます。
なお変動製造原価は直接、全部とも、全部原価計算の固定製造原価と同様に、
販売分が売上原価または変動売上原価として当期の費用に計上されます。
よって計算を変動製造原価と固定製造原価に分けて行っていきます。
また販売費及び一般管理費は計上される場所が異なるだけで、金額は同じです。

1．第1期の計算

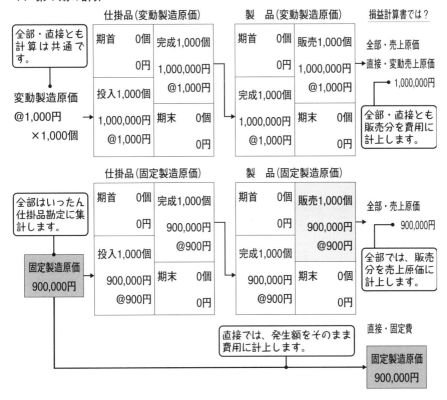

　直接原価計算方式及び全部原価計算方式の第1期の損益計算書に計上する各金額は、次のように計算します。

(1)　直接原価計算方式

　　　売上高：販売単価@2,500円×当期販売量1,000個＝2,500,000円

　　　変動売上原価：変動製造原価のみ1,000,000円（ボックス図より）

　　　変動販売費：単位あたり変動販売費@100円×当期販売量1,000個

　　　　　　＝100,000円

　　　固定費：固定製造原価900,000円＋固定販売費300,000円

　　　　　　＋一般管理費100,000円

　　　　＝1,300,000円

(2)　全部原価計算方式

　　　売上高：販売単価@2,500円×当期販売量1,000個＝2,500,000円

　　　売上原価：変動製造原価1,000,000円＋固定製造原価900,000円

$=1,900,000$円（ボックス図より）

　　販売費及び一般管理費：変動販売費（@100円×1,000個）

　　　　　　　　　　　　　　　＋固定販売費300,000円＋一般管理費100,000円

　　　　　　　　　　$=500,000$円

期首・期末仕掛品がなくて、当期投入＝当期完成となりますが、仕掛品勘定を作成した方が、理解が深まるでしょう。

2．第2期の計算

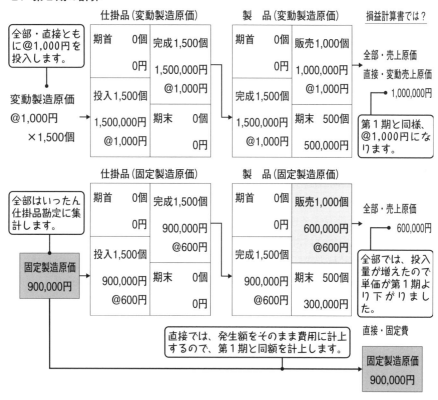

　直接原価計算方式及び全部原価計算方式の第2期の損益計算書に計上する各金額は、次のように計算します。

（1）　直接原価計算方式

　　　販売量は第 1 期と同様1,000個で、販売価格、原価データが全く同じ、か
つ固定費については発生額を全額費用計上していますので、計算結果は第 1
期と全く同じとなります。

(2)　全部原価計算方式

　　　　　売上高：販売単価@2,500円×当期販売量1,000個＝2,500,000円

　　　　　売上原価：変動製造原価1,000,000円＋固定製造原価600,000円

　　　　　　　　　　＝1,600,000円(ボックス図より)

　　　　　販売費及び一般管理費：変動販売費(@100円×1,000個)

　　　　　　　　　　　　　　　　＋固定販売費300,000円＋一般管理費100,000円

　　　　　　　　　　　　　　　　＝500,000円

> 全部と直接の固定製造原価の処理
> の違いを、第1期と第2期の計算
> で確認しておきましょう。

復習しよう!

　　　期首・期末に仕掛品がない場合には、仕掛品勘定の当期投入＝当期
完成となります。よって実際の計算では、製品勘定のみを変動製造
原価と固定製造原価別に作成して、全部と直接の損益計算書をそれぞれ作成で
きればよいでしょう。共通部分と異なる部分の確認を行っておきましょう。

基 本

テキスト 第11章

37 本社工場会計

解 答

	借方科目	金 額	貸方科目	金 額
1	材　　　料	1,200,000	本　　　社	1,200,000
2	仕　掛　品 製 造 間 接 費	800,000 200,000	材　　　料	1,000,000
3	仕　掛　品 製 造 間 接 費	720,000 45,000	賃　　　金	765,000
4	製 造 間 接 費	300,000	本　　　社	300,000
5	本　　　社	1,440,000	製　　　品	1,440,000

解 説

ここが
ポイント!

本社工場会計を採用していない場合には一括して行われる仕訳が、本社工場会計を採用した場合、本社か工場かのいずれか一方、あるいは両方で行われることになります。

本社工場会計を採用した場合の工場側の仕訳は次の手続により行います。

① 本社工場会計を採用していない場合の仕訳を行います。

② ①のうち、工場側に設置された勘定科目部分を仕訳します。

③ ①の仕訳が本社と工場とに分かれた場合は、相手科目を「本社(または本社元帳)」として仕訳を完成させます。なお①の仕訳が本社か工場の一方で行われた場合は、②で終了となります。

　工場で行われる5月中の取引についての仕訳は、以下の手続で完成させます。なお、工場に設置されていない勘定科目は、すべて本社に設置されているものと仮定して仕訳を行います。

解解
説答
説

基本

1．材料の購入に関する仕訳

(全体)　(借) 材　　　　料　　1,200,000　　　(貸) 買　掛　金　　1,200,000
　　　　　　　－工場の科目－　　　　　　　　　　　　　　　　－本社の科目－
　　　　　　　　　↓そのまま　　　　　　　　　　　　　　　↓ないので
(工場)　(借) 材　　　　料　　1,200,000　　　(貸) **本　　　社**　　1,200,000

　　会社全体の仕訳で用いた勘定科目について、工場には材料勘定しか設置され
　ていません。そこで工場では、材料勘定をそのまま仕訳し、相手科目を本社勘
　定として仕訳を完成させます。
〈参考〉

(本社)　(借) **工　　　　場**　　1,200,000　　　(貸) 買　掛　金　　1,200,000

2．材料の消費に関する仕訳

(全体)　(借) 仕　掛　品　　800,000　　　(貸) 材　　　　料　　1,000,000
　　　　　　　－工場の科目－　　　　　　　　　　　　　　　　－工場の科目－

　　　　　　製 造 間 接 費　　200,000
　　　　　　　－工場の科目－
　　　　　　　　↓そのまま　　　　　　　　　　　　　　　↓そのまま

　　すべて工場の科目で仕訳されますので、会社全体の仕訳をそのまま工場で行
　います。

3．賃金の消費に関する仕訳

(全体)　(借) 仕　掛　品　　720,000　　　(貸) 賃　　　　金　　765,000
　　　　　　　－工場の科目－　　　　　　　　　　　　　　　　－工場の科目－

　　　　　　製 造 間 接 費　　45,000
　　　　　　　－工場の科目－
　　　　　　　　↓そのまま　　　　　　　　　　　　　　　↓そのまま

　　すべて工場の科目で仕訳されますので、会社全体の仕訳をそのまま工場で行
　います。

> 会社全体の仕訳を行ってみ
> て、その科目がすべて工場に
> あれば、それがそのまま工場
> の仕訳になります。

4．減価償却費の計上に関する仕訳

（全体） （借）製 造 間 接 費　　300,000　　（貸）減価償却累計額　　300,000
　　　　　　　　－工場の科目－　　　　　　　　　　　　－本社の科目－
　　　　　　　　　　⬇そのまま　　　　　　　　　　　　　　⬇ ないので
（工場） （借）製 造 間 接 費　　300,000　　（貸）本　　　　社　　300,000

　　会社全体の仕訳で用いた勘定科目について、工場には製造間接費勘定しか設
　置されていません。そこで工場では、製造間接費勘定をそのまま仕訳し、相手
　科目を本社勘定として仕訳を完成させます。

〈参考〉

（本社） （借）工　　　　場　　300,000　　（貸）減価償却累計額　　300,000

5．製品の販売に関する仕訳

（全体） （借）売　掛　金　　2,000,000　　（貸）売　　　　上　　2,000,000
　　　　　　　　－本社の科目－　　　　　　　　　　　　－本社の科目－
　　　　　　　　　　⬇ ないので　　　　　　　　　　　　　⬇ ないので
すべて本社で仕訳されます。この部分は工場では仕訳なしです。

（全体） （借）売 上 原 価　　1,440,000　　（貸）製　　　　品　　1,440,000
　　　　　　　　－本社の科目－　　　　　　　　　　　　－工場の科目－
　　　　　　　　　　⬇ ないので　　　　　　　　　　　　　⬇そのまま
（工場） （借）本　　　　社　　1,440,000　　（貸）製　　　　品　　1,440,000

　　会社全体の仕訳で用いた勘定科目について、工場には製品勘定しか設置され
　ていません。そこで工場では、製品勘定をそのまま仕訳し、相手科目を本社勘
　定として仕訳を完成させます。

〈参考〉

（本社） （借）売 上 原 価　　1,440,000　　（貸）工　　　　場　　1,440,000

> 会社全体の仕訳のうち、工場に
> 科目がある部分はそのまま仕訳
> し、ない部分を本社勘定とすれ
> ば、仕訳が完成します。

MEMO

応用 テキスト 第1章

38 材料副費

解　答

材　　料

月　初　有　高	(	120,000)		当　月　消　費　高	(	5,920,000)
当　月　仕　入　高	(	6,100,000)		棚　卸　減　耗　損	(	24,000)
				月　末　有　高	(	276,000)
	(	6,220,000)			(	6,220,000)

解　説

 ここが ポイント!

材料の購入原価の計算に関する問題です。材料副費は次のように2つに分けられます。

　① 外部材料副費 → 購入手数料や引取運賃など主として材料が企業に到着するまでにかかった費用

　② 内部材料副費 → 購入事務費、検収費、倉庫保管料など企業内部でかかった費用

購入代価に加算する材料副費の範囲は、様々なパターンがありますので、必ず問題の指示にしたがってください。なお本問では、外部材料副費は実際発生額を、内部材料副費は予定配賦額（購入代価の3%）をそれぞれ購入代価に加算して処理します。

1．1月中の材料（買入部品Ｔ）購入原価の計算と仕入時の仕訳

　(1) 1月6日仕入分

購　入　代　価：@12,000円×200個＝	2,400,000円
引取費用(外部材料副費)：	28,000円
内部材料副費：2,400,000円×3％　＝	72,000円
合計：購入原価	2,500,000円(@12,500円)

（借）材　　　　料	2,500,000	（貸）買　　掛　　金	2,400,000
		当　座　預　金	28,000
		内部材料副費	72,000

(2)　1月11日仕入分

　　　　購 入 代 価：@11,500円×300個＝　　　　3,450,000円
　　　　引取費用(外部材料副費)：　　　　　　　　 46,500円
　　　　内部材料副費：3,450,000円×3％＝　　　 103,500円
　　　　　合計：購入原価　　　　　　　　　 3,600,000円(@12,000円)

　　(借) 材　　　　　料　 3,600,000　　(貸) 買　　掛　　金　 3,450,000
　　　　　　　　　　　　　　　　　　　　　 当 座 預 金　　 46,500
　　　　　　　　　　　　　　　　　　　　　 内部材料副費　 103,500

2．材料勘定の作成(先入先出法)

　　先入先出法を用いていますので、31日の有高は11日仕入分(@12,000円)により計算します。

材　　　料

月初　10個 @12,000円	9日出庫160個	
6日仕入200個 @12,500円	12日出庫140個	消費485個
11日仕入300個 @12,000円	18日出庫185個	5,920,000円
	31日実地 23個	帳簿　25個
	31日減耗　2個	300,000円

120,000円
当月仕入 6,100,000円 { 2,500,000円 / 3,600,000円 }
(510個)　6,220,000円　　　　　　6,220,000円 (510個)

(1)　棚卸減耗損の計上
　　　棚卸減耗損：@12,000円×(帳簿25個−実地23個)＝24,000円

　　(借) 製 造 間 接 費　　 24,000　　(貸) 材　　　　　料　　 24,000

(2)　31日実地棚卸高(月末有高)
　　　材料勘定月末有高：@12,000円×実地23個＝276,000円

39 製造間接費配賦差異の分析

解 答

問1	80 万円 （ (借方) ・ 貸方 ）

問2	予　算　差　異	操　業　度　差　異
	20 万円 （ 借方 ・ (貸方) ）	100 万円 （ (借方) ・ 貸方 ）

問3	予　算　差　異	操　業　度　差　異
	20 万円 （ (借方) ・ 貸方 ）	60 万円 （ (借方) ・ 貸方 ）

解 説

ここが
ポイント!

製造間接費配賦差異の分析の問題です。固定予算でも公式法変動予算でも予算差異と操業度差異とに分析しますが、合計（差異の総額）はいずれも同じになります。両者で異なるのは予算許容額を操業度によって変化させるか否かという点です。

　固 定 予 算 → 操業度にかかわらず、予算許容額は基準操業度の予算額
　　　　　　　　　一定となります。

　公式法変動予算 → 操業度に応じて予算許容額が変化します。

いずれの方法も、予算差異は予算許容額と実際発生額の差額で計算します。

問1　製造間接費配賦差異

　　　予定配賦率：年間予算9,000万円÷年間正常直接作業時間36,000時間
　　　　　　　　　＝0.25万円／時間
　　　（または　　月間予算750万円÷月間正常直接作業時間3,000時間
　　　　　　　　　＝0.25万円／時間）
　　　予定配賦額：予定配賦率0.25万円／時間×実際直接作業時間2,600時間
　　　　　　　　　＝650万円
　　　製造間接費配賦差異：予定配賦額650万円－実際発生額730万円
　　　　　　　　　　　　　＝△80万円（借方差異）

問2　固定予算による分析

　　固定予算による場合は、基準操業度と実際操業度が異なったとしても、予算許容額を基準操業度の予算額で一定として分析を行います。固定予算でも製造間接費配賦差異をさらに予算差異と操業度差異とに分析しますが、このうち予算差異は、この予算許容額と実際発生額との差額で計算します。また実際操業度と基準操業度とが異なると予定配賦額と予算許容額とに差が生じてしまいますので、これが操業度差異となります。

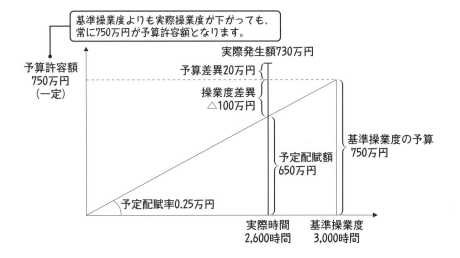

　予　算　差　異：予算許容額750万円－実際発生額730万円＝20万円（貸方差異）
　操業度差異：予定配賦額650万円－予算許容額750万円
　　　　　　　＝予定配賦率×（実際操業度－基準操業度）
　　　　　　　＝0.25万円／時間×（2,600時間－3,000時間）
　　　　　　　＝△100万円（借方差異）

固定予算では操業度が下がっても予算許容額が一定ですから、実際発生額に対する評価（予算差異）は甘くなってしまいます。

問3　公式法変動予算による分析

　公式法変動予算による場合は、予算差異を、実際操業度に応じて変化させた予算許容額と実際発生額との差額で計算します。また実際操業度と基準操業度とが異なると、固定費の予定配賦額と固定費予算額とに差が生じてしまいますので、これが操業度差異となります。

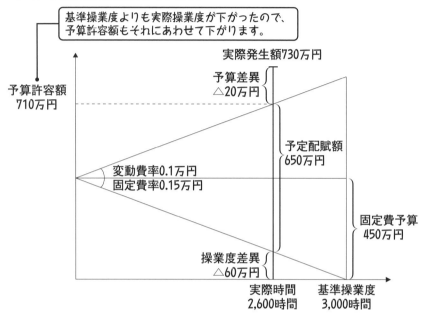

実際操業度の予算許容額：変動費率×実際操業度＋固定費予算
　　　　　　　　　　　＝0.1万円／時間×2,600時間＋450万円
　　　　　　　　　　　＝710万円

予算差異：予算許容額710万円－実際発生額730万円
　　　　　＝△20万円（借方差異）

操業度差異：固定費予定配賦額－固定費予算
　　　　　　＝0.15万円／時間×2,600時間－450万円
　　　　　　＝固定費率×（実際操業度－基準操業度）
　　　　　　＝0.15万円／時間×（2,600時間－3,000時間）
　　　　　　＝△60万円（借方差異）

> 公式法変動予算では操業度が下がると、予算許容額も下がりますから、実際発生額に対する評価（予算差異）は適正に行えます。

応用　📖　テキスト　第2〜3章

40 製造間接費勘定・仕掛品勘定

解答

			製　造　間　接　費			(単位：万円)
間 接 材 料 費	(	1,154)	予 定 配 賦 額	(	4,260)
間 接 労 務 費	(	1,200)	配 賦 差 異	(	54)
間 接 経 費	(	1,960)			
	(	4,314)		(	4,314)

			仕　　掛　　品			(単位：万円)
月 初 有 高	(	980)	当 月 完 成 高	(	14,160)
直 接 材 料 費	(	6,520)	月 末 有 高	(	1,050)
直 接 労 務 費	(	3,450)			
製 造 間 接 費	(	4,260)			
	(	15,210)		(	15,210)

解説

ここが ポイント！

各費目の消費額が、直接費となるのか、間接費となるのか、また材料費、労務費、経費のいずれに分類されるのかを正しく整理して、金額を集計していきましょう。

1．製造間接費勘定

製造間接費となる各費目の消費額等は以下のように計算します。

⑴　間接材料費(借方)

補助材料：月初60万円＋当月仕入700万円－月末100万円＝660万円(資料1)

工場消耗品費：250万円(資料4)

消耗工具器具備品費：244万円(資料8)

合計(間接材料費)：660万円＋250万円＋244万円＝1,154万円

⑵　間接労務費(借方)

間接工賃金：当月支払660万円－月初未払160万円＋月末未払140万円
　　　　　　＝640万円(資料2)

工場職員給料：560万円（資料6）

　　合計（間接労務費）：640万円＋560万円＝1,200万円

(3)　間接経費（借方）

　　工場建物の減価償却費：1,260万円（資料3）

　　工場用社宅など福利施設負担額：260万円（資料7）

　　工場従業員厚生費：240万円（資料9）

　　工場の光熱費：200万円（資料10）

　　合計（間接経費）：1,260万円＋260万円＋240万円＋200万円＝1,960万円

(4)　予定配賦額（貸方）

　　製造間接費予定配賦額：4,260万円（資料5）

(5)　配賦差異（貸方）

　　貸借差額より、54万円（借方差異）

2．仕掛品勘定

　　仕掛品勘定に記入される各金額は以下のように計算します。

(1)　月初有高（借方）：980万円（資料1）

(2)　直接材料費（借方）

　　素材：月初1,000万円＋当月仕入6,720万円－月末1,200万円

　　　　＝6,520万円（資料1）

(3)　直接労務費（借方）

　　直接工賃金：当月支払3,600万円－月初未払810万円＋月末未払660万円

　　　　＝3,450万円（資料2）

(4)　製造間接費（借方）

　　製造間接費予定配賦額：4,260万円（資料5）

(5)　月末有高（貸方）：1,050万円（資料1）

(6)　当月完成高（貸方）

　　貸借差額より、14,160万円

各費目の消費額を正しく計算できなかった方はもう一度材料費・労務費・経費の計算（第2章）の復習をしておきましょう。

応　用　　テキスト　第2〜5章

41 加工費勘定・仕掛品勘定と差異分析

解　答

加　　工　　費　　　　　　（単位：万円）

賃金・給料消費額	(870)	予定配賦額	(1,650)
間接材料費	(170)	配賦差異	(40)
間接経費	(650)		
	(1,690)		(1,690)

仕　　掛　　品　　　　　　（単位：万円）

月初有高	(400)	当月完成高	(2,865)
原料費	(1,250)	月末有高	(435)
加工費	(1,650)		
	(3,300)		(3,300)

加工費配賦差異	40 万円 （借方）	内訳	予算差異	95 万円 （貸方）
			操業度差異	135 万円 （借方）

解　説

ここが
ポイント！

　加工費勘定を用いている場合は、費目別計算を行った後、原料費（直接材料費）のみ、直接仕掛品勘定に振替えます。直接材料費以外の製造原価はこれを加工費として、いったん加工費勘定の借方に実際消費額を集計します。本問では加工費を予定配賦して仕掛品勘定に振替えていますが、この勘定の使用方法は、製造間接費勘定と同様と考えてください。

1．加工費予定配賦率及び予定配賦額

予定配賦率：年間予算額22,500万円÷年間予定直接作業時間30,000時間
　　　　　　＝0.75万円／時間

固定費率：固定加工費予算額13,500万円÷30,000時間＝0.45万円／時間

変動費率：0.75万円／時間－固定費率0.45万円／時間＝0.3万円／時間

予定配賦額：0.75万円／時間×当月実際直接作業時間2,200時間＝1,650万円

2．各費目の消費額の計算及び勘定記入（単位：万円）

加工費勘定、仕掛品勘定に関連する勘定連絡図は次のようになります。費目別計算を行った各費目の消費額のうち、原料費（直接材料費）のみが仕掛品勘定に直接振替えられて、その他はすべていったん加工費勘定に振替えられた後に、仕掛品勘定へ予定配賦されるということを、確認しておきましょう。

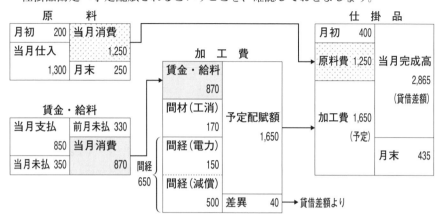

加工費実際発生額（借方合計）：870万円＋170万円＋150万円＋500万円
　　　　　　　　　　　　　　　＝1,690万円

加工費配賦差異：予定配賦額1,650万円－実際発生額1,690万円
　　　　　　　　＝△40万円（借方差異）

加工費勘定を用いるのは、総合原価計算を行っている場合に、当月製造費用を原料費と加工費とに分けるためと考えてください。

3．加工費配賦差異の分析（公式法変動予算）

　加工費勘定で計算した加工費配賦差異を、予算差異と操業度差異とに分析していきます。分析方法は製造間接費配賦差異と同様に行います。

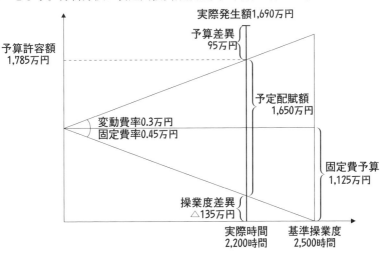

　月間固定加工費予算：年間予算13,500万円÷12ヵ月＝1,125万円

　月間基準操業度：年間予定直接作業時間30,000時間÷12ヵ月＝2,500時間

　予算許容額：0.3万円／時間×実際2,200時間＋1,125万円＝1,785万円

　予算差異：予算許容額1,785万円－実際発生額1,690万円＝95万円（貸方差異）

　操業度差異：0.45万円／時間×（実際2,200時間－基準2,500時間）

　　　　　　＝△135万円（借方差異）

本問では予算額や基準操業度を年間ベースから月間ベースに修正してから分析を行う必要がありますので、注意してください。

42 工業簿記一巡の仕訳

解 答

	借方科目	金 額	貸方科目	金 額
1	材　　　　料 工 場 消 耗 品	1,500,000 200,000	買　　掛　　金	1,700,000
2	賃　　　　金	2,800,000	預　　り　　金 現　　　　金	200,000 2,600,000
3	仕　　掛　　品	1,519,000	材　　　　料	1,519,000
4	仕　　掛　　品	3,264,000	賃　　　　金 製 造 間 接 費	2,720,000 544,000
5	仕　　掛　　品	200,000	現　　　　金	200,000
6	材料消費価格差異	16,000	材　　　　料	16,000
7	製 造 間 接 費	245,000	材　　　　料 工 場 消 耗 品	25,000 220,000
8	賃　　　　金	10,000	賃　率　差　異	10,000
9	製造間接費配賦差異	31,000	製 造 間 接 費	31,000
10	製　　　　品	3,550,000	仕　　掛　　品	3,550,000

解 説

ここがポイント！ 勘定科目の指定に注意しながら仕訳を行いましょう。また、費目別に消費額の計算を行うと同時に、10で製品完成の仕訳を行わなければなりませんから、製品別（製造指図書別）の製造原価の集計を忘れずに行っておきましょう。

1．材料の購入

主要材料は材料勘定借方、工場消耗品は工場消耗品勘定借方に実際の仕入額を計上します。

2．賃金の支払

当月支給総額2,800,000円を賃金勘定の借方に計上します。

3．主要材料の予定価格による消費

甲製品、乙製品及び丙製品の消費量合計の予定消費額を材料勘定から仕掛品勘定借方に振替えます。

実際消費量合計：1,000kg＋900kg＋1,200kg＝3,100kg

予定消費額：予定価格490円／kg×3,100kg＝1,519,000円

4．直接工賃金の予定賃率による消費及び製造間接費の予定配賦

甲製品～丙製品の直接作業時間合計について、直接工賃金の予定消費額及び製造間接費の予定配賦額を賃金勘定及び製造間接費勘定から、それぞれ仕掛品勘定借方に振替えます。

実際直接作業時間合計：1,100時間＋1,250時間＋1,050時間＝3,400時間

直接工賃金の予定消費額：予定賃率800円／時間×3,400時間＝2,720,000円

製造間接費の予定配賦額：予定配賦率160円／時間×3,400時間＝544,000円

5．経費（外注加工賃）の消費

外注加工賃の消費額はすべて直接経費になります。なお、本問では外注加工賃勘定は使用できませんので、支払額をそのまま仕掛品勘定借方に計上します。

6．材料消費価格差異の計上

実際発生額（先入先出法）：470円／kg×500kg＋500円／kg×(3,100kg－500kg)
＝1,535,000円

材料消費価格差異：予定消費額1,519,000円－実際発生額1,535,000円
＝△16,000円（借方差異）→材料消費価格差異勘定借方へ

7. 主要材料の棚卸減耗損と工場消耗品の消費額の計上

ここで、材料勘定を示すと次のようになります。

材　料

月初500kg・@470円	3. 消費3,100kg 予定@490円 1,519,000	消費3,100kg 実際1,535,000
1. 仕入3,000kg @500円 1,500,000	6. 差異　　　16,000	
	7. 減耗50kg・@500円	月末帳簿
	月末実地350kg・@500円	400kg

材料勘定の帳簿棚卸数量と実地棚卸数量の差に月末主要材料単価(先入先出法のため、当月仕入500円/kg)を乗じた金額を棚卸減耗損として、製造間接費勘定借方に振替えます。

棚卸減耗損：500円/kg×(月末帳簿400kg−月末実地350kg)＝25,000円

また工場消耗品の消費額も同様に、製造間接費勘定借方に振替えます。

工場消耗品の消費額：200円/個×(月初300個＋当月仕入1,000個−月末200個)
　　　　　　　　　　＝220,000円

8. 賃率差異の計上

実際発生額：当月支払2,800,000円−月初未払240,000円＋月末未払150,000円
　　　　　　＝2,710,000円

賃率差異：予定消費額2,720,000円−実際発生額2,710,000円
　　　　　＝10,000円(貸方差異)→賃率差異勘定貸方へ

ここで、賃金勘定を示すと次のようになります。

賃　金

2. 当月支払 2,800,000	8. 月初未払 240,000
8. 月末未払 150,000	4. 予定消費額 2,720,000
8. 賃率差異　　10,000	

9．製造間接費配賦差異の計上

実際発生額：245,000円＋330,000円＝575,000円

製造間接費配賦差異：予定配賦額544,000円－実際発生額575,000円

＝△31,000円（借方差異）

→製造間接費配賦差異勘定借方へ

ここで、製造間接費勘定を示すと次のようになります。

解答解説
応用

製造間接費

7. 材料等 245,000	4. 予定配賦額 544,000
9. その他 330,000	9. 配賦差異 31,000

10．製品完成の仕訳

以上の結果を集計して、指図書別原価計算表を作成します。

	甲製品（No.1）	乙製品（No.2）	丙製品（No.3）	合　計
月初仕掛品原価	194,000	34,000	－	228,000
直接材料費	490,000	441,000	588,000	1,519,000
直接労務費	880,000	1,000,000	840,000	2,720,000
直 接 経 費	60,000	75,000	65,000	200,000
製造間接費	176,000	200,000	168,000	544,000
製造原価合計	1,800,000	1,750,000	1,661,000	5,211,000
備　考	完　成	完　成	仕 掛 中	

このうち、甲製品と乙製品が完成しているので、合計額3,550,000円を仕掛品勘定から製品勘定借方に振替えます。

応 用	テキスト 第3章

43 個別原価計算 1

■ 解 答

仕　掛　品

9/ 1 月 初 有 高	（2,390,000）	9/30 当 月 完 成 高　（6,500,000）
30 直 接 材 料 費	（ 720,000）	〃 　月 末 有 高　（ 590,000）
〃 　直 接 労 務 費	（2,010,000）	
〃 　製 造 間 接 費	（1,970,000）	
	（7,090,000）	（7,090,000）

製　　品

9/ 1 月 初 有 高	（2,100,000）	9/30 売 上 原 価　（6,250,000）
30 当 月 完 成 高	（6,500,000）	〃 　月 末 有 高　（2,350,000）
	（8,600,000）	（8,600,000）

■ 解 説

ここが
ポイント！

基本11と同様の問題ですが、製造指図書の数が増えていますので、集計ミスのないように気をつけていきましょう。なお本問は、解答用紙より9月中の記入が求められていることが判明します。よって、9月中の各製造指図書の状況を整理して解答していきます。

1．9月中の各製造指図書の整理

製造指図書別着手・完成・引渡記録より、各製造指図書の状況を整理します。

No.358：	9月 1日現在	完成済・未引渡	→	月初製品
	9月 4日	引渡済	→	9月売上原価
No.359：	9月 1日現在	着手済・未完成	→	月初仕掛品
	9月14日	完成済	→	当月完成品
	9月18日	引渡済	→	9月売上原価
No.360：	9月 1日現在	着手済・未完成	→	月初仕掛品
	9月21日	完成済	→	当月完成品
	9月29日	引渡済	→	9月売上原価

No.361：	9月 8日	着手開始	
	9月29日	完成済	→ 当月完成品
	9月30日現在	未引渡	→ 月末製品
No.362：	9月20日	着手開始	
	9月30日現在	未完成	→ 月末仕掛品

仕　掛　品

月初仕掛品 No.359	
No.360	当月完成品 No.359
（8月末までの製造原価）	No.360
当月投入　No.359	No.361
No.360	（着手〜完成の製造原価）
No.361	
No.362	月末仕掛品 No.362
（9月中投入の製造原価）	（9月末までの製造原価）

製　　品

月初製品　　No.358	
（着手〜完成の製造原価）	売上原価　　No.358
	No.359
当月完成品 No.359	No.360
No.360	（着手〜完成の製造原価）
No.361	
（着手〜完成の製造原価）	月末製品　　No.361
	（着手〜完成の製造原価）

２．仕掛品勘定の記入〜No.359、No.360、No.361、No.362

　　9月に製造活動を行ったNo.359、No.360、No.361、No.362の製造原価に基づいて、原価計算表を作成して仕掛品勘定を完成させます。

製造指図書	No.359	No.360	No.361	No.362	合　計	
月初仕掛品	1,490,000	900,000	−	−	2,390,000	8月末までの投入額
直接材料費	−	70,000	400,000	250,000	720,000	
直接労務費	340,000	420,000	1,100,000	150,000	2,010,000	9月投入分のみ
製造間接費	400,000	530,000	850,000	190,000	1,970,000	
製造原価合計	2,230,000	1,920,000	2,350,000	590,000	7,090,000	
備　　考	完　成	完　成	完　成	仕掛中		

３．製品勘定の記入〜No.358、No.359、No.360、No.361

　　9月に完成済・在庫となっていたNo.358、No.359、No.360、No.361の製造原価（9月末時点の原価計算表の要約）に基づいて、製品勘定を完成させます。上記1.の製品勘定に、各製造指図書の製造原価を当てはめれば、完成できます。

応 用	📖 テキスト 第3章

44 個別原価計算2

仕　　掛　　品

1/ 1月 初 有 高	(273,600)	1/31 当 月 完 成 高	(553,600)
31 直 接 材 料 費	(84,600)	〃 月 末 有 高	(212,600)
〃 直 接 労 務 費	(272,000)		
〃 製 造 間 接 費	(136,000)		
	(766,200)		(766,200)

製　　　品

1/ 1月 初 有 高	(352,000)	1/31 売 上 原 価	(730,600)
31 当 月 完 成 高	(553,600)	〃 月 末 有 高	(175,000)
	(905,600)		(905,600)

| 解 説 |

ここがポイント！

単純個別原価計算の推定問題です。1月中の仕掛品勘定と製品勘定の記入を行いますが、製造指図書別に集計されている製造原価がいつ集計されたものか不明ですので、1月分と12月までの分を分類・集計したうえで、推定していきましょう。

与えられた〔資料〕の条件を整理すると、次のようになります。

① 材料は製造の始めにすべて投入
　　→着手した月にのみ投入されていますから、1月直接材料費は1月着手分のみとなります。

② 製造間接費は直接労務費の50%を予定配賦（前月・当月とも同じ）
　　→直接労務費と製造間接費の比率は1：0.5で前月・当月とも一定となっています。

1. 1月中の各製造指図書の整理

仕 掛 品

月初仕掛品　No.102 （12月末までの製造原価）	当月完成品　No.102 　　　　　　　No.103 （着手～完成の製造原価）
当月投入　　No.102 　　　　　　No.103 　　　　　　No.104 （1月中投入の製造原価）	月末仕掛品　No.104 （1月末までの製造原価）

製 品

月初製品　　No.101 （着手～完成の製造原価）	売上原価　　No.101 　　　　　　　No.102 （着手～完成の製造原価）
当月完成品　No.102 　　　　　　No.103 （着手～完成の製造原価）	月末製品　　No.103 （着手～完成の製造原価）

2. 製造指図書 No.101の推定（12月末完成済→月初製品、1月引渡→売上原価）

直接材料費	112,000
直接労務費	160,000
製造間接費	（　80,000　）　←　160,000円×50%
合　計	（　352,000　）

3. 製造指図書 No.102、No.103、No.104の推定（1月作業分→仕掛品勘定に計上）

問題の製造原価データを12月分と1月分に分けて推定していきます。なお、No.103と No.104はすべて1月着手ですので、12月分の原価はありません。推定した結果は以下のとおりです。

	No.102	No.103	No.104	合　計
直接材料費				
12月分	81,600	－	－	81,600
1月分	－	40,000	（ 44,600 ）	（ 84,600 ）
直接労務費				
12月分	128,000	－	－	128,000
1月分	（ 70,000 ）	（ 90,000 ）	（ 112,000 ）	（ 272,000 ）
製造間接費				
12月分	（ 64,000 ）	－	－	（ 64,000 ）
1月分	35,000	（ 45,000 ）	56,000	（ 136,000 ）
	（ 378,600 ）	175,000	（ 212,600 ）	（ 766,200 ）
備　考	完　成	完　成	仕掛中	

(1)　製造指図書 No.102（12月末未完成→月初仕掛品、 1 月完成→当月完成品、

　　　　　　　　　　　 1 月引渡→売上原価）

　　　直接材料費81,600円…着手した月にすべて投入しているので、すべて12月

　　　　　　　　　　　　　分となります。したがって、 1 月分はありません。

　　　直接労務費 1 月分…製造間接費 1 月分35,000円÷0.5より、70,000円です。

　　　製造間接費12月分…直接労務費12月分128,000円×0.5より、64,000円です。

(2)　製造指図書 No.103（ 1 月着手・ 1 月完成→当月完成品、 1 月末未引渡

　　　　　　　　　　　→月末製品）

　　　直接材料費40,000円…着手したのは 1 月のため、すべて 1 月分です。

　　　直接労務費 1 月分＋製造間接費 1 月分…差額より、135,000円となります。

　　　直接労務費 1 月分…上記135,000円が、直接労務費：製造間接費＝ 1 ：0.5の

　　　　　　　　　　　　比になります。135,000円×1/1.5より、90,000円です。

　　　製造間接費 1 月分…上記同様、135,000円×0.5/1.5より、45,000円です。

(3)　製造指図書 No.104（ 1 月着手・ 1 月末未完成→月末仕掛品）

　　　直接材料費 1 月分… 1 月直接材料費合計(先入先出法)は、以下のとおりで

　　　　　　　　　　　　す。

　　　　　　　　　　＠48円×200個＋＠50円×(1,700個−200個)＝84,600円

　　　　　　　　　　上記のうち40,000円は No.103の金額ですから、残り

　　　　　　　　　　44,600円が No.104の金額となります。

　　　直接労務費 1 月分…製造間接費 1 月分56,000円÷0.5より、112,000円です。

製造指図書別に集計された
製造原価を、当月分と前月
までの分に分け、推定資料
から不明な金額を求めて、
解答してみてください。

4 ．勘定記入

(1)　仕掛品勘定の記入

　　No.102、No.103、No.104の製造原価を、12月分と 1 月分に分けて、 1 ．で
整理した仕掛品勘定に当てはめて解答していきます。

(2)　製品勘定の記入

　　No.101、No.102、No.103の製造原価合計を 1 ．で整理した製品勘定に当て
はめて解答していきます。

解答

問1　　　　　3,800　円／時間　　　　問2　　　　　950,000　円

問3　　　　　950,000　円

問4

予算部門別配賦表

| | 合　計 | 製造部門 | | 補助部門 |
		加工部	組立部	事務部
部門個別費	2,300,000	1,147,400	1,074,600	78,000
部門共通費				
建物減価償却費	900,000	450,000	375,000	75,000
建物保険料	600,000	320,000	256,000	24,000
部門費	3,800,000	1,917,400	1,705,600	177,000
事務部費	177,000	82,600	94,400	
製造部門費	3,800,000	2,000,000	1,800,000	

　　　　　5,000　円／時間

問5　　　　1,110,000　円

解 説

製造間接費の配賦について、部門別計算を行わない場合（総括予定配賦率を用いた場合）と部門別計算を行う場合（部門別予定配賦率を用いた場合）の比較問題です。

① 総括予定配賦率
→製造間接費予算総額を一括して基準操業度で除して算定します。各製品への配賦額も一括で計算します。

　　予定配賦額＝総括予定配賦率×製品別実際直接作業時間合計

② 部門別予定配賦率
→製造間接費予算総額につき、予算データで第1次集計〜第2次集計を行い、製造部門別に製造間接費を集計しなおして、製造部門別の基準操業度でそれぞれ除して算定します。各製品への配賦額は製造部門別に計算します。

　　部門別予定配賦額＝部門別予定配賦率×製品別実際直接作業時間

問1　当工場の総括予定配賦率

製造間接費年間予算額：部門個別費年間予算額＋部門共通費年間予算額
$$= 2,300,000円 + 1,500,000円$$
$$= 3,800,000円$$

総括予定配賦率：$\dfrac{製造間接費年間予算額3,800,000円}{年間予定直接作業時間1,000時間} = 3,800円 / 時間$

問2　総括予定配賦率を用いた場合の製造指図書No.10に対する製造間接費配賦額

総括予定配賦率3,800円 / 時間×（加工40時間＋組立210時間）＝950,000円

問3　総括予定配賦率を用いた場合の製造指図書No.20に対する製造間接費配賦額

総括予定配賦率3,800円 / 時間×（加工180時間＋組立70時間）＝950,000円

⚠ここに注意!

総括予定配賦率を用いた場合、実際直接作業時間の内訳が異なったとしても、合計が同じならば、配賦額は同額となります。

部門別予定配賦率を用いた場合、実際直接作業時間の合計が同じだとしても、作業した部門の内訳により、配賦額が異なることを以下の計算により確認しておきましょう。

問4　加工部の予定配賦率

　問われているのは、加工部の予定配賦率だけですが、問5で部門別予定配賦率を用いた製造指図書№20への予定配賦額を解答する必要がありますので、組立部の予定配賦率もあわせて計算しておきます。

1．予算部門費配賦表の作成

予算部門別配賦表

	合　計	製造部門		補助部門
		加 工 部	組 立 部	事 務 部
部門個別費	2,300,000	1,147,400	1,074,600	78,000
部門共通費				
建物減価償却費	900,000	450,000	375,000	75,000
建物保険料	600,000	320,000	256,000	24,000
部 門 費	3,800,000	1,917,400	1,705,600	177,000
事務部費	177,000	82,600	94,400	
製造部門費	3,800,000	2,000,000	1,800,000	

いったんすべての部門に集計します。

製造部門だけに再集計します。

加工部と組立部に再集計します。

(1)　部門共通費の配賦

〈建物減価償却費〉

　建物占有面積を基準に配賦します。

　　配賦率：900,000円÷(600m²＋500m²＋100m²)＝750円／m²

　　加工部へ：750円／m²×600m²＝450,000円

　　組立部へ：750円／m²×500m²＝375,000円

　　事務部へ：750円／m²×100m²＝ 75,000円

〈建物保険料〉

建物評価額を基準に配賦します。

配賦率：600,000円÷(4,000万円＋3,200万円＋300万円)＝80円／万円

加工部へ：80円／万円×4,000万円＝320,000円

組立部へ：80円／万円×3,200万円＝256,000円

事務部へ：80円／万円×　300万円＝　24,000円

これで、製造間接費予算総額3,800,000円を、製造部門と補助部門の両方に集計することができました。

(2)　補助部門費の配賦

〈事務部費〉

従業員数を基準に配賦します。

配賦率：(78,000円＋75,000円＋24,000円)÷(28人＋32人)＝2,950円／人

加工部へ：2,950円／人×28人＝82,600円

組立部へ：2,950円／人×32人＝94,400円

これで、製造間接費予算総額3,800,000円を、製造部門のみに集計しなおすことができました。

2．製造部門別予定配賦率

加工部費予定配賦率：$\frac{加工部費年間予算額2,000,000円}{年間予定直接作業時間400時間}$＝5,000円／時間

組立部費予定配賦率：$\frac{組立部費年間予算額1,800,000円}{年間予定直接作業時間600時間}$＝3,000円／時間

問5　部門別予定配賦率を用いた場合の製造指図書No.20に対する製造間接費配賦額

1．No.20への配賦額

加工部より：5,000円／時間×180時間＝　900,000円

組立部より：3,000円／時間×　70時間＝　210,000円

合計：No.20への配賦額　1,110,000円

2．No.10への配賦額（参考）

加工部より：5,000円／時間×　40時間＝　200,000円

組立部より：3,000円／時間×210時間＝　630,000円

合計：No.10への配賦額　830,000円

応用

テキスト　第4章

46 部門別計算2

解答

実際部門費振替表

費　目	合　計	製　造　部　門		補　助　部　門		
		切　削　部	組　立　部	動　力　部	修　繕　部	事　務　部
部門費	11,337,000	4,954,600	3,715,400	1,650,000	672,000	345,000
第1次配賦						
動力部門費	1,650,000	700,000	800,000	－	100,000	50,000
修繕部門費	672,000	360,000	240,000	60,000	－	12,000
事務部門費	345,000	210,000	90,000	30,000	15,000	－
第2次配賦				90,000	115,000	62,000
動力部門費	90,000	42,000	48,000			
修繕部門費	115,000	69,000	46,000			
事務部門費	62,000	43,400	18,600			
製造部門費	11,337,000	6,379,000	4,958,000			

切　削　部

製 造 間 接 費	4,954,600	仕　掛　品	6,360,000
動　　力　　部	742,000	配 賦 差 異	19,000
修　　繕　　部	429,000		
事　　務　　部	253,400		
	6,379,000		6,379,000

動　力　部

製 造 間 接 費	1,650,000	切　　削　　部	742,000
修　　繕　　部	60,000	組　　立　　部	848,000
事　　務　　部	30,000	修　　繕　　部	100,000
		事　　務　　部	50,000
	1,740,000		1,740,000

解　説

ここが
ポイント！製造部門費を予定配賦している場合、製造部門ごとに各製品に予定配
賦した後、実際製造間接費が第1次集計〜第2次集計を経て製造部門
に集計されます。実際製造間接費が製造部門に集計されていく流れを
勘定記入とあわせて確認していきましょう。
なお本問では、第2次集計の配賦手続の仕訳をまとめてから解答しなければな
りません。部門費振替表での計算と仕訳を結びつけて考えていってください。

1．各製造部門費の予定配賦額

(1) 予定配賦率

年間予算額を年間予定機械作業時間で除して求めます。

切削部：77,760,000円÷32,400時間＝2,400円／時間

組立部：62,100,000円÷27,000時間＝2,300円／時間

(2) 予定配賦額

予定配賦率に当月実際機械作業時間を乗じて求めます。

切削部：2,400円／時間×2,650時間＝6,360,000円

組立部：2,300円／時間×2,200時間＝5,060,000円

（借）仕　掛　品　6,360,000　（貸）切　削　部　6,360,000
（借）仕　掛　品　5,060,000　（貸）組　立　部　5,060,000

2．各製造部門の実際発生額の集計

(1) 第1次集計

資料3．の当月製造間接費実際発生額を各部門へ配分します。

（借）切　削　部　4,954,600　（貸）製造間接費　11,337,000
　　　組　立　部　3,715,400
　　　動　力　部　1,650,000
　　　修　繕　部　　672,000
　　　事　務　部　　345,000

(2) 第2次集計（相互配賦法・第1次配賦）

補助部門への第1次集計額を他部門へ配賦します。自部門へは配賦しない
ため、自部門に対する配賦基準数値は使用しません。

〈動力部費〉

動力供給量を基準に配賦します。

配賦率：1,650,000円÷（1,400kwh＋1,600kwh＋200kwh＋100kwh）
　　　＝500円／kwh

切削部へ：500円／kwh×1,400kwh＝700,000円

組立部へ：500円／kwh×1,600kwh＝800,000円

修繕部へ：500円／kwh×　200kwh＝100,000円

事務部へ：500円／kwh×　100kwh＝　50,000円

（借）切 削 部	700,000	（貸）動 力 部	1,650,000
組 立 部	800,000		
修 繕 部	100,000		
事 務 部	50,000		

〈修繕部費〉

修繕時間を基準に配賦します。

配賦率：672,000円÷（300時間＋200時間＋50時間＋10時間）＝1,200円／時間

切削部へ：1,200円／時間×300時間＝360,000円

組立部へ：1,200円／時間×200時間＝240,000円

動力部へ：1,200円／時間×　50時間＝　60,000円

事務部へ：1,200円／時間×　10時間＝　12,000円

（借）切 削 部	360,000	（貸）修 繕 部	672,000
組 立 部	240,000		
動 力 部	60,000		
事 務 部	12,000		

〈事務部費〉

従業員数を基準に配賦します。事務部自体には配賦しないため、事務部の
従業員数5人は使用せずに計算を行います。

配賦率：345,000円÷（70人＋30人＋10人＋5人）＝3,000円／人

切削部へ：3,000円／人×70人＝210,000円

組立部へ：3,000円／人×30人＝　90,000円

動力部へ：3,000円／人×10人＝　30,000円

修繕部へ：3,000円／人×　5人＝　15,000円

（借）切　削　部	210,000	（貸）事　務　部	345,000
組　立　部	90,000		
動　力　部	30,000		
修　繕　部	15,000		

(3) 第2次集計（相互配賦法・第2次配賦）

　各補助部門の第1次集計額はすべて他部門へ配賦されましたが、ここで補助部門に集計された金額を製造部門のみに配賦します。

〈動力部費〉

動力供給量を基準に配賦します。

配賦率：（60,000円＋30,000円）÷（1,400kwh＋1,600kwh）＝30円 / kwh

切削部へ： 30円 / kwh× 1,400kwh ＝42,000円

組立部へ： 30円 / kwh× 1,600kwh ＝48,000円

| （借）切　削　部 | 42,000 | （貸）動　力　部 | 90,000 |
| 組　立　部 | 48,000 | | |

〈修繕部費〉

修繕時間を基準に配賦します。

配賦率：（100,000円＋15,000円）÷（300時間＋200時間）＝230円 / 時間

切削部へ：230円 / 時間× 300時間＝69,000円

組立部へ：230円 / 時間× 200時間＝46,000円

| （借）切　削　部 | 69,000 | （貸）修　繕　部 | 115,000 |
| 組　立　部 | 46,000 | | |

〈事務部費〉

従業員数を基準に配賦します。

配賦率：（50,000円＋12,000円）÷（70人＋30人）＝620円 / 人

切削部へ：620円 / 人× 70人＝43,400円

組立部へ：620円 / 人× 30人＝18,600円

| （借）切　削　部 | 43,400 | （貸）事　務　部 | 62,000 |
| 組　立　部 | 18,600 | | |

（4）　勘定記入

　　　ここまでの仕訳から勘定連絡図を作成すると次のようになります。なお、補助部門費の配賦での第1次配賦による金額は①、第2次配賦による金額は②として示しています。

動　力　部

製間	1,650,000	①切削	700,000
		①組立	800,000
		①修繕	100,000
		①事務	50,000
①修繕	60,000	②切削	42,000
①事務	30,000	②組立	48,000

修　繕　部

製間	672,000	①切削	360,000
		①組立	240,000
		①動力	60,000
		①事務	12,000
①動力	100,000	②切削	69,000
①事務	15,000	②組立	46,000

事　務　部

製間	345,000	①切削	210,000
		①組立	90,000
		①動力	30,000
		①修繕	15,000
①動力	50,000	②切削	43,400
①修繕	12,000	②組立	18,600

切　削　部

製間	4,954,600		
①動力	700,000	仕掛品	6,360,000
①修繕	360,000		
①事務	210,000		
②動力	42,000		
②修繕	69,000		
②事務	43,400	差異	19,000

組　立　部

製間	3,715,400		
①動力	800,000	仕掛品	5,060,000
①修繕	240,000		
①事務	90,000		
②動力	48,000		
②修繕	46,000		
②事務	18,600		
差異	102,000		

⚠️ここに注意！

前記の勘定連絡図で、各補助部門の借方に集計された金額（第1次配賦では第1次集計額、第2次配賦では第1次配賦された金額）が他部門に配賦されていることを確認しておきましょう。そして補助部門費勘定の貸方では、同じ部門への配賦額はまとめて、また各部門費勘定の借方では、同じ補助部門からの配賦額はまとめて、それぞれ解答します。

3．製造部門費配賦差異の計上

各製造部門費勘定の貸借差額より、製造部門費配賦差異を算定します。

(1) 切削部

　　貸方・予定配賦額6,360,000円－借方・実際発生額6,379,000円
　　＝△19,000円（借方差異）

　　(借) 製造部門費配賦差異　　　19,000　　　(貸) 切　削　部　　　19,000

(2) 組立部

　　貸方・予定配賦額5,060,000円－借方・実際発生額4,958,000円
　　＝102,000円（貸方差異）

　　(借) 組　立　部　　　102,000　　　(貸) 製造部門費配賦差異　　　102,000

相互配賦法でも直接配賦法と同様に、補助部門に集計された製造間接費が製造部門に再集計されます。勘定で確認してみてください。

応　用	テキスト　第4章

47 部門別計算3

解　答

問1

予算部門別配賦表　　　　　　（単位：万円）

	合　計	製造部門		補助部門	
		第 1 製造部	第 2 製造部	動力部	修繕部
部門個別費	17,200	8,300	3,820	3,270	1,810
部門共通費					
建物減価償却費	1,800	840	480	360	120
福利施設負担額	3,150	1,800	750	150	450
部門費	22,150	10,940	5,050	3,780	2,380
動力部費	3,780	2,100	1,680		
修繕部費	2,380	1,360	1,020		
製造部門費	22,150	14,400	7,750		

問2　　10,940　万円　　　問3　　14,400　万円

問4　　1,550　円/時間　　問5　　757　万円

問6　　580　万円

解　説

直接配賦法による部門別計算の問題です。年間予算データより各製造
部門の年間予算額を求め、予定配賦率を算定します。次に、各製造部
門の月間実際直接作業時間（月間実際操業度）を予定配賦率に掛けて予
定配賦額を求めます。なお、補助部門費配賦前の製造部門費とは第1次集計が
終わった後の金額を意味し、補助部門費配賦後の製造部門費とは第2次集計が
終わった後の金額を意味します。

1．予算部門別配賦表の作成　……　問1

(1) 第1次集計

〈建物減価償却費〉

占有面積を基準に配賦します。

配賦率：1,800万円÷1,500m²＝1.2万円/m²

第1製造部へ：1.2万円/m²×700m²＝840万円

第2製造部へ：1.2万円/m²×400m²＝480万円

動　力　部へ：1.2万円/m²×300m²＝360万円

修　繕　部へ：1.2万円/m²×100m²＝120万円

〈福利施設負担額〉

従業員数を基準に配賦します。

配賦率：3,150万円÷105人＝30万円/人

第1製造部へ：30万円/人×60人＝1,800万円

第2製造部へ：30万円/人×25人＝　750万円

動　力　部へ：30万円/人×　5人＝　150万円

修　繕　部へ：30万円/人×15人＝　450万円

〈補助部門費配賦前の製造部門費〉

各製造部門について、部門個別費と部門共通費の合計を計算します。

第1製造部：8,300万円＋（840万円＋1,800万円）＝10,940万円……問2

第2製造部：3,820万円＋（480万円＋750万円）＝5,050万円

⑵　**第２次集計**

問題文より、直接配賦法により計算します。

〈動力部費〉

動力供給量を基準に配賦します。

配賦率：(3,270万円＋360万円＋150万円)÷(3,000kwh＋2,400kwh)
　　　＝0.7万円/kwh

第１製造部へ：0.7万円/kwh×3,000kwh＝2,100万円

第２製造部へ：0.7万円/kwh×2,400kwh＝1,680万円

〈修繕部費〉

修繕回数を基準に配賦します。

配賦率：(1,810万円＋120万円＋450万円)÷(20回＋15回)＝68万円/回

第１製造部へ：68万円/回×20回＝1,360万円

第２製造部へ：68万円/回×15回＝1,020万円

〈補助部門費配賦後の製造部門費〉

第２次集計後の各製造部門費を計算します。

第１製造部：10,940万円＋(2,100万円＋1,360万円)＝14,400万円……問3

第２製造部：5,050万円＋(1,680万円＋1,020万円)＝7,750万円

2．部門別予定配賦率

年間予算に基づいて計算した補助部門費配賦後の製造部門費が、各製造部門における年間予算額です。これを、年間予定直接作業時間で除して、各製造部門における部門別予定配賦率(製造間接費予定配賦率)を求めます。

第１製造部：14,400万円÷80,000時間＝1,800円/時間

第２製造部：7,750万円÷50,000時間＝1,550円/時間……問4

3．各製造指図書に対する製造間接費予定配賦額

各製造部門からの製造間接費予定配賦額を合計したものが、各製造指図書に対する製造間接費予定配賦額となります。

⑴　**製造指図書No.50に対する予定配賦額**

第１製造部より：1,800円/時間×3,000時間＝540万円

第２製造部より：1,550円/時間×1,400時間＝217万円

予定配賦額：540万円＋217万円＝757万円……問5

(2) **製造指図書 No.60に対する予定配賦額**

第1製造部より：1,800円／時間×1,500時間＝270万円

第2製造部より：1,550円／時間×2,000時間＝310万円

予定配賦額：270万円＋310万円＝580万円……問6

応用 テキスト 第4章

48 部門別計算4

解答

問1

部門別配賦表

費　　目	合　　計	製　造　部　門		補　助　部　門		
		切　削　部	組　立　部	動　力　部	修　繕　部	事　務　部
部門個別費	952,500	267,000	338,000	187,500	65,000	95,000
部門共通費	450,000	125,000	187,500	62,500	25,000	50,000
部門費	1,402,500	392,000	525,500	250,000	90,000	145,000
第1次配賦						
動力部門費	250,000	150,000	75,000	−	15,000	10,000
修繕部門費	90,000	40,000	40,000	10,000	−	−
事務部門費	145,000	50,000	75,000	12,500	7,500	−
第2次配賦				22,500	22,500	10,000
動力部門費	22,500	15,000	7,500			
修繕部門費	22,500	11,250	11,250			
事務部門費	10,000	4,000	6,000			
製造部門費	1,402,500	662,250	740,250			

問2

切削部費の予算差異　　（ 借 ）　2,250　円

組立部費の操業度差異　（ 借 ）　16,000　円

解　説

ここが
ポイント！

問1の部門別配賦表の作成は、製造間接費実際発生額について、第1
次集計～第2次集計（相互配賦法）の計算を行います。また問2では、
製造部門別に計算される配賦差異を、製造部門別の固定予算額に基づい
て、予算差異と操業度差異とに分析を行っていきます。

問1　（実際）部門別配賦表の作成

1．第1次集計

(1)　部門個別費の集計…問題の金額をそのまま集計します。

(2)　部門共通費の配賦

〈建物減価償却費〉

占有面積を基準に配賦します。

配賦率：$450,000$円÷$(100\text{m}^2+150\text{m}^2+50\text{m}^2+20\text{m}^2+40\text{m}^2)=1,250$円／$\text{m}^2$

切削部へ：$1,250$円／$\text{m}^2 \times 100\text{m}^2=125,000$円

組立部へ：$1,250$円／$\text{m}^2 \times 150\text{m}^2=187,500$円

動力部へ：$1,250$円／$\text{m}^2 \times \ \ 50\text{m}^2=\ \ 62,500$円

修繕部へ：$1,250$円／$\text{m}^2 \times \ \ 20\text{m}^2=\ \ 25,000$円

事務部へ：$1,250$円／$\text{m}^2 \times \ \ 40\text{m}^2=\ \ 50,000$円

2．第2次集計（相互配賦法）

(1)　第1次配賦

〈動力部費〉

動力供給量を基準に配賦します。

配賦率：$(187,500$円$+62,500$円$)\div(3,000\text{kwh}+1,500\text{kwh}+300\text{kwh}+200\text{kwh})$
　　　　$=50$円／kwh

切削部へ：50円／$\text{kwh} \times 3,000\text{kwh}=150,000$円

組立部へ：50円／$\text{kwh} \times 1,500\text{kwh}=\ \ 75,000$円

修繕部へ：50円／$\text{kwh} \times \ \ 300\text{kwh}=\ \ 15,000$円

事務部へ：50円／$\text{kwh} \times \ \ 200\text{kwh}=\ \ 10,000$円

〈修繕部費〉

修繕回数を基準に配賦します。

配賦率：(65,000円＋25,000円)÷(4回＋4回＋1回)＝10,000円/回

切削部へ：10,000円/回×4回＝40,000円

組立部へ：10,000円/回×4回＝40,000円

動力部へ：10,000円/回×1回＝10,000円

〈事務部費〉

従業員数を基準に配賦します。

配賦率：(95,000円＋50,000円)÷(200人＋300人＋50人＋30人)＝250円/人

切削部へ：250円/人×200人＝50,000円

組立部へ：250円/人×300人＝75,000円

動力部へ：250円/人× 50人＝12,500円

修繕部へ：250円/人× 30人＝ 7,500円

⚠ここに注意！

相互配賦法の第1次配賦では、各補助部門費を他の補助部門へも配賦しますが、自部門には配賦しないことに注意してください。すなわち、事務部門費の配賦基準の中にある事務部の従業員数は、計算には用いません。

(2)　第2次配賦

〈動力部費〉

動力供給量を基準に配賦します。

配賦率：(10,000円＋12,500円)÷(3,000kwh＋1,500kwh)＝5円/kwh

切削部へ：5円/kwh×3,000kwh＝15,000円

組立部へ：5円/kwh×1,500kwh＝ 7,500円

〈修繕部費〉

修繕回数を基準に配賦します。

配賦率：(15,000円＋7,500円)÷(4回＋4回)＝2,812.5円/回

切削部へ：2,812.5円/回×4回＝11,250円

組立部へ：2,812.5円/回×4回＝11,250円

〈事務部費〉

従業員数を基準に配賦します。

配賦率：10,000円÷(200人＋300人)＝20円／人

切削部へ：20円／人×200人＝4,000円

組立部へ：20円／人×300人＝6,000円

以上の計算を解答用紙に記入して、実際製造部門費を合計して求めます。

問2　各製造部門費配賦差異の分析

1．製造部門別予定配賦率

年間予算額を、切削部は年間予定機械作業時間で、組立部は年間予定直接作業時間で、それぞれ除して求めます。

切削部：7,920,000円÷4,800時間＝1,650円／時間

組立部：8,760,000円÷4,380時間＝2,000円／時間

2．製造部門別予定配賦額と配賦差異

切削部は機械作業時間で、組立部は直接作業時間で、それぞれ配賦します。

〈切削部〉

予定配賦額：1,650円／時間×380時間＝627,000円

配賦差異：予定627,000円－実際662,250円＝△35,250円(借方差異)

〈組立部〉

予定配賦額：2,000円／時間×357時間＝714,000円

配賦差異：予定714,000円－実際740,250円＝△26,250円(借方差異)

3．配賦差異の分析(固定予算)

年間ベースの予算データを月間ベースの予算データに修正して分析を行います。

⑴　月間予算データ

〈切削部〉

月間予算額：7,920,000円÷12ヵ月＝660,000円

月間予定機械作業時間(基準操業度)：4,800時間÷12ヵ月＝400時間

〈組立部〉

月間予算額：8,760,000円÷12ヵ月＝730,000円

月間予定直接作業時間(基準操業度)：4,380時間÷12ヵ月＝365時間

(2)　切削部費配賦差異の分析

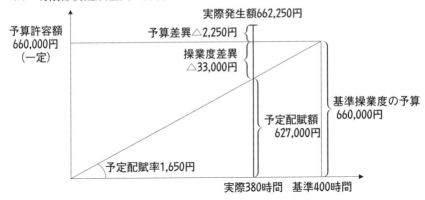

予算差異：予算許容額660,000円－実際発生額662,250円

　　　　　＝△2,250円（借方差異）

操業度差異：予定配賦率1,650円／時間×（実際380時間－基準400時間）

　　　　　　＝△33,000円（借方差異）

(3)　組立部費配賦差異の分析

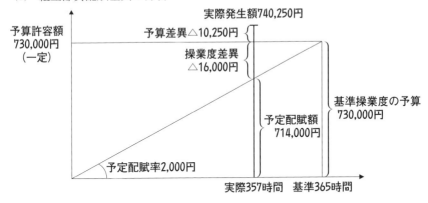

予算差異：予算許容額730,000円－実際発生額740,250円

　　　　　＝△10,250円（借方差異）

操業度差異：予定配賦率2,000円／時間×（実際357時間－基準365時間）

　　　　　　＝△16,000円（借方差異）

応　用　📖　テキスト　第5～6章

49 単純総合原価計算1

解　答

問1
総　合　原　価　計　算　表

	数　量	A材料費	B材料費	加工費	合　計
月初仕掛品	500個(25%)	480,640	－	247,500	728,140
当月投入	2,300	2,219,360	997,500	4,706,100	7,922,960
合　計	2,800個	2,700,000	997,500	4,953,600	8,651,100
正常減損	300　(30%)	－	－	－	－
差　引	2,500個	2,700,000	997,500	4,953,600	8,651,100
月末仕掛品	400　(75%)	(432,000)	(－)	(619,200)	(1,051,200)
完　成　品	2,100個	(2,268,000)	(997,500)	(4,334,400)	(7,599,900)
完成品単位原価		@(1,080)	@(475)	@(2,064)	@(3,619)

問2　月末製品原価　| 1,085,700 | 円

解　説

ここがポイント!

本問では2種類の材料が投入されます。その投入点はA材料が工程の始点、B材料が工程の85%の地点となっています。このとき、生産データの整理は次のように行います。

① A材料 → 問題文の生産データと同じ

② B材料 → 各項目の加工進捗度を考慮し、投入点の85%と比較して
　　　　　85%未満のものは未投入のため、0個、
　　　　　85%以上のものは投入済みのため、その数量となります。

問1　総合原価計算表の作成(平均法)

　　A材料費、B材料費及び加工費別に生産データを整理して、これに原価データを当てはめ、原価要素別の月末仕掛品原価、完成品原価及び完成品単位原価を計算していきます。なお、正常減損発生点30%＜月末仕掛品の加工進捗度75%ですので、正常減損費は完成品と月末仕掛品の両者が負担することになります(問題でも指示があります)。このとき整理した生産データから、正常減損分を投入しなかったように当月投入量を修正した後、按分計算を行います。

(1)　A材料費（始点投入）

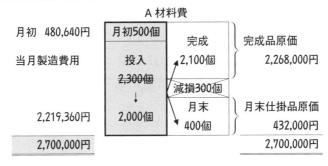

月末仕掛品原価：$\dfrac{480,640円＋2,219,360円}{2,100個＋400個}×400個＝432,000円$

完成品原価：480,640円＋2,219,360円－432,000円＝2,268,000円

完成品単位原価：2,268,000円÷2,100個＝@1,080円

(2)　B材料費（85％で投入）

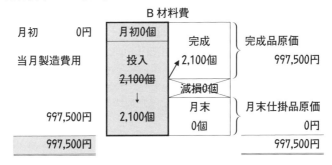

月末仕掛品原価：B材料は未投入のため、0円

完成品原価：当月投入した997,500円がすべて完成品原価となります。

完成品単位原価：997,500円÷2,100個＝@475円

月初・月末仕掛品、正常減損ともに、B材料の投入点に達していません。

当月は完成品に対してのみB材料が投入されたことになります。

(3)　加工費

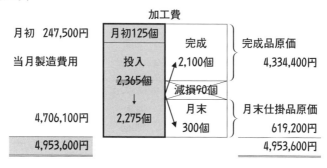

$$月末仕掛品原価：\frac{247,500円＋4,706,100円}{2,100個＋300個}×300個＝619,200円$$

完 成 品 原 価：247,500円＋4,706,100円－619,200円＝4,334,400円

完成品単位原価：4,334,400円÷2,100個＝@2,064円

(4)　合　計

月末仕掛品原価：432,000円＋619,200円＝1,051,200円

完 成 品 原 価：2,268,000円＋997,500円＋4,334,400円＝7,599,900円

完成品単位原価：@1,080円＋@475円＋@2,064円＝@3,619円

問2　月末製品原価の計算（先入先出法）

　　下記のように、製品の数量データを整理して、先入先出法により月末製品原価を計算します。

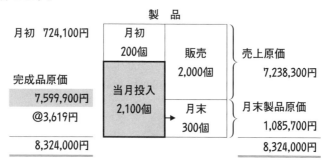

$$月末製品原価：7,599,900円×\frac{300個}{2,100個}＝1,085,700円$$

応用

📖 テキスト　第5～6章

50 単純総合原価計算2

解　答

	完成品総合原価	月末仕掛品原価
問1	4,438,000円	640,000円
問2	4,466,000円	612,000円
問3	4,473,200円	604,800円

解　説

ここがポイント!
前問では減損が問われていましたが、本問では仕損が問われています。仕損の評価額がある場合の処理について整理しておきましょう。なお、加工費にも評価額を考慮する場合があります。問題の指示に従い計算できるようにしておきましょう。

問1

　　月末仕掛品の加工進捗度60％＞仕損の発生地点20％より、仕損費については完成品と月末仕掛品の**両者負担**とします。なお、仕損には評価額があり、原材料の価値に依存している部分があるため、原料費の計算にあたっては仕損品の評価額90,000円(@900円×100個)を考慮することに留意しましょう。

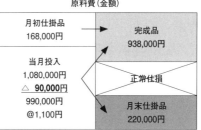

月末仕掛品が負担する原料費

(1,080,000円－**90,000円**)÷900個×200個＝220,000円

完成品が負担する原料費

(168,000円＋1,080,000円－**90,000円**)－220,000円＝938,000円　もしくは

168,000円＋＠1,100円×(1,000個－300個)＝938,000円

また、仕損品は加工の価値に依存している部分もあるため、加工費の計算にあたっては仕損品の評価額64,000円(＠640円×100個)を考慮することに留意しましょう。

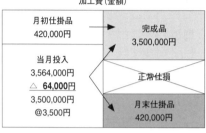

月末仕掛品が負担する加工費

(3,564,000円－**64,000円**)÷1,000個×120個＝420,000円

完成品が負担する加工費

(420,000円＋3,564,000円－**64,000円**)－420,000円＝3,500,000円　もしくは

420,000円＋＠3,500円×(1,000個－120個)＝3,500,000円

以上から、月末仕掛品原価、完成品総合原価を算定すると以下のとおりです。

月末仕掛品原価：220,000円＋420,000円＝640,000円

完成品総合原価：938,000円＋3,500,000円＝4,438,000円

問2

月末仕掛品の加工進捗度60％＜仕損の発生地点80％より、月末仕掛品は仕損の発生原因になっていません。したがって、仕損費については**完成品のみの負担**とします。

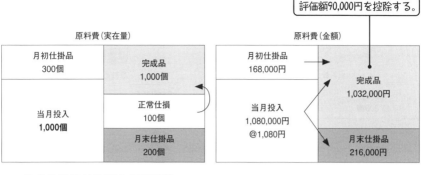

月末仕掛品が負担する原料費

　　1,080,000円÷1,000個×200個＝216,000円

　完成品が負担する原料費

　　(168,000円＋1,080,000円)－216,000円－**90,000円**＝942,000円　　もしくは

　　168,000円＋@1,080円×(1,000個＋100個－300個)－**90,000円**＝942,000円

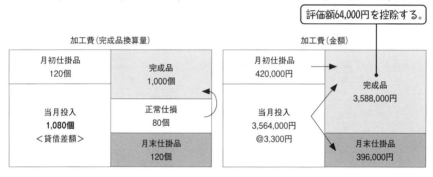

月末仕掛品が負担する加工費

　　3,564,000円÷1,080個×120個＝396,000円

　完成品が負担する加工費

　　(420,000円＋3,564,000円)－396,000円－**64,000円**＝3,524,000円　　もしくは

　　420,000円＋@3,300円×(1,000個＋80個－120個)－**64,000円**＝3,524,000円

以上から、月末仕掛品原価、完成品総合原価を算定すると以下のとおりです。

　　月末仕掛品原価：216,000円＋396,000円＝612,000円

　　完成品総合原価：942,000円＋3,524,000円＝4,466,000円

問3

　仕損は終点発生であるため、月末仕掛品は仕損の発生原因になっていません。したがって、仕損費については**完成品のみの負担**とします。

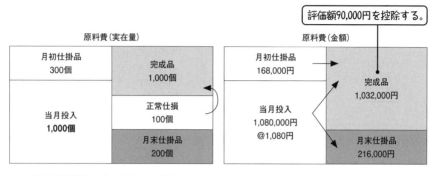

月末仕掛品が負担する原料費

　　1,080,000円÷1,000個×200個＝216,000円

完成品が負担する原料費

　　（168,000円＋1,080,000円）－216,000円－**90,000円**＝942,000円　　もしくは

　　168,000円＋@1,080円×（1,000個＋100個－300個）－**90,000円**＝942,000円

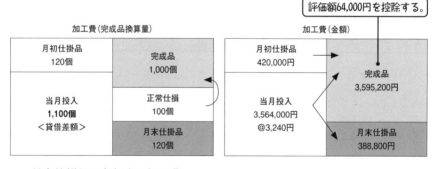

月末仕掛品が負担する加工費

　　3,564,000円÷1,100個×120個＝388,800円

完成品が負担する加工費

　　（420,000円＋3,564,000円）－388,800円－**64,000円**＝3,531,200円　　もしくは

　　420,000円＋@3,240円×（1,000個＋100個－120個）－**64,000円**＝3,531,200円

　以上から、月末仕掛品原価、完成品総合原価を算定すると以下のとおりです。

　　月末仕掛品原価：216,000円＋388,800円＝604,800円

　　完成品総合原価：942,000円＋3,531,200円＝4,473,200円

応用

テキスト　第7章

51 工程別総合原価計算1

解答

仕掛品－第1工程

月初有高:		次工程振替高:	
原料費	22,000	原料費	(165,000)
加工費	9,500	加工費	(153,000)
小計	31,500	小計	(318,000)
当月製造費用:		月末有高:	
原料費	187,000	原料費	(44,000)
加工費	164,000	加工費	(20,500)
小計	351,000	小計	(64,500)
合計	382,500	合計	(382,500)

仕掛品－第2工程

月初有高:		当月完成高:	
前工程費	81,000	前工程費	(273,000)
加工費	64,200	加工費	(414,700)
小計	145,200	小計	(687,700)
当月製造費用:		月末有高:	
前工程費	(318,000)	前工程費	(126,000)
加工費	414,300	加工費	(63,800)
小計	(732,300)	小計	(189,800)
合計	(877,500)	合計	(877,500)

解説

ここがポイント！

工程別総合原価計算（累加法）で、工程ごとに完成品原価を計算して次工程に振替えていきます。第2工程の終点で正常仕損が発生していますので、これをすべて第2工程の完成品に負担させるように按分計算を行っていきます。また、解答形式が原価計算表ではなく、各工程の仕掛品勘定なので、金額がどう振替えられるのかを確認しながら計算を行ってください。

1. 生産データの整理

第1工程は原料費、加工費別に、第2工程は前工程費、加工費別に生産データを整理します。すなわち、第1工程の原料費（始点投入）と第2工程の前工程費は生産データの数量、各工程の加工費は生産データの数量に加工進捗度を乗じた加工換算量で計算していきます。

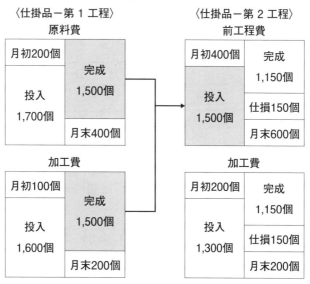

2. 第1工程の計算（先入先出法）

(1) 原料費

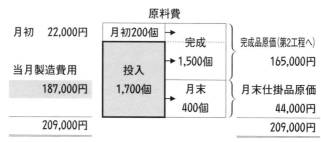

月末有高（月末仕掛品原価）：$\dfrac{187,000円}{1,700個} \times 400個 = 44,000円$

次工程振替高（完成品原価）：22,000円＋187,000円－44,000円＝165,000円

(2) 加工費

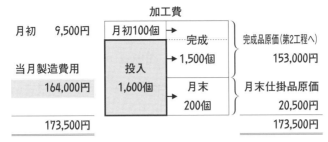

$$月末有高（月末仕掛品原価）：\frac{164,000円}{1,600個}×200個＝20,500円$$

次工程振替高（完成品原価）：9,500円＋164,000円－20,500円＝153,000円

⚠ここに注意！

ここで、第1工程完成品1,500個はすべて第2工程に振替えられて加工されます。したがって、第1工程完成品原価318,000円（＝165,000円＋153,000円）を第2工程前工程費・当月製造費用として処理していきます。

3. 第2工程の計算（平均法）

　　正常仕損が発生していますが、評価額がありませんので、処理方法は正常減損費の場合と同様となります。なお、正常仕損の発生点は終点ですので、その数量を完成品に負担させるように按分計算していきます。

(1) 前工程費

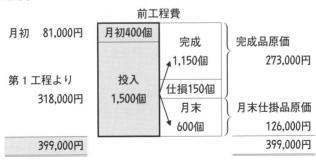

$$月末有高（月末仕掛品原価）：\frac{81,000円＋318,000円}{1,150個＋150個＋600個}×600個＝126,000円$$

当月完成高（完成品原価）：81,000円＋318,000円－126,000円＝273,000円

(2) 加工費

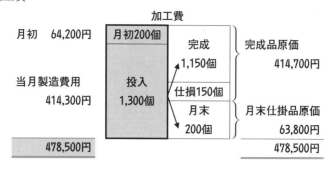

月末有高(月末仕掛品原価)：$\dfrac{64,200円＋414,300円}{1,150個＋150個＋200個}×200個＝63,800円$

当月完成高(完成品原価)：$64,200円＋414,300円－63,800円＝414,700円$

正常仕損(減損)費を完成品のみに負担させる場合には、その数量(または加工換算量)を完成品に加算して按分します。

正常仕損が発生した場合の処理は、正常仕損品に評価額がなければ、正常減損費の処理と同様になり、次のようになります。

① 完成品のみ負担の場合は、正常仕損の数量または加工換算量を完成品に加えて按分計算します。

② 完成品と月末仕掛品の両者負担の場合は、正常仕損の数量または加工換算量を投入しなかったように生産データを整理しなおして按分計算します。

応用 📖 テキスト　第7章

52 工程別総合原価計算2

解答

工程別総合原価計算表

	第1工程			第2工程		
	数量(個)	原料費	加工費	数量(個)	前工程費	加工費
月初仕掛品	100個	40,000	15,000	100個	79,000	22,500
当月投入	400個	180,000	122,500	200個	155,000	81,000
合　　　計	500個	220,000	137,500	300個	234,000	103,500
月末仕掛品	200個	90,000	35,000	100個	78,000	11,500
完　成　品	300個	130,000	102,500	200個	156,000	92,000

仕　掛　品

前　月　繰　越	156,500	製　　　　　品	(	248,000)
原　　料　　費	180,000	半　製　品	(	77,500)
加　　工　　費	(203,500)	次　月　繰　越	(	214,500)
	(540,000)		(	540,000)

解説

ここが
ポイント!

第1工程完成品の一部が第2工程へ振替えられず、半製品として倉庫に保管されます。本問では、半製品が出る場合の工程別総合原価計算表の作成が問われており、当月投入の前工程費の計算をうまく行う必要があります。

1. 第1工程の計算

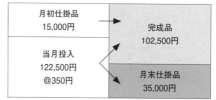

第1工程月末仕掛品が負担する原料費

　180,000円÷400個×200個＝90,000円

第1工程完成品が負担する原料費

　（40,000円＋180,000円）－90,000円＝130,000円　もしくは

　40,000円＋@450円×（300個－100個）＝130,000円

第1工程月末仕掛品が負担する加工費

　122,500円÷350個×100個＝35,000円

第1工程完成品が負担する加工費

　（15,000円＋122,500円）－35,000円＝102,500円　もしくは

　15,000円＋@350円×（300個－50個）＝102,500円

　以上から、先入先出法に基づく月末仕掛品原価、完成品原価を算定すると以下のとおりです。

　　第1工程月末仕掛品原価：　90,000円＋　35,000円＝125,000円

　　第1工程完成品原価　　：130,000円＋102,500円＝232,500円

2．半製品及び第2工程振替高の計算

第1工程完成品300個のうち、100個は第2工程へ振替えられず、半製品に振替えられます。

半製品振替高：232,500円÷300個×100個＝77,500円

第2工程振替高：232,500円÷300個×200個＝155,000円

3．第2工程の計算

第1工程から振替えられる原価は、前工程費という形で**実在量**を基準に第2工程完成品（最終完成品）と第2工程月末仕掛品に按分されます。

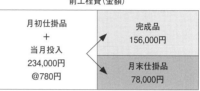

第2工程月末仕掛品が負担する前工程費

（79,000円＋155,000円）÷300個×100個＝78,000円

第2工程完成品が負担する前工程費

（79,000円＋155,000円）－78,000円＝156,000円　もしくは

@780円×200個＝156,000円

第2工程月末仕掛品が負担する加工費

（22,500円＋81,000円）÷225個×25個＝11,500円

第2工程完成品が負担する加工費

（22,500円＋81,000円）－11,500円＝92,000円　もしくは

@460円×200個＝92,000円

以上から、平均法に基づく月末仕掛品原価、完成品原価を算定すると以下のとおりです。

第2工程月末仕掛品原価 ： 78,000円＋11,500円＝ 89,500円

第2工程完成品原価 ：156,000円＋92,000円＝248,000円

＜勘定連絡図＞

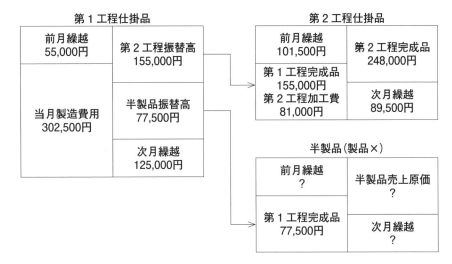

第1工程仕掛品

前月繰越 55,000円	第2工程振替高 155,000円
当月製造費用 302,500円	半製品振替高 77,500円
	次月繰越 125,000円

第2工程仕掛品

| 前月繰越
101,500円 | 第2工程完成品
248,000円 |
| 第1工程完成品
155,000円
第2工程加工費
81,000円 | 次月繰越
89,500円 |

半製品（製品×）

| 前月繰越
？ | 半製品売上原価
？ |
| 第1工程完成品
77,500円 | 次月繰越
？ |

　📖 テキスト　第4・7章

53 部門別＋工程別計算

解説解答
応用

解　答

製造間接費－第1工程

諸　　　　口	(5,990,000)	仕掛品－第1工程	(6,000,000)
動　力　部　門	(180,000)	配　賦　差　異	(170,000)
	(6,170,000)		(6,170,000)

製造間接費－第2工程

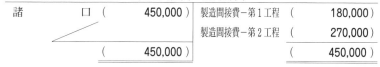

諸　　　　口	(5,820,000)	仕掛品－第2工程	(6,250,000)
動　力　部　門	(270,000)		
配　賦　差　異	(160,000)		
	(6,250,000)		(6,250,000)

製造間接費－動力部門

諸　　　　口	(450,000)	製造間接費－第1工程	(180,000)
		製造間接費－第2工程	(270,000)
	(450,000)		(450,000)

仕掛品－第1工程

前　月　繰　越	950,000	仕掛品－第2工程	(13,950,000)
原　　　　料	(4,000,000)		
賃　　　　金	(3,000,000)		
製造間接費－第1工程	(6,000,000)		
	(13,950,000)		(13,950,000)

仕掛品－第2工程

仕掛－第1工程	(13,950,000)	製　　　　品	(22,200,000)
賃　　　　金	(4,040,000)	次 月 繰 越	2,040,000
製造間接費－第2工程	(6,250,000)		
	(24,240,000)		(24,240,000)

解　説

ここが
ポイント！

過去の本試験では、部門別計算と工程別計算を同時に問う問題が出されていますので、本問を通じて計算構造を理解しましょう。

①　部門別計算を行い、補助部門から製造工程へ補助部門費の配賦を行う。

②　製造工程に集計された直接労務費と製造間接費を合わせて加工費を求める。

③　工程別計算を行い、各工程の完成品と月末仕掛品原価を算定する。

1．部門別計算

　動力部門費450,000円を各工程へ配賦します。

　　　第1工程への配賦額：450,000円×40％＝180,000円

　　　第2工程への配賦額：450,000円×60％＝270,000円

　したがって、各工程の製造間接費実際発生額を計算すると以下のとおりです。

　　　第1工程の製造間接費実際発生額：5,990,000円＋180,000円＝6,170,000円

　　　第2工程の製造間接費実際発生額：5,820,000円＋270,000円＝6,090,000円

2．各工程の加工費を計算

　直接労務費と製造間接費(予定配賦額)を合算することで、各工程の加工費を求めます。

　　　第1工程の加工費：3,000,000円＋@3,000円×2,000時間＝9,000,000円

　　　第2工程の加工費：4,040,000円＋@2,500円×2,500時間＝10,290,000円

　なお、各工程における製造間接費の配賦差異を計算すると次のとおりです。

　　　第1工程の配賦差異：@3,000円×2,000時間－6,170,000円＝△170,000円

　　　　　　　　　　　　　　　　　　　　　　　→170,000円の借方差異

　　　第2工程の配賦差異：@2,500円×2,500時間－6,090,000円＝160,000円

　　　　　　　　　　　　　　　　　　　　　　　→160,000円の貸方差異

3．第1工程の計算

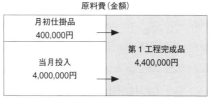

第1工程完成品が負担する原料費

400,000円＋4,000,000円＝4,400,000円

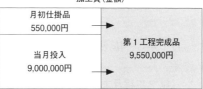

第1工程完成品が負担する原料費

550,000円＋9,000,000円＝9,550,000円

以上から、第1工程完成品原価を算定すると以下のとおりです。

第1工程完成品原価：4,400,000円＋9,550,000円＝13,950,000円

4．第2工程の計算

第2工程月末仕掛品が負担する前工程費

13,950,000円÷4,500個×500個＝1,550,000円

第2工程完成品が負担する前工程費

13,950,000円－1,550,000円＝12,400,000円　もしくは

@3,100円×4,000個＝12,400,000円

第2工程月末仕掛品が負担する加工費

　　10,290,000円÷4,200個×200個＝490,000円

第2工程完成品が負担する加工費

　　10,290,000円－490,000円＝9,800,000円　　もしくは

　　@2,450円×4,000個＝9,800,000円

　以上から、第2工程月末仕掛品原価、完成品原価を算定すると以下のとおりです。

　　第2工程月末仕掛品原価：　1,550,000円＋　490,000円＝　2,040,000円

　　第2工程完成品原価　　　：12,400,000円＋9,800,000円＝22,200,000円

応用

📖 テキスト　第7章

54 等級別総合原価計算

解　答

問1　月末仕掛品原価　| 3,310,000 |　円

問2

結 合 原 価 按 分 表

摘　　要	製品 A	製品 B	製品 C	合　　計
等 価 係 数	1	0.8	0.6	―
完 成 品 数 量	9,000 個	6,000 個	5,000 個	20,000 個
積　　数	9,000	4,800	3,000	16,800
完 成 品 原 価	8,955,000 円	4,776,000 円	2,985,000 円	16,716,000 円
完成品単位原価	@　　995　円	@　　796　円	@　　597　円	―

解　説

ここがポイント！

等級で区別される同種製品を連続生産している場合に用いられる等級別総合原価計算に関する問題です。以下の手続きにより各製品の完成品原価を計算します。
① 製造している製品について等級で区別することなく、完成品原価総額（結合原価）を単純総合原価計算により算定します。
② 完成品原価総額（結合原価）を、各等級製品の積数（＝各等級製品の等価係数×完成品数量）によって各等級製品に按分して、各等級製品の完成品原価を算定します。

問1　完成品原価総額（結合原価）及び月末仕掛品原価の算定

　減損は工程の終点で発生しており、正常減損費は完成品のみに負担させると問題に指示がありますから（終点発生は指示がなくとも完成品のみ負担となりますが）、正常減損分を完成品に加えるように按分計算を行っていきます。

(1) 原料費

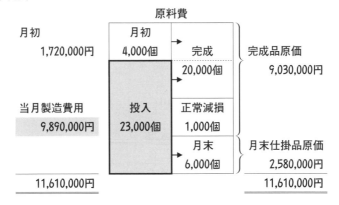

$$月末仕掛品原価：\frac{9,890,000円}{23,000個}×6,000個=2,580,000円$$

完成品原価総額：1,720,000円+9,890,000円−2,580,000円=9,030,000円

(2) 加工費

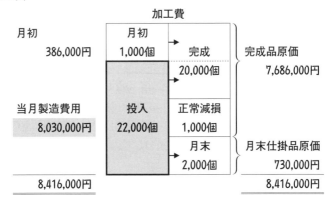

$$月末仕掛品原価：\frac{8,030,000円}{22,000個}×2,000個=730,000円$$

完成品原価総額：386,000円+8,030,000円−730,000円=7,686,000円

(3) 合　計

月末仕掛品原価：2,580,000円+730,000円=3,310,000円

完成品原価総額：9,030,000円+7,686,000円=16,716,000円

問2　完成品原価総額（結合原価）の各等級製品への按分

　完成品原価総額を、各等級製品の等価係数×完成品数量により積数を求め、これで按分することで、等級製品別の完成品原価及び完成品単位原価を求めます。

(1)　積数の算定

　　　製品A：9,000個×1　＝9,000
　　　製品B：6,000個×0.8＝4,800
　　　製品C：5,000個×0.6＝3,000
　　　合　計：9,000＋4,800＋3,000＝16,800

(2)　各製品の完成品原価（結合原価の按分）

　　　製品A：$\dfrac{16,716,000円}{16,800}$×9,000＝8,955,000円

　　　製品B：　　〃　　×4,800＝4,776,000円

　　　製品C：　　〃　　×3,000＝2,985,000円

(3)　完成品単位原価

　　　製品A：8,955,000円÷9,000個＝@995円
　　　製品B：4,776,000円÷6,000個＝@796円
　　　製品C：2,985,000円÷5,000個＝@597円

　本問の計算に関する勘定記入は、次のようになります。

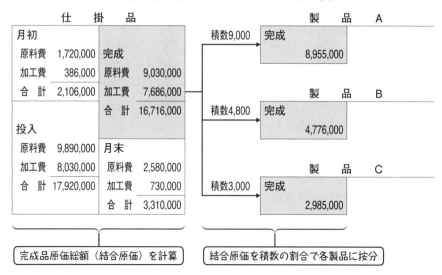

応用 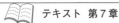 テキスト 第7章

55 組別総合原価計算

解 答

組別総合原価計算表

×年3月

	甲組製品		乙組製品	
	原 料 費	加 工 費	原 料 費	加 工 費
月 初 仕 掛 品 原 価	52,000	20,800	30,250	21,280
当 月 製 造 費 用				
直 接 材 料 費	250,000	—	210,000	—
直 接 労 務 費	—	145,000	—	129,000
組 間 接 費	—	115,000	—	100,280
合 　 計	302,000	280,800	240,250	250,560
差引:月末仕掛品原価	60,400	31,200	46,500	34,560
差引:仕損品評価額	1,600	—	550	—
完 成 品 総 合 原 価	240,000	249,600	193,200	216,000
完 成 品 単 位 原 価	@　　160	@　　166.4	@　　161	@　　180

解 説

ここが
ポイント!

度外視法での正常仕損品評価額の処理方法は次のとおりとなります。
　① 完成品のみ負担の場合は正常仕損品原価をすべて完成品に負担させるように按分計算した後、完成品原価から評価額を控除します。
　② 両者負担の場合は当月製造費用から評価額を控除した後、正常仕損分を投入しなかったように生産データを修正して按分計算します。
なお直接材料費から控除するか加工費から控除するかは、問題の指示にしたがって処理してください(本問は直接材料費の計算において控除します)。

1. 組間接費の各組への配賦額

$$甲組製品へ：\frac{215,280円}{2,500時間＋2,180時間}×2,500時間＝115,000円$$

　　　乙組製品へ：　　　　　　〃　　　　　×2,180時間＝100,280円

２．甲組製品の計算（平均法・正常仕損終点発生・完成品のみ負担）

(1) 原料費（直接材料費）

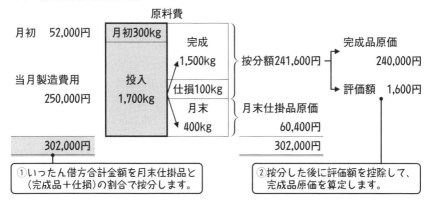

$$月末仕掛品原価：\frac{52,000円＋250,000円}{1,500kg＋100kg＋400kg}×400kg＝60,400円$$

仕 損 品 評 価 額：16円 / kg×100kg＝1,600円

完成品総合原価：52,000円＋250,000円－60,400円－1,600円＝240,000円

完成品単位原価：240,000円÷1,500kg＝@160円

(2) 加工費（直接労務費・組間接費）

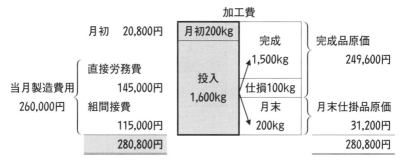

$$月末仕掛品原価：\frac{20,800円＋145,000円＋115,000円}{1,500kg＋100kg＋200kg}×200kg＝31,200円$$

完成品総合原価：20,800円＋145,000円＋115,000円－31,200円＝249,600円

完成品単位原価：249,600円÷1,500kg＝@166.4円

3．乙組製品の計算（平均法・正常仕損終点発生・完成品のみ負担）

（1）原料費（直接材料費）

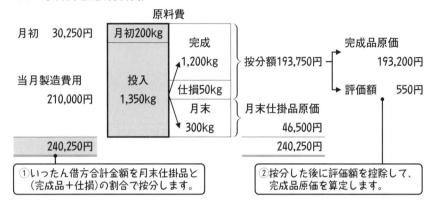

$$月末仕掛品原価：\frac{30,250円＋210,000円}{1,200kg＋50kg＋300kg}×300kg＝46,500円$$

仕損品評価額：11円／kg×50kg＝550円

完成品総合原価：30,250円＋210,000円－46,500円－550円＝193,200円

完成品単位原価：193,200円÷1,200kg＝@161円

（2）加工費（直接労務費・組間接費）

$$月末仕掛品原価：\frac{21,280円＋129,000円＋100,280円}{1,200kg＋50kg＋200kg}×200kg＝34,560円$$

完成品総合原価：21,280円＋129,000円＋100,280円－34,560円
$$＝216,000円$$

完成品単位原価：216,000円÷1,200kg＝@180円

応用

📖 テキスト　第8章

56 製造原価報告書

解答

製 造 原 価 報 告 書

××年10月1日より××年10月31日まで

Ⅰ	直　接　材　料　費			
	月　初　棚　卸　高	………	200,000	
	当　月　仕　入　高	………	1,500,000	
	合　　計		1,700,000	
	月　末　棚　卸　高	………	230,000	(1,470,000)
Ⅱ	直　接　労　務　費	………………………………		(2,900,000)
Ⅲ	製　造　間　接　費			
	間　接　材　料　費	………	(176,000)	
	間　接　労　務　費	………	600,000	
	動　　　力　　　費	………	(300,000)	
	減　価　償　却　費	………	480,000	
	そ　　の　　他	………	160,000	
	計		1,716,000	
	(製造間接費配賦差異)	………	(116,000)	
	製 造 間 接 費 配 賦 額	………………………………		(1,600,000)
	当 月 総 製 造 費 用	………………………………		(5,970,000)
	月 初 仕 掛 品 棚 卸 高	………………………………		(830,000)
	計			(6,800,000)
	月 末 仕 掛 品 棚 卸 高	………………………………		(900,000)
	当 月 製 品 製 造 原 価	………………………………		(5,900,000)

解説

ここが
ポイント！

問題の？を判明する部分から順に推定し、仕掛品勘定をベースに製造原価報告書を作成します。直接材料費の内訳は、材料勘定そのものではなく、直接材料に関する部分のみであることに注意しましょう。

1. 各勘定の推定（単位：円）

各勘定の？の推定を行った結果は、次のようになります。

材　　料

10/ 1 繰　　　越	280,000	10/31 諸　　　口	1,646,000
4 諸　　　口	1,630,000	〃 繰　　　越	264,000
	1,910,000		1,910,000

賃　金　・　給　料

10/25 諸　　　口	3,600,000	10/ 1 前　月　未　払	310,000
31 当　月　未　払	350,000	31 諸　　　口	3,500,000
		〃 賃　率　差　異	140,000
	3,950,000		3,950,000

製　造　間　接　費

10/31 材　　　料	176,000	10/31 仕　　掛　　品	1,600,000
〃 賃　金　・　給　料	600,000	〃 製造間接費配賦差異	116,000
〃 動　力　費	300,000		
〃 減　価　償　却　費	480,000		
〃 諸　　　口	160,000		
	1,716,000		1,716,000

仕　　掛　　品

10/ 1 繰　　　越	830,000	10/31 製　　　品	5,900,000
31 材　　　料	1,470,000	〃 繰　　　越	900,000
〃 賃　金　・　給　料	2,900,000		
〃 製　造　間　接　費	1,600,000		
	6,800,000		6,800,000

製　　　品

10/ 1 繰　　　越	760,000	10/31 売　上　原　価	5,600,000
31 仕　　掛　　品	5,900,000	〃 繰　　　越	1,060,000
	6,660,000		6,660,000

(1) 製品勘定貸方1行目の摘要欄

　　販売された製品の原価は売上原価勘定に振替えられますので、売上原価となります。

(2)　賃金・給料勘定貸方諸口の金額

　　貸借差額より、3,500,000となります。

(3)　仕掛品勘定貸方1行目の摘要欄及び金額

　　製品勘定借方・仕掛品5,900,000より、製品5,900,000となります。

(4)　仕掛品勘定借方2行目の摘要欄及び金額

　　材料勘定貸方諸口1,646,000が材料費総額です。このうち直接材料費が振替えられてきます。よって、製造間接費勘定借方材料176,000（間接材料費）より、差額から材料1,470,000（＝1,646,000－176,000）となります。

(5)　仕掛品勘定借方3行目の摘要欄及び金額

　　賃金・給料勘定貸方諸口3,500,000が労務費総額です。このうち直接労務費が振替えられてきます。よって、製造間接費勘定借方賃金・給料600,000（間接労務費）より、差額から賃金・給料2,900,000（＝3,500,000－600,000）となります。

(6)　仕掛品勘定借方4行目の摘要欄及び金額

　　仕掛品勘定借方にはすべての原価が集計されますので、残りは製造間接費の配賦額が記入されます。よって、仕掛品勘定の貸借差額より、製造間接費1,600,000となります。

(7)　製造間接費勘定借方動力費の金額

　　製造間接費勘定の貸借差額より、300,000となります。

(8)　製造間接費勘定貸方1行目の摘要欄

　　仕掛品勘定借方製造間接費1,600,000より、仕掛品となります。

(9)　製造間接費勘定貸方2行目の摘要欄

　　製造間接費勘定の貸方1行目で予定配賦しており、借方は実際発生額が集計されていますから、差額が製造間接費配賦差異または原価差異として記入されます。

2．製造原価報告書の空欄推定

(1)　各空欄の数値は上記1及び解答用紙より算定できます。

(2)　Ⅲの製造間接費は、その内訳合計1,716,000円が製造間接費勘定借方合計と一致しています。よって、ひとまず実際発生額を計上した後、製造間接費配賦額（予定配賦額）1,600,000円との差額116,000円を「製造間接費配賦差異」として記入します。

(3)　製造原価報告書の末尾5行は仕掛品勘定と対応しています。

57 製造原価報告書と損益計算書1

解 答

```
L 社          製 造 原 価 報 告 書  （単位：千円）
              自×年1月1日　至×年12月31日

  Ⅰ 材   料   費         （     223,000 ）
  Ⅱ 労   務   費         （     290,000 ）
  Ⅲ 経       費         （      70,000 ）
       合     計         （     583,000 ）
     製造間接費配賦差異      〔＋〕（      10,000 ）
     当 期 総 製 造 費 用      （     593,000 ）
     期首仕掛品棚卸高         （      30,000 ）
       合     計         （     623,000 ）
     期末仕掛品棚卸高         （      53,000 ）
   （当 期 製 品 製 造 原 価）    （     570,000 ）
```

```
L 社          損 益 計 算 書       （単位：千円）
              自×年1月1日　至×年12月31日

  Ⅰ 売     上     高              （  1,200,000 ）
  Ⅱ 売   上   原   価
    1 期首製品棚卸高   （     45,000 ）
    2 （当期製品製造原価）（     570,000 ）
        合     計   （     615,000 ）
    3 期末製品棚卸高   （     55,000 ）
        差     引   （     560,000 ）
      原 価 差 異 〔－〕（     10,000 ）  （   550,000 ）
        売 上 総 利 益              （    650,000 ）
  Ⅲ 販売費及び一般管理費            （    180,000 ）
        営   業   利   益            （    470,000 ）
  Ⅳ 営 業 外 収 益              （     20,000 ）
  Ⅴ 営 業 外 費 用              （     30,000 ）
        経   常   利   益            （    460,000 ）
```

解　説

ここがポイント！

製造原価報告書が、直接費、間接費に区分した形式ではなく、材料費、労務費、経費に区分した形式となっています。そこで各自で製造間接費勘定と仕掛品勘定を作成して、製造原価報告書に計上する材料費、労務費、経費の消費額と、製造間接費配賦差異を求めていきましょう。

解説解答
応用

1．製造原価報告書の作成（単位：千円）

仕掛品勘定と製造間接費勘定を作成すると次のようになります。

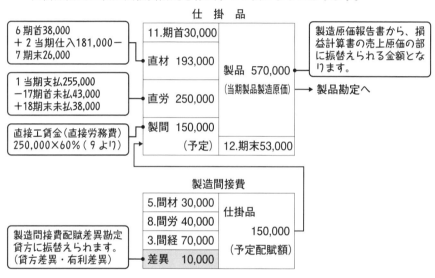

仕掛品勘定借方あるいは製造間接費勘定借方に当期の材料費、労務費、経費は計上されますので、これらを集計して、製造原価報告書を作成します。

材料費：直接材料費193,000＋間接材料費30,000＝223,000
労務費：直接労務費250,000＋間接労務費40,000＝290,000
経　費：間接経費のみ70,000

> 製造間接費はいったん実際発生額で計上します。

合　計：223,000＋290,000＋70,000＝583,000
製造間接費配賦差異：〔＋〕10,000

> 合計を予定配賦額に修正します。有利差異で予定配賦額の方が大きいため、配賦差異を合計に加算します。

当期総製造費用：583,000＋10,000＝593,000
当期製品製造原価：593,000＋期首仕掛品棚卸高30,000－期末仕掛品棚卸高53,000
　　　　　　　　＝570,000

２．損益計算書の作成（単位：千円）

製品勘定と売上原価勘定を作成すると、次のようになります。なお、製品勘定は売上原価の部と対応しています。

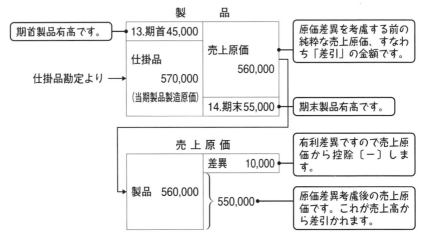

売上高、販売費及び一般管理費、営業外収益、営業外費用は資料の金額をそのまま記入してください。

原価差異の処理は、製造原価報告書と損益計算書では異なります。
ここで、もう一度確認しておきましょう。

〔製造原価報告書〕

有利差異　→　実際発生額に加算します。

不利差異　→　実際発生額から控除します。

〔損益計算書〕

有利差異　→　売上原価から控除します。

不利差異　→　売上原価に加算します。

58 製造原価報告書と損益計算書2

解解
説答
応用

解 答

製 造 原 価 報 告 書

(単位：円)

Ⅰ 直 接 材 料 費		
月 初 材 料 棚 卸 高 ………(250,000)		
当 月 材 料 仕 入 高 ………(1,600,000)		
合　　計　　(1,850,000)		
月 末 材 料 棚 卸 高 ………(360,000)	(1,490,000)
Ⅱ 直 接 労 務 費 ………………………………………	(2,000,000)
Ⅲ 直 接 経 費	
(外 注 加 工 賃)………………………………………	(100,000)
Ⅳ 製 造 間 接 費	
間 接 材 料 費 ………(90,000)	
間 接 労 務 費 ………(1,050,000)	
(棚 卸 減 耗 損)………(20,000)	
電 力 料 金 ………(225,000)	
保 険 料 ………(125,000)	
減 価 償 却 費 ………(720,000)	
小　　計　　(2,230,000)	
製造間接費配賦差異 ………(30,000)	
製造間接費配賦額 ……………………………………	(2,200,000)
当 月 総 製 造 費 用 ……………………………………	(5,790,000)
月 初 仕 掛 品 棚 卸 高 …………………………………	(610,000)
合　　計　　…………………………………	(6,400,000)
月 末 仕 掛 品 棚 卸 高 …………………………………	(400,000)
当 月 製 品 製 造 原 価 …………………………………	(6,000,000)

損　益　計　算　書		（単位：円）
I 売　　　上　　　高		7,000,000
II 売　　上　　原　　価		
月初製品棚卸高	（　　　1,000,000　）	
当月製品製造原価	（　　　6,000,000　）	
合　　　計	（　　　7,000,000　）	
月末製品棚卸高	（　　　1,500,000　）	
差　　　引	（　　　5,500,000　）	
原　価　差　異	（　　　　30,000　）	（　　5,530,000　）
売　上　総　利　益		（　　1,470,000　）

売上高総利益率：　21 ％

解　説

ここがポイント！ 素材と部品は直接材料費、補修材、機械油は間接材料費になります。また、外注加工賃は直接経費、棚卸減耗損は間接経費になります。各費目がどのように原価分類されるのかが本問を解くポイントになります。

1．直接材料費の計算

　素材と部品の消費高は直接材料費となります。なお、棚卸減耗損は間接経費になります。

素　材

月初有高 100,000円	当月消費 850,000円
当月購入 1,000,000円	
	月末有高 250,000円

部　品

月初有高 150,000円	当月消費 640,000円
当月購入 600,000円	月末有高 110,000円

2．間接材料費の計算

補修材と機械油の消費高は間接材料費となります。なお、機械油については金額的重要性が低いため、購入額が消費額となります。

補　修　材

月初有高 40,000円	当月消費 70,000円
当月購入 80,000円	月末有高 50,000円

機　械　油

当月購入 20,000円	当月消費 20,000円

3．直接労務費の計算

実際賃率@1,000円×直接作業時間2,000時間＝2,000,000円

4．間接労務費の計算

直接工の作業時間のうち、間接作業時間300時間と手待時間50時間は間接労務費になります。

直接工の間接労務費：@1,000円×(300時間＋50時間)＝350,000円

間接工の間接労務費：650,000円－150,000円＋200,000円＝700,000円

間接工賃金

当月支払 650,000円	前月未払 150,000円
当月未払 200,000円	当月消費 700,000円

5．直接経費の計算

外注加工賃100,000円は直接経費になります。

6．間接経費の計算

棚卸減耗損20,000円、電力料金225,000円、保険料125,000円、減価償却費720,000円は間接経費になります。

7．製造間接費配賦差異の算定

間接材料費：70,000円＋20,000円＝90,000円

間接労務費：350,000円＋700,000円＝1,050,000円

間 接 経 費：20,000円＋225,000円＋125,000円＋720,000円＝1,090,000円

合　　　計　2,230,000円（製造間接費実際発生額）

製造間接費配賦差異：＠1,100円×2,000時間－2,230,000円＝△30,000円

→30,000円の不利差異

8．当月投入原価の算定

直接材料費：850,000円＋640,000円＝1,490,000円

直接労務費：2,000,000円

直 接 経 費：100,000円

製造間接費：＠1,100円×2,000時間＝2,200,000円

合　　　計　5,790,000円

9．仕掛品勘定と製品勘定

仕　掛　品	
月初有高 610,000円	当月製品製造原価 6,000,000円
当月製造費用 5,790,000円	月末有高 400,000円

製　　　品	
月初有高 1,000,000円	売上原価 5,500,000円
当月製品製造原価 6,000,000円	月末有高 1,500,000円

10．売上高総利益率

売上高総利益率は、売上高に占める売上総利益の割合を表します。

売上高総利益率：売上総利益1,470,000円÷売上高7,000,000円＝0.21（21%）

応　用		テキスト　第9章

59 標準原価計算1

解　答

問1	価 格 差 異	126,000 円（ 借 ）
問2	時 間 差 異	700,000 円（ 借 ）
問3	予 算 差 異	50,000 円（ 借 ）
問4	操 業 度 差 異	600,000 円（ 借 ）

解　説

ここがポイント！

標準原価差異の分析に関する問題です。

生産データを整理した後、これと標準原価カードを基に、標準原価差異の分析を行います。整理した生産データのうち、当月投入量から材料の標準消費量や標準作業時間を各自で求めたうえで、各原価要素の当月投入に関する標準原価と実際発生額の差額を分析していきます。有利・不利、いずれの差異なのかの意味を考えながら分析していきましょう。

1．生産データの整理

当月投入した金額の標準と実際の差が、原価差異になります。

仕掛品（直接材料費）

月初2,000個	完成 5,000個
投入 6,000個	
	月末3,000個

仕掛品（加工費）

月初500個	完成 5,000個
投入 5,500個	
	月末1,000個

2．直接材料費差異の分析～価格差異（問１）

　　ここでは数量差異は問われていませんが、あわせて分析方法を示しておきます。

(1)　当月材料標準消費量

　　　標準 5 kg／個×当月投入量6,000個＝30,000kg

(2)　差異分析

実際直接材料費9,576,000円

実際304円/kg

| 価格差異 △126,000円（借方） | |
| 標準直接材料費 9,000,000円 | 数量差異 △450,000円 （借方） |

標準300円/kg

標準30,000kg　実際31,500kg

　　　価格差異：（標準300円／kg－実際304円／kg）×実際31,500kg
　　　　　　　　＝△126,000円（借方差異）

　　　数量差異：標準300円／kg×（標準30,000kg－実際31,500kg）
　　　　　　　　＝△450,000円（借方差異）

3．直接労務費差異の分析～時間差異（問２）

　　ここでは賃率差異は問われていませんが、あわせて分析方法を示しておきます。

(1)　当月標準作業時間

　　　標準 4 時間／個×当月投入加工換算量5,500個＝22,000時間

(2)　差異分析

実際直接労務費16,560,000円

実際720円/時間

| 賃率差異 △460,000円（借方） | |
| 標準直接労務費 15,400,000円 | 時間差異 △700,000円 （借方） |

標準700円/時間

標準22,000時間 実際23,000時間

　　　賃率差異：（標準700円／時間－実際720円／時間）×実際23,000時間
　　　　　　　　＝△460,000円（借方差異）

　　　時間差異：標準700円／時間×（標準22,000時間－実際23,000時間）
　　　　　　　　＝△700,000円（借方差異）

4. 製造間接費差異の分析（四分法）～予算差異（問３）・操業度差異（問４）

　ここでは、変動費能率差異や固定費能率差異は問われていませんが、あわせて分析方法を示しておきます。

　なお、直接作業時間を配賦基準としていますので、直接労務費の分析で求めた標準作業時間22,000時間を標準操業度として分析していきます。

（1）　月間基準操業度

　　　固定費率：標準配賦率500円／時間－変動費率200円／時間＝300円／時間
　　　月間基準操業度：固定費月間予算額7,500,000円÷300円／時間
　　　　　　　　　　　＝25,000時間

（2）　差異分析

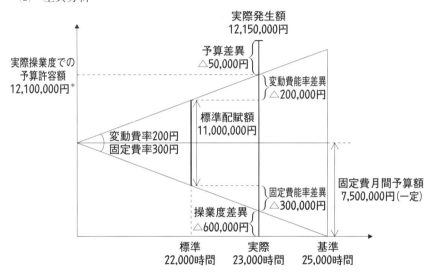

> 基準操業度は、固定費予算と固定費率が与えられていれば自分で求めることができます。

予算差異　：予算許容額12,100,000円*－実際発生額12,150,000円

　　　　　　　　　＝△50,000円(借方差異)

　＊　　予算許容額：変動費予算許容額＋固定費月間予算額

　　　　　　　　　　　＝200円／時間×実際23,000時間＋7,500,000円

　　　　　　　　　　　＝12,100,000円

標準原価計算の予算差異は、実際原価計算で予定配賦している場合の予算差異と同じです。

変動費能率差異：変動費率200円／時間×(標準22,000時間－実際23,000時間)

　　　　　　　　　＝△200,000円(借方差異)

固定費能率差異：固定費率300円／時間×(標準22,000時間－実際23,000時間)

　　　　　　　　　＝△300,000円(借方差異)

操　業　度　差　異：固定費率300円／時間×(実際23,000時間－基準25,000時間)

　　　　　　　　　＝△600,000円(借方差異)

復習しよう！

　　差異分析は、計算式で覚えるよりも、ボックス図やグラフを描いて行うのが効率的です。

なお、直接費のボックス図や間接費のグラフでは、数値の大小にかかわらず、内側に標準、外側に実際(間接費のグラフではさらに外側に基準)の数値をとって分析をします。

また、ボックス図、グラフともに、必ず内側の数値から外側の数値を引いて、差を求めます。このことで、不利差異(借方差異)はマイナス、有利差異(貸方差異)はプラスの数値で表されます。この形式については、間違えないよう、覚えてしまうのが楽でしょう。

60 標準原価計算2

解 答

問1

| 12,500,000 | 円 |

問2

標準製造原価差異分析表

直 接 材 料 費 総 差 異		(	△ 716,800)
材 料 価 格 差 異	(△ 604,800		
材 料 数 量 差 異	(△ 112,000)		
直 接 労 務 費 総 差 異		(	43,000)
労 働 賃 率 差 異	(173,000)		
労 働 時 間 差 異	(△ 130,000)		
製 造 間 接 費 総 差 異		(	△ 420,000)
予 算 差 異	(360,000)		
能 率 差 異	△ 150,000		
操 業 度 差 異	(△ 630,000)		
標 準 製 造 原 価 差 異		(	△ 1,093,800)

解 説

ここがポイント！

　予算の月間営業利益の計算と当月標準製造原価差異の分析に関する問題です。

　予算の月間営業利益は、あらかじめ予想される生産・販売量や金額データに基づいて計算します。そのときに売上原価は製品単位あたり標準原価を利用して計算します。したがって、実際のデータを全く使用しないで計算されるものとなります。

一方、標準製造原価差異は、実際の生産量に対して投入された原価データについて、標準と実際を比較して計算していきます。計算されるタイミングの違いを確認しておきましょう。

問1　予算の月間営業利益の計算

　　すべての予算データに基づいて計算します。ただし問われているのは月次ベースですので、年間ベースの販売費及び一般管理費予算を月間ベースに修正し、予算損益計算書を作成して、予算営業利益を計算します。

予算損益計算書

売　　　　　上　　　　　高	94,500,000	（＝予算@10,500円×予算9,000個）
売　　　上　　　原　　　価	75,600,000	（＝標準@　8,400円×予算9,000個）
売　　上　　総　　利　　益	18,900,000	
販売費及び一般管理費	6,400,000	（＝年間予算76,800,000円÷12ヵ月）
営　　業　　利　　益	12,500,000	

問2　標準製造原価差異分析表の作成

1．生産データの整理

　　生産・販売量が8,600個ですので、材料費、加工費ともに、当月投入量8,600個がそのまま当月完成量8,600個となります。

2．直接材料費差異の分析

　　材料価格差異：（標準80円／kg－実際82円／kg）×実際302,400kg
　　　　　　　　　　＝△604,800円（借方差異）
　　材料数量差異：標準80円／kg×（標準301,000kg－実際302,400kg）
　　　　　　　　　　＝△112,000円（借方差異）
　　直接材料費総差異：△604,800円＋△112,000円＝△716,800円（借方差異）
　　＊1　標準消費量：35kg／個×8,600個＝301,000kg

3．直接労務費差異の分析

労働賃率差異：(標準650円／時間−実際645円／時間)×実際34,600時間
　　　　　　＝173,000円(貸方差異)

労働時間差異：標準650円／時間×(標準34,400時間−実際34,600時間)
　　　　　　＝△130,000円(借方差異)

直接労務費総差異：173,000円＋△130,000円＝43,000円(貸方差異)

＊2　標準直接作業時間＝4時間／個×8,600個＝34,400時間

4．製造間接費差異の分析

　問題で能率差異をどのように計算すべきなのかの指示は与えられていません。ただし、解答用紙に能率差異の金額が与えられていますので、いったん4分法により計算した後、変動費のみから能率差異を計算する3分法か、変動費と固定費の両方から能率差異を計算する3分法かを判定して解答していきましょう。

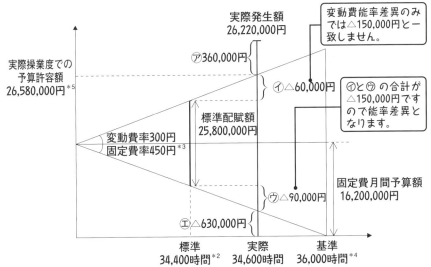

⑦：予算許容額26,580,000円－実際発生額26,220,000円＝360,000円(貸方差異)

④：変動費率300円／時間×(標準34,400時間－実際34,600時間)
　　＝△60,000円(借方差異)

⑨：固定費率450円／時間×(標準34,400時間－実際34,600時間)
　　＝△90,000円(借方差異)

㋓：固定費率450円／時間×(実際34,600時間－基準36,000時間)
　　＝△630,000円(借方差異)

＊3　固定費率：標準配賦率750円／時間－変動費率300円／時間
　　　　　　　　　＝450円／時間

＊4　月間基準操業度：固定費月間予算額16,200,000円÷450円／時間
　　　　　　　　　　　＝36,000時間

＊5　予算許容額：300円／時間×34,600時間＋16,200,000円
　　　　　　　　　＝26,580,000円

ここで、⑦が予算差異360,000円(貸方差異)、解答用紙の記入内容と上記の計算結果より、④と⑨の合計金額が能率差異△150,000円(借方差異)、そして㋓が操業度差異△630,000円(借方差異)となります。

　製造間接費総差異：360,000円　＋　△150,000円　＋　△630,000円
　　　　　　　　　　＝△420,000円(借方差異)

分析するのはあくまでも、当月投入量についてです。よって、生産データを整理して、当月投入量を逆算してみましょう。

61 標準原価計算3

解　答

材　料　A

月 初 有 高 （	4,080 ）	仕 　 掛 　 品 （		16,640 ）
当 月 仕 入 高 （	17,120 ）	月 末 有 高 （		5,300 ）
数 量 差 異 （	1,040 ）	価 格 差 異 （		300 ）
（	22,240 ）	（		22,240 ）

直接工直接賃金

当 月 支 払 高 （	122,400 ）	前 月 未 払 高 （	30,600 ）
当 月 未 払 高 （	40,800 ）	仕 　 掛 　 品 （	131,250 ）
賃 率 差 異 （	3,900 ）	時 間 差 異 （	5,250 ）
（	167,100 ）	（	167,100 ）

製 造 間 接 費

間 接 材 料 費 （	10,250 ）	仕 　 掛 　 品 （	137,500 ）
間 接 労 務 費 （	23,440 ）	予 算 差 異 （	2,000 ）
間 接 経 費 （	106,310 ）	操 業 度 差 異 （	3,000 ）
能 率 差 異 （	2,500 ）		
（	142,500 ）	（	142,500 ）

仕 　 掛 　 品

月 初 有 高 （	52,984 ）	当 月 完 成 高 （	301,132 ）
直 接 材 料 費 （	16,640 ）	月 末 有 高 （	37,242 ）
直 接 労 務 費 （	131,250 ）		
製 造 間 接 費 （	137,500 ）		
（	338,374 ）	（	338,374 ）

解 説

ここが
ポイント！

シングル・プランによる各勘定の記入と標準原価差異の分析に関する
問題です。各原価要素の勘定で差異が把握されますが、差異の有利・
不利の記入場所を間違えないように気をつけましょう。

1．生産データの整理

仕掛品（直接材料費）	
月初240個	完成 520個
投入 400個	
	月末120個

仕掛品（加工費）	
月初80個	完成 520個
投入 500個	
	月末60個

2．勘定記入（シングル・プラン）と差異分析

(1) 材料A（直接材料費）

標準消費額：41.6円/個×400個＝16,640円（仕掛品勘定借方へ）

実際単価(総平均法)：$\dfrac{102円/kg \times 40kg + 107円/kg \times 160kg}{40kg + 160kg}$

＝106円/kg

実際消費額：106円/kg×150kg＝15,900円

実際106円/kg	実際直接材料費15,900円	
	価格差異 △300円（借方）	
標準104円/kg	標準直接材料費 16,640円	数量差異 1,040円 （貸方）
	標準160kg[*1]	実際150kg

価格差異：(標準104円/kg－実際106円/kg)×実際150kg
　　　　＝△300円(借方差異)

数量差異：標準104円/kg×(標準160kg－実際150kg)＝1,040円(貸方差異)

＊1 標準消費量：0.4kg/個×400個＝160kg

(2) 直接工直接賃金(直接労務費)

標準消費額：262.5円/個×500個＝131,250円(仕掛品勘定借方へ)

実際消費額：122,400円－30,600円＋40,800円＝132,600円

実際1,020円/時間^{*2}

実際直接労務費132,600円

賃率差異 3,900円（貸方）	
標準直接労務費 131,250円	時間差異 △5,250円 （借方）

標準1,050円/時間

標準125時間^{*3}　実際130時間

賃率差異：(標準1,050円/時間－実際1,020円/時間)×実際130時間
　　　　＝3,900円(貸方差異)

時間差異：標準1,050円/時間×(標準125時間－実際130時間)
　　　　＝△5,250円(借方差異)

＊2　実際賃率：132,600円÷130時間＝1,020円/時間

＊3　標準直接作業時間：0.25時間/個×500個＝125時間

(3) 製造間接費(３分法で分析)

標準配賦額：275円/個×500個＝137,500円(仕掛品勘定借方へ)

実際発生額：間材10,250円＋間労23,440円＋間経106,310円
　　　　＝140,000円(借方に集計)

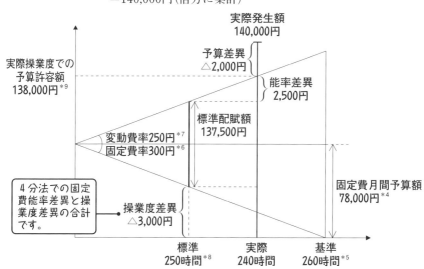

予算差異：予算許容額138,000円－実際発生額140,000円
    ＝△2,000円（借方差異）

能率差異：変動費率250円 / 時間×（標準250時間－実際240時間）
    ＝2,500円（貸方差異）

操業度差異：固定費率300円 / 時間×（標準250時間－基準260時間）
    ＝△3,000円（借方差異）

＊4 月間固定費予算：936,000円÷12ヵ月＝78,000円

＊5 月間基準操業度：3,120時間÷12ヵ月＝260時間

＊6 固定費率：936,000円÷3,120時間＝300円 / 時間

＊7 変動費率：標準配賦率550円 / 時間－固定費率300円 / 時間
    ＝250円 / 時間

＊8 標準操業度：0.5時間 / 個×500個＝250時間

＊9 予算許容額：250円 / 時間×240時間＋78,000円＝138,000円

⚠ここに注意！

差異分析の方法は、先の問題と同様ですが、記帳方法にシングル・プランを用いていますので、原価差異が各原価要素の勘定で把握されるところが異なります。そして差異の把握後、各差異の勘定に振替えられますので、把握する側の勘定では、借方差異は貸方に、貸方差異は借方にそれぞれ記入されます。注意しましょう。

(4) 仕掛品

月初有高：41.6円 / 個×240個＋（262.5円 / 個＋275円 / 個）×80個
    ＝52,984円

当月完成高：579.1円 / 個×520個＝301,132円

月末有高：41.6円 / 個×120個＋（262.5円 / 個＋275円 / 個）×60個
    ＝37,242円

シングル・プランでは、各原価要素の勘定では、仕掛品勘定に振替える金額のみ標準原価で記入します。

各原価要素の勘定では、その他は実際原価で記入されますから、貸借差額が原価差異となります。

62 標準原価計算4

解 答

仕 掛 品

前 月 繰 越 （	650,000 ）	製　　　　品 （	3,200,000 ）
材　　　　料 （	2,600,000 ）	標 準 原 価 差 異 （	200,000 ）
加　　工　　費 （	1,450,000 ）	次 月 繰 越 （	1,300,000 ）
（	4,700,000 ）	（	4,700,000 ）

損 益 計 算 書　　　　　　（単位：円）

Ⅰ売　　　上　　　高		（ 3,500,000 ）
Ⅱ売　上　原　価		
期 首 製 品 棚 卸 高	（ 400,000 ）	
当 期 製 品 製 造 原 価	（ 3,200,000 ）	
合　　　計	（ 3,600,000 ）	
期 末 製 品 棚 卸 高	（ 800,000 ）	
差　　　引	（ 2,800,000 ）	
（標 準 原 価 差 異）	（ 200,000 ）	（ 3,000,000 ）
売　上　総　利　益		（ 500,000 ）

解 説

ここが
ポイント！

パーシャル・プランは仕掛品勘定における当月製造費用を実際発生額で記入する方法です。この方法によると仕掛品勘定において標準原価差異が認識されます。なお、本問では仕掛品勘定の標準原価差異以外の箇所を計算し、最後に差額で標準原価差異を算定すればよいです。

1．生産データの整理

実在量

月初仕掛品 100個	完成品 400個
当月投入 500個	月末仕掛品 200個

完成品換算量

月初仕掛品 50個	完成品 400個
当月投入 450個 ＜貸借差額＞	月末仕掛品 100個

2．月初仕掛品原価の算定

直接材料費：@5,000円×100個＝500,000円

加　工　費：@3,000円× 50個＝150,000円

合　　　計　650,000円

3．月末仕掛品原価の算定

直接材料費：@5,000円×200個＝1,000,000円

加　工　費：@3,000円× 100個＝300,000円

合　　　計　1,300,000円

4．完成品原価の算定

@8,000円×400個＝3,200,000円

5．標準原価差異

仕掛品勘定における標準原価差異以外の箇所を埋め、差額で求める。

仕　掛　品

前 月 繰 越	650,000	製　　　　品	3,200,000	
材　　　料	2,600,000	標準原価差異	**200,000**	← 差額
加　工　費	1,450,000	次 月 繰 越	1,300,000	
	4,700,000		4,700,000	

なお、直接的に計算する場合、当月投入標準原価と実際原価の差額として求めることができます。

当月投入の標準原価

　　直接材料費：@5,000円×500個＝2,500,000円

　　加　工　費：@3,000円×450個＝1,350,000円

　　合　　　計　3,850,000円

標準原価差異：3,850,000円－(2,600,000円＋1,450,000円)＝△200,000円

6．製品勘定

製品勘定の内容に基づき、損益計算書の売上原価の内訳を求めます。

製品（個数）

月初製品 50個	売上原価 350個
当月完成 400個	
	月末製品 100個

製品（金額）

月初製品 400,000円	売上原価 2,800,000円
当月完成 3,200,000円	
	月末仕掛品 800,000円

標準原価計算の場合、製品勘定はすべて標準原価で記入するのでアル！

あの人誰なんだ…

63 全部と直接・2期比較

解 答

(全部原価計算方式) 損 益 計 算 書 (単位:円)

	第 1 期	第 2 期
売上高	(9,000,000)	(7,200,000)
売上原価	(5,400,000)	(4,320,000)
原価差異	(―)	(△480,000)
計	(5,400,000)	(3,840,000)
売上総利益	(3,600,000)	(3,360,000)
販売費及び一般管理費	(2,150,000)	(2,030,000)
営業利益	(1,450,000)	(1,330,000)

(直接原価計算方式) 損 益 計 算 書 (単位:円)

	第 1 期	第 2 期
売上高	(9,000,000)	(7,200,000)
変動売上原価	(3,000,000)	(2,400,000)
変動製造マージン	(6,000,000)	(4,800,000)
変動販売費	(600,000)	(480,000)
貢献利益	(5,400,000)	(4,320,000)
固定費	(3,950,000)	(3,950,000)
営業利益	(1,450,000)	(370,000)

解　説

全部原価計算と直接原価計算の違いを2期分比較する問題です。
費用計上される固定製造原価(固定加工費)の金額が異なることを理
解できているかが重要です。

また、本問では加工費を予定配賦しているので、原価差異が生じます。全部原
価計算では、固定製造原価も予定配賦するので、固定製造原価からも原価差異
が生じます。しかし、直接原価計算では、固定製造原価については予定配賦せ
ず、実際発生額(期間総額)を全て費用計上するため、固定製造原価からは原価
差異は生じません。

STEP 1 固変分解と製品単位あたりの製造原価の算定

年間生産量が1,100単位と700単位のときに発生が見込まれる製造原価総額に
基づいて、高低点法により製造原価を変動製造原価と固定製造原価に分解しま
す。なお、固変分解により求まった固定製造原価は、固定製造原価の年間予算額
と考えます。

$$製品単位あたりの変動製造原価：\frac{5,700,000円-4,500,000円}{1,100単位-700単位}=3,000円/単位$$

$$固定製造原価年間予算額：5,700,000円-3,000円/単位×1,100単位$$
$$=2,400,000円$$

固定製造原価年間予算額を年間基準操業度で割ることで、製品単位あたりの固
定製造原価を求めることができます。

$$製品単位あたりの固定製造原価：\frac{2,400,000円}{1,000単位}=2,400円/単位$$

⚠ ここに注意!

変動製造原価には直接材料費と変動加工費が含まれているので、STEP1で
求めた製品単位あたりの変動製造原価は、変動加工費の予定配賦率を含んだ金
額です。また、製品単位あたりの固定製造原価は、固定加工費の予定配賦率を
意味しています。

STEP ② 生産・販売データの整理

【第1期】

　本問では、期首仕掛品と期末仕掛品がありません。そのため、当期投入原価は全て完成品原価となり、仕掛品勘定から製品勘定へと流れます。また、問題資料より、当期製品生産量は1,000単位です。よって、当期投入の実在量及び完成品換算量は、ともに1,000単位となります。

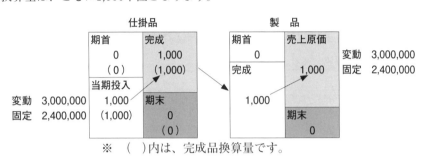

　　　　　　　　※　（　）内は、完成品換算量です。

＜当期投入原価の計算＞

固定製造原価（固定加工費）は生産量にもとづいて予定配賦するので、製品単位あたりの固定製造原価（固定加工費の予定配賦率）に実際操業度となる当期投入の完成品換算量を掛けて予定配賦額を計算します。

　　　変動製造原価：3,000円／単位×1,000単位＝3,000,000円

　　　固定製造原価：2,400円／単位×1,000単位＝2,400,000円

⚠ここに注意！

> 当期投入の実在量及び完成品換算量がともに1,000単位であるため、当期投入の変動製造原価を計算する際に直接材料費と変動加工費を区別する必要がありません。そのため、当期投入の変動製造原価の計算には、製品単位あたりの変動製造原価3,000円／単位を用いればよいことになります。

＜売上原価の計算＞

　当期に完成した製品の全てを販売しているので、当期投入原価（＝完成品原価）が、そのまま売上原価となります。

【第2期】

第1期と同様に考えますが、第2期では、当期製品生産量1,200単位のうち800単位のみが販売されて売上原価となることに注意が必要です。

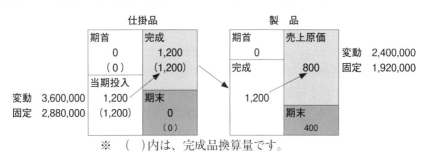

※　（　）内は、完成品換算量です。

＜当期投入原価の計算＞

変動製造原価：3,000円／単位×1,200単位＝3,600,000円

固定製造原価：2,400円／単位×1,200単位＝2,880,000円

＜売上原価の計算＞

$$変動製造原価：3,600,000円 × \frac{800単位}{1200単位} = 2,400,000 円$$

$$固定製造原価：2,880,000円 × \frac{800単位}{1200単位} = 1,920,000 円$$

> **⚠ ここに注意！**
>
> 売上原価の計算にあたっては、変動製造原価であれば、「3,000円／単位×800単位＝2,400,000円」とも計算できます。また、固定製造原価は、「2,400円／単位×800単位＝1,920,000円」とも計算できます。

STEP ③ 原価差異の把握

【第1期】

　加工費の予定配賦額と実際発生額との差額として原価差異(加工費配賦差異)が求まります。また、資料より、加工費の実際発生額は予算許容額と同額です。

　加工費配賦差異は、予算差異と操業度差異に分析できますが、予算差異は予算許容額と実際発生額との差額なので、本問においては、予算差異は生じません。よって、本問における原価差異は、全額、操業度差異ということになります。

⚠ ここに注意!

> 加工費の予定配賦額は、変動製造原価の中に含まれている変動加工費と固定加工費(固定製造原価)の予定配賦額の合計額です。また、加工費の実際発生額は、変動加工費と固定加工費の実際発生額の合計額です。

<原価差異の計算>

　操業度差異は固定費から生じる原価差異なので、固定加工費の予定配賦額と実際発生額との差額で計算することができます。また、固定加工費の予定配賦率、実際操業度、そして、基準操業度を用いても計算できます。

　第1期における固定加工費の実際発生額は2,400,000円ですが、これは、本問においては固定加工費の予算額と同額です。また、予定配賦額の計算に用いる実際操業度が基準操業度(1,000単位)と同じため、固定加工費の予定配賦額も2,400,000円であり、固定加工費の予算額と同額です。そのため、操業度差異は生じません。つまり、第1期においては、原価差異はありません。

　　予算差異：予算許容額－実際発生額＝0円
　　操業度差異：固定加工費の予定配賦額－固定加工費の実際発生額
　　　　　　　＝2,400円／単位×1,000単位－2,400,000円＝0円
　　　　　　　　　又は
　　　　　　　固定加工費の予定配賦率×(実際操業度－基準操業度)
　　　　　　　＝2,400円／単位×(1,000単位－1,000単位)＝0円

【第2期】

　第2期も、加工費の実際発生額が予算許容額と同額なので、予算差異は生じません。

　また、第2期における固定加工費の予定配賦額は2,880,000円ですが、実際発生額は2,400,000円なので、操業度差異は生じます。実際操業度が1,200単位、基準操業度が1,000単位であるため、これを用いても操業度差異を計算できます。

<原価差異の計算>

　　　予算差異：予算許容額－実際発生額＝0円

　　　操業度差異：2,880,000円－2,400,000円＝480,000円

　　　　　　　　　　又は

　　　　　　　2,400円／単位×(1,200単位－1,000単位)＝480,000円

　全部原価計算方式では、上記の原価差異480,000円(有利差異)が、加工費配賦差異として把握され、損益計算書上、売上原価から減算されます。

　一方、直接原価計算方式では、固定加工費は予定配賦せず、実際発生額を全額、損益計算書に計上されます。そのため、直接原価計算では、操業度差異は生じません。つまり、本問においては、直接原価計算方式の場合、原価差異が生じません。

変動加工費の予定配賦率が分からないため、予算許容額は計算できません。

予算許容額が分からなくても、操業度差異は計算できます。

STEP ④ 全部原価計算方式による損益計算書の作成

【第1期】

売　　上　　高		@ 9,000円×1,000単位		9,000,000
売　上　原　価	変動製造原価 @ 3,000円×1,000単位	3,000,000		
	固定製造原価 @ 2,400円×1,000単位	2,400,000	5,400,000	
原　価　差　異			0	
計			5,400,000	
売　上　総　利　益			3,600,000	
販売費及び一般管理費	変 動 販 売 費 @ 　600円×1,000単位	600,000		
	固 定 販 売 費	900,000		
	一 般 管 理 費	650,000	2,150,000	
営　業　利　益			1,450,000	

【第2期】

売　　上　　高		@ 9,000円×800単位		7,200,000
売　上　原　価	変動製造原価 @ 3,000円×800単位	2,400,000		
	固定製造原価 @ 2,400円×800単位	1,920,000	4,320,000	
原　価　差　異			△480,000	
計			3,840,000	
売　上　総　利　益			3,360,000	
販売費及び一般管理費	変 動 販 売 費 @ 　600円×800単位	480,000		
	固 定 販 売 費	900,000		
	一 般 管 理 費	650,000	2,030,000	
営　業　利　益			1,330,000	

STEP ⑤ 直接原価計算方式による損益計算書の作成

【第1期】

売 上 高		@9,000円×1,000単位		9,000,000
変動売上原価	変動製造原価	@3,000円×1,000単位		3,000,000
変動製造マージン				6,000,000
変 動 販 売 費		@ 600円×1,000単位		600,000
貢 献 利 益				5,400,000
固 定 費	固定製造原価		2,400,000	
	固 定 販 売 費		900,000	
	一 般 管 理 費		650,000	3,950,000
営 業 利 益				1,450,000

【第2期】

売 上 高		@9,000円×800単位		7,200,000
変動売上原価	変動製造原価	@3,000円×800単位		2,400,000
変動製造マージン				4,800,000
変 動 販 売 費		@ 600円×800単位		480,000
貢 献 利 益				4,320,000
固 定 費	固定製造原価		2,400,000	
	固 定 販 売 費		900,000	
	一 般 管 理 費		650,000	3,950,000
営 業 利 益				370,000

64 全部と直接・4期比較

解　答

問1

	第1期	第2期	第3期	第4期
全部原価計算の営業利益	8,000,000	10,640,000	10,310,000	3,050,000
直接原価計算の営業利益	8,000,000	8,000,000	8,000,000	8,000,000

問2

(第3期)　　　損　益　計　算　書

売　　　　上　　　　高	(50,000,000)
変　動　売　上　原　価	(24,000,000)
変　動　製　造　マ　ー　ジ　ン	(26,000,000)
変　動　販　売　費	(2,000,000)
貢　　献　　利　　益	(24,000,000)
固　　　　定　　　　費	(16,000,000)
直接原価計算による営業利益	(8,000,000)
期末製品に含まれる固定製造原価	(4,950,000)
期首製品に含まれる固定製造原価	(2,640,000)
全部原価計算による営業利益	(10,310,000)

問3　第4期期首における全部原価計算による製品有高　15,750,000　円

解　説

ここが
ポイント！

全部と直接の4期比較の問題です。各期とも期首・期末に仕掛品はありませんので、当期生産量＝当期投入量として計算を行います。
　本問は、全部原価計算では固定製造原価について実際配賦を行っていますので、固定製造原価総額を当期投入量で除して、各期の単位あたり固定製造原価を計算していきます。なお実際配賦していますので、原価差異は生じません。

STEP 1　生産・販売データを整理して、各期の期末製品原価と売上原価を求めます。

　各期の期末製品原価の計算は先入先出法によって行います。したがって、まず期末製品原価を当期投入（＝当期生産）から求めた後、貸借差額で当期販売分の製造原価を計算していきます。

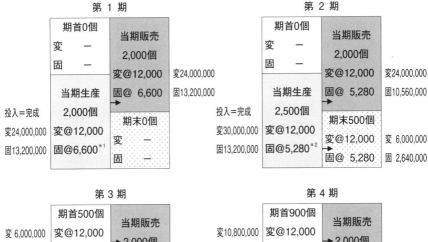

第 1 期

期首0個	当期販売	
変　　―	2,000個	
固　　―	変@12,000	変24,000,000
当期生産	固@ 6,600	固13,200,000
2,000個	期末0個	
変@12,000	変　　―	
固@6,600*1	固　　―	

投入＝完成　変24,000,000　固13,200,000

第 2 期

期首0個	当期販売	
変　　―	2,000個	
固　　―	変@12,000	変24,000,000
当期生産	固@ 5,280	固10,560,000
2,500個	期末500個	
変@12,000	変@12,000	変 6,000,000
固@5,280*2	固@ 5,280	固 2,640,000

投入＝完成　変30,000,000　固13,200,000

第 3 期

変 6,000,000　固 2,640,000

期首500個	当期販売	
変@12,000	2,000個	
固@ 5,280	変@12,000	変24,000,000
当期生産		固10,890,000
2,400個	期末900個	
変@12,000	変@12,000	
固@5,500*3	固@ 5,500	

投入＝完成　変28,800,000　固13,200,000

第 4 期

変10,800,000　固 4,950,000

期首900個	当期販売	
変@12,000	2,000個	
固@ 5,500	変@12,000	変24,000,000
当期生産		固18,150,000
1,100個	期末0個	
変@12,000	変　　―	
固@12,000*4	固　　―	

投入＝完成　変13,200,000　固10,800,000

変13,200,000　固 4,950,000

　製品単位あたり変動製造原価は各期一定ですが、製品単位あたり固定製造原価は生産量で変動します。上で示された当期生産量で固定製造原価総額を除して、各期の製品単位あたり固定製造原価を求めます。

　＊1　13,200,000円÷当期生産量2,000個＝@ 6,600円
　＊2　13,200,000円÷当期生産量2,500個＝@ 5,280円
　＊3　13,200,000円÷当期生産量2,400個＝@ 5,500円
　＊4　13,200,000円÷当期生産量1,100個＝@12,000円

　なお、第3期と第4期における固定製造原価の販売分の単価は、期首分と当期生産分が異なるため、示していません。

STEP ② 全部原価計算の第1期から第4期までの損益計算書を作成します。 ➡ 問1

全部原価計算の損益計算書の各項目は次のように計算します。

　売上高：販売単価×当期販売量

　　　　＝@25,000円×2,000個＝50,000,000円（第1期〜第4期共通）

　売上原価：STEP 1より、当期販売分の変動製造原価と固定製造原価の合計

　　第1期：24,000,000円＋13,200,000円＝37,200,000円

　　第2期：24,000,000円＋10,560,000円＝34,560,000円

　　第3期：24,000,000円＋10,890,000円＝34,890,000円

　　第4期：24,000,000円＋18,150,000円＝42,150,000円

　販売費一般管理費：@変動販売費×当期販売量＋固定販売費一般管理費

　　　　　　　　　＝@1,000円×2,000個＋2,800,000円

　　　　　　　　　＝4,800,000円（第1期〜第4期共通）

	第1期	第2期	第3期	第4期
売　　上　　高	50,000,000	50,000,000	50,000,000	50,000,000
売　上　原　価	37,200,000	34,560,000	34,890,000	42,150,000
売　上　総　利　益	12,800,000	15,440,000	15,110,000	7,850,000
販売費一般管理費	4,800,000	4,800,000	4,800,000	4,800,000
営　業　利　益	8,000,000	10,640,000	10,310,000	3,050,000

STEP ③ 直接原価計算の第1期から第4期までの損益計算書を作成します。 ➡ 問1・2

直接原価計算の損益計算書の各項目は次のように計算します。なお、すべて第1期〜第4期共通となります。

　売上高：販売単価×当期販売量

　　　　＝@25,000円×2,000個

　　　　＝50,000,000円

　変動売上原価：STEP 1より、当期販売分の変動製造原価24,000,000円

　変動販売費：@変動販売費×当期販売量

　　　　　　＝@1,000円×2,000個

　　　　　　＝2,000,000円

　固定製造原価：期間総額13,200,000円

　固定販売費一般管理費：期間総額2,800,000円

	第1期	第2期	第3期	第4期
売　上　高	50,000,000	50,000,000	50,000,000	50,000,000
変動売上原価	24,000,000	24,000,000	24,000,000	24,000,000
変動製造マージン	26,000,000	26,000,000	26,000,000	26,000,000
変動販売費	2,000,000	2,000,000	2,000,000	2,000,000
貢　献　利　益	24,000,000	24,000,000	24,000,000	24,000,000
固定製造原価	13,200,000	13,200,000	13,200,000	13,200,000
固定販売費一般管理費	2,800,000	2,800,000	2,800,000	2,800,000
営　業　利　益	8,000,000	8,000,000	8,000,000	8,000,000

製品販売量が同じで、販売単価、製品単位あたり変動費、固定費額が一定ならば、直接原価計算の損益計算書は毎期同じになります。

STEP ④ 第3期の直接原価計算の損益計算書について固定費調整を行います。 ➡ 問2

固定費調整は、以下のように計算します。

直接原価計算の営業利益(第3期)	8,000,000
＋)期末製品・仕掛品に含まれる固定製造原価	＋　4,950,000
－)期首製品・仕掛品に含まれる固定製造原価	－　2,640,000
全部原価計算の営業利益(第3期)	10,310,000

ただし本問では、期首・期末に仕掛品はありませんので、解答用紙では期首・期末製品に含まれる固定製造原価について調整することになります。

STEP ⑤ 第4期期首における全部原価計算による製品有高を求めます。 ➡ 問3

STEP1で計算した製品データを用いて、第4期の期首製品の変動製造原価と固定製造原価の合計より計算します。

変動製造原価10,800,000円＋固定製造原価4,950,000円＝15,750,000円

65 直接・仕掛品があるケース

解　答

月 次 損 益 計 算 書

Ⅰ	売　　上　　高		（ 62,000,000 ）
Ⅱ	変 動 売 上 原 価		
1	月初製品棚卸高	（ 5,260,000 ）	
2	当月製品製造原価	（ 37,800,000 ）	
	合　　　計	（ 43,060,000 ）	
3	月末製品棚卸高	（ 1,350,000 ）	
	差　　　引	（ 41,710,000 ）	
4	原 価 差 異	（ 280,000 ）	（ 41,990,000 ）
	変動製造マージン		（ 20,010,000 ）
Ⅲ	変 動 販 売 費		（ 2,500,000 ）
	貢 献 利 益		（ 17,510,000 ）
Ⅳ	固　　定　　費		
1	固 定 加 工 費	（ 4,625,000 ）	
2	固 定 販 売 費	1,000,000	
3	一 般 管 理 費	1,000,000	（ 6,625,000 ）
	営 業 利 益		（ 10,885,000 ）

解　説

ここが ポイント!

月初・月末に仕掛品がある場合の直接原価計算の損益計算書作成問題です。これまでの問題とは異なり、月初・月末仕掛品がありますから、仕掛品勘定を作成し、生産データを直接材料費と変動加工費に分けて整理した後、先入先出法により総合原価計算を行って完成品原価を求めます。この際、変動製造原価のみで計算を行っていくことになります。

1．変動加工費正常配賦率

　　直接原価計算では正常配賦されるのは変動加工費のみとなりますので、変動加工費年間予算を正常生産量で除して変動加工費正常配賦率を求めておきます。

　　変動加工費正常配賦率：126,000,000円÷18,000個＝@7,000円

⚠ここに注意！

変動加工費は製品生産量を基準に年間を通じて正常配賦していますので、仕掛品勘定の各項目の金額については正常配賦率に加工換算量、製品勘定の各項目の金額については正常配賦率に数量を乗じることで、それぞれ計算できます。

解説解答
応用

2．当月完成品原価の計算（先入先出法）

次のように、仕掛品勘定を直接材料費と変動加工費とに分けて計算していきます。また（　）内の数値は加工換算量を示しています。

仕掛品

月初仕掛品原価	月初		当月完成品原価
直材　1,870,000円	100個	完成	
変加　　350,000円	（50個）	1,400個	直材　28,000,000円
		（1,400個）	変加　9,800,000円
当月製造費用	投入		月末仕掛品原価
直材　32,160,000円	1,600個	月末	
正配　変加　10,500,000円	（1,500個）	300個	直材　6,030,000円
		（150個）	変加　1,050,000円

月初仕掛品原価

　　直接材料費：1,870,000円（資料2.(1)）

　　変動加工費：@7,000円×50個＝350,000円（正常配賦額）

当月製造費用

　　直接材料費：32,160,000円（資料2.(7)）

　　変動加工費：@7,000円×1,500個＝10,500,000円（正常配賦額）

月末仕掛品原価

　　直接材料費：$\dfrac{32,160,000円}{1,600個}$×300個＝6,030,000円

　　変動加工費：@7,000円×150個＝1,050,000円

当月完成品原価（当月製品製造原価）→製品勘定へ

　　直接材料費：1,870,000円＋32,160,000円－6,030,000円＝28,000,000円

　　変動加工費：@7,000円×1,400個＝9,800,000円

原価差異（加工費配賦差異＝正常配賦額－実際発生額）

　　変動加工費：10,500,000円－10,780,000円＝△280,000円（不利差異）

3. 当月売上原価の計算(先入先出法)

仕掛品勘定と同様に、製品勘定を直接材料費と変動加工費とに分けて計算していきます。

製　品

月初製品原価
直材　3,860,000円
変加　1,400,000円

月初
200個

販売
1,550個

当月売上原価
直材　30,860,000円
変加　10,850,000円

当月完成品原価
直材　28,000,000円
変加　9,800,000円

完成
1,400個

月末
50個

月末製品原価
直材　1,000,000円
変加　350,000円

月初製品原価

　直接材料費：3,860,000円(資料2.(3))

　変動加工費：@7,000円×200個＝1,400,000円(正常配賦額)

当月完成品原価(当月製品製造原価)←仕掛品勘定より

月末製品原価

　直接材料費：$\dfrac{28,000,000円}{1,400個}×50個＝1,000,000円$

　変動加工費：@7,000円×50個＝350,000円

直接原価計算では変動費のみを集計して変動売上原価の金額を求めます。

4．損益計算書の作成

　　前記製品勘定で算定した金額、及び原価差異の金額について、以下のように集計して、直接原価計算の損益計算書の変動売上原価を求めます。

　　　　売上高：@40,000円×1,550個＝62,000,000円

　　　　変動売上原価

　　　　　月初製品棚卸高：3,860,000円＋1,400,000円＝5,260,000円

　　　　　当月製品製造原価：28,000,000円＋9,800,000円＝37,800,000円

　　　　　月末製品棚卸高：1,000,000円＋350,000円＝1,350,000円

　　　　　原価差異：△280,000円（不利差異のため、差引に加算）

　　　　固定加工費：4,625,000円（資料 2 (8)実際発生額）

解答解説
応用

応 用	テキスト 第10章

66 損益分岐点分析1

解 答

問1 直接原価計算による営業利益 `840,000` 円

問2 損益分岐点売上高 `2,700,000` 円

問3 目標営業利益達成売上高 `6,450,000` 円

解 説

ここが
ポイント！

直接原価計算を利用し、売上高をX円あるいは販売量をY個として簡単な損益計算書を計算用紙に作成して、損益分岐点分析を行ってみましょう（以下では売上高をX円とした場合で解説していきます）。

STEP 1 当期の固定加工費総額を求めます。

完成品原価から逆算して固定加工費の期間総額を算定します。なお当期は期首・期末に仕掛品がありませんから、当期投入は当期完成1,000個と等しくなります。

固定加工費総額：@800円×1,000個＝800,000円

STEP 2 当期の直接原価計算による損益計算書から営業利益を求めます。 ➡問1

当期販売量800個のときの損益計算書を作成して営業利益を求めます。

損 益 計 算 書

I 売 上 高		4,800,000	←@6,000円×800個
II 変 動 売 上 原 価		2,560,000	←（@2,000円＋@1,200円）×800個
変動製造マージン		2,240,000	
III 変 動 販 売 費		320,000	←@400円×800個
貢 献 利 益		1,920,000	
IV 固 定 費			
1 固 定 加 工 費	800,000	← STEP 1	
2 固定販売管理費	280,000	←資料5	1,080,000
営 業 利 益		840,000	

STEP ③ 変動費率を計算します。

$$変動費率＝\frac{変動売上原価2,560,000円＋変動販売費320,000円}{売上高4,800,000円}＝0.6$$

STEP ④ 売上高をX円とした場合の損益計算書を作成します。

　上記 STEP 2 と STEP 3 の結果を利用して、売上高を X 円とした直接原価計算による損益計算書を作成します。

損　益　計　算　書

売上高	X
変動費	0.6 X
貢献利益	0.4 X
固定費	1,080,000
営業利益	0.4 X － 1,080,000

> この営業利益(0.4 X －1,080,000)円がいくらになるかを考えることで、分析を行います。

STEP ⑤ STEP 4 の営業利益を利用して、損益分岐点分析を行います。 ➡問2・3

問 2　当期の損益分岐点売上高

　営業利益＝0 円として式を立てて、これを解いて求めます。

　0.4 X －1,080,000＝0

　X ＝2,700,000円より、損益分岐点売上高は2,700,000円となります。

問 3　次期の目標営業利益1,500,000円を達成する売上高

　営業利益＝1,500,000円として式を立てて、これを解いて求めます。

　0.4 X －1,080,000＝1,500,000

　X ＝6,450,000円より、目標営業利益を達成する売上高は6,450,000円です。

復習しよう!

　　損益分岐点分析を行うには、直接原価計算の損益計算書の構造を理解していることが重要です。

① 変動費 → 売上高または販売量に比例して発生します。

② 固定費 → 売上高または販売量にかかわらず、一定額発生します。

上記の関係を理解して、データを整理した後、直接原価計算の損益計算書を作成してから、分析していきましょう。

<table>
<tr><td>応 用</td><td>📖 テキスト 第10章</td></tr>
</table>

67 損益分岐点分析2

解 答

問1　変動費 ┃ 160 ┃ 円／個　　月間固定費 ┃ 8,400,000 ┃ 円

問2 ┃ 210,000 ┃ 個　　　　問3 ┃ 240,000 ┃ 個

解 説

損益分岐点分析の問題です。ただし、製造間接費に関して高低点法で変動費と固定費に分解する必要があります。なお、正常操業圏の制限があるので、この範囲から外れる製造間接費の資料を除外して、高低点法により分解を行うことに気をつけましょう。

STEP ① 正常操業圏における最大の機械作業時間と最小の機械作業時間を求めます。

製品1個あたり2時間要するので、次のように計算されます。

最大の機械作業時間（月間生産量250,000個のとき）

　　2時間／個×250,000個＝500,000時間

最小の機械作業時間（月間生産量200,000個のとき）

　　2時間／個×200,000個＝400,000時間

STEP ② 機械作業時間あたりの変動製造間接費と月間固定費を計算します。 ➡ 問1

400,000時間～500,000時間の範囲で、資料2から機械作業時間（操業度）が最大（2月）と最小（5月）の月のデータを用いて、高低点法で分解します。

$$1時間あたりの変動製造間接費：\frac{15,750,000円（2月）-14,400,000円（5月）}{490,000時間（2月）-400,000時間（5月）}$$

$$=15円／時間$$

月間固定費：2月の総原価15,750,000円－2月の変動費15円／時間×490,000時間
　　　　　　＝8,400,000円

⚠ ここに注意!

高低点法で月間固定費額を求めるときは、最大の月(2月)でも最小の月(5月)でも、その月の製造間接費総額から変動製造間接費を控除すれば、月間固定費額を計算できます。計算してみましょう。

STEP 3 製品1個あたりの変動費を求めます。➡問1

製品1個あたりの原価データを集計して、製品1個あたりの変動費を求めます。

直接材料費：	80 円 / 個
直接労務費：	50 円 / 個
変動製造間接費：15円 / 時間× 2時間 / 個＝	30 円 / 個
合計：製品1個あたりの変動費	160 円 / 個

> ここで問われているのは、製品1個あたりの変動費です。高低点法で求めた変動製造間接費を答えないように気をつけましょう。

STEP 4 販売量をY個とした場合の直接原価計算による損益計算書を作成します。

STEP 2 と STEP 3 の結果を利用して、販売数量をY個とした損益計算書を作成します。

損 益 計 算 書

売上高	200 Y
変動費	160 Y
貢献利益	40 Y
固定費	8,400,000
営業利益	40 Y － 8,400,000

> この営業利益(40 Y －8,400,000)円がいくらになるかを考えることで、分析を行います。

STEP ⑤ STEP4の営業利益を利用して、損益分岐点分析を行います。 ➡ 問2・3

① **損益分岐点での月間販売数量（営業利益＝ 0 円）**

営業利益＝ 0 円として式を立てて、これを解きます。

$40Y - 8,400,000 = 0$

$Y = 210,000$個より、損益分岐点販売数量は210,000個となります。 ➡ 問2

② **月間目標総資本営業利益率が15％となる月間目標販売数量**

総資本営業利益率とは、総資本に対する営業利益の比率を示すもので、次の式で示すことができます。これを変形すると、このときの営業利益を求めることができます。

$$総資本営業利益率 = \frac{営業利益}{総資本}$$

営業利益：総資本8,000,000円×総資本営業利益率15％

＝1,200,000円（月間目標総資本営業利益率が15％となる営業利益）

すなわち、このときの営業利益1,200,000円を得られる販売数量を求めればよいわけです。

あとは、営業利益＝1,200,000円として式を立てて、これを解きます。

$40Y - 8,400,000 = 1,200,000$

$Y = 240,000$個より、月間目標総資本営業利益率が15％となる月間目標販売数量は240,000個となります。 ➡ 問3

復習しよう！

　損益分岐点分析では、与えられた資料から、条件を満たす営業利益の金額を求めたうえで（本問では総資本営業利益率から算定）分析する場合があります。一見難しそうに見えますが、その関係は非常に単純ですから、できなかった方はしっかり復習しておきましょう。

68 損益分岐点分析３

解　答

問1

損　益　計　算　書　　　　　（単位：円）

売　上　高	（　　　　2,000,000　）
変　動　費	（　　　　　800,000　）
貢　献　利　益	（　　　　1,200,000　）
固　定　費	（　　　　　900,000　）
営　業　利　益	（　　　　　300,000　）

問2　損益分岐点売上高　　　1,500,000　円

問3　固定費削減目標額　　　150,000　円

問4　目標売上高　　　2,250,000　円

解　説

全部原価計算の損益計算書を基にして直接原価計算の損益計算書を作成します。文章で変動費に関するデータが与えられているため、このデータを利用して固定費の金額を算定します。損益計算書ができれば、あとはオーソドックスなCVP分析の問題となります。

問1

1．単位当たり変動製造原価

　　直接材料費100円＋直接労務費200円＋製造間接費400円＝@700円

2．売上原価の分解

　　売上原価を変動費と固定費に分解します。売上原価は販売された製品1,000個の製造原価を表しますが、変動製造原価は次のとおりです。

　　変動製造原価：@700円×1,000個＝700,000円

　売上原価1,300,000円から変動製造原価を控除すれば、固定製造原価が求まります。

　　　　固定製造原価：1,300,000円－700,000円＝600,000円

3．販管費（販売費及び一般管理費）の分解

まず変動販売費を計算します。

　　　　変動販売費：＠100円×1,000個＝100,000円

販管費400,000円から変動販売費を控除すれば、固定販管費が求まります。

　　　　固定販管費：400,000円－100,000円＝300,000円

4．変動費と固定費合計

　　　　変動費：変動製造原価700,000円＋変動販売費100,000円＝800,000円
　　　　固定費：固定製造原価600,000円＋固定販管費300,000円＝900,000円

問2

1．貢献利益率の算定

　　　　貢献利益1,200,000円÷売上高2,000,000円＝0.6

2．損益分岐点売上高

固定費を貢献利益率で割り算することで求めることができます。

　　　　損益分岐点売上高：900,000円÷0.6＝1,500,000円

3．安全余裕額（補足）

　　　　安全余裕額：売上高2,000,000円－損益分岐点売上高1,500,000円＝500,000円

4．安全余裕率（補足）

　　　　安全余裕額500,000円÷売上高2,000,000円＝0.25

問3

　現状の営業利益300,000円を1.5倍、つまり450,000円にするためには、150,000円増加させる必要があります。つまり、本問を読み替えると、「営業利益を150,000円増加させるためには、いくら固定費を削減する必要があるのか」となります。これは計算するまでもなく、150,000円が解答となります。

問4

営業利益450,000円を獲得するための売上高を計算します。

1．目標貢献利益の算定

営業利益は貢献利益から固定費を控除した金額ですから、営業利益に固定費を加算すれば貢献利益が求まります。この関係を利用して、営業利益450,000円を達成するための貢献利益を求めます。

目標貢献利益：目標営業利益450,000円＋固定費900,000円＝1,350,000円

2．目標売上高の算定

売上高に貢献利益率をかけ算すれば貢献利益が求まりますから、貢献利益を貢献利益率で割り算すれば売上高が求まります。この関係を利用して、目標売上高を計算します。

目標売上高：目標貢献利益1,350,000円÷貢献利益率0.6＝2,250,000円

応 用

テキスト 第10章

69 損益分岐点分析4

解 答

問1 　34,800,000　円 　　　問3 　1,700　個

問2 　1,470　個 　　　　　問4 　750,000　円

解 説

ここが
ポイント！

本問は、通常の分析を行った後、途中で販売単価を引き下げた場合の
分析を行う必要があります。この場合にも変更後のデータに基づいて、
売上数量もしくは売上高を変数とした簡単な損益計算書を作成して分
析を行っていきます。変更になった部分がどこなのかに注意して資料を整理して
いけば、容易に分析できるでしょう。

STEP 1 売上数量をA個とした場合の損益計算書を作成します。

　問題の資料から、当月の実績データに基づいて、売上数量をA個とした直接原
価計算による損益計算書を作成します。

損 益 計 算 書

売上高	40,000 A	
変動費	30,000 A	$= 21{,}000\,A + 9{,}000\,A$
貢献利益	10,000 A	
固定費	8,700,000	$= 7{,}500{,}000 + 1{,}200{,}000$
営業利益	10,000 A － 8,700,000	

STEP 2 STEP1の営業利益を利用して、損益分岐点分析を行います。 ➡問1・2

① 損益分岐点月間売上高（営業利益＝0円）

　損益分岐点月間売上数量から、損益分岐点月間売上高を求めます。

　まず、営業利益＝0円として式を立てて、これを解きます。

$$10{,}000\,A - 8{,}700{,}000 = 0$$

A＝870個より、損益分岐点月間売上数量は870個となります。

次にこのときの売上高を求めます。

損益分岐点月間売上高：@40,000円×870個＝34,800,000円 ➡ 問1

② **目標営業利益6,000,000円を達成する売上数量（営業利益＝6,000,000円）**

営業利益＝6,000,000円として式を立てて、これを解きます。

10,000 A－8,700,000＝6,000,000

A＝1,470個より、目標営業利益6,000,000円を達成する売上数量は1,470個となります。 ➡ **問2**

STEP ③ 当月の営業利益を計算します。

問題の資料から、当月の売上数量は1,275個です。これを STEP 1 の損益計算書の営業利益に当てはめて、当月の営業利益を求めます。

当月の営業利益：@10,000円×1,275個－8,700,000円＝4,050,000円

> 売上数量が判明すれば、その時の営業利益は式に当てはめることで、容易に求めることができます。

STEP ④ 売上数量をA' 個として、条件変化後の損益計算書を作成します。

条件のうち変化するのは、販売単価だけで、その他の条件は変化しません。変化する部分、変化しない部分がそれぞれどこなのか確認して、条件変化後の損益計算書を作成します。

損 益 計 算 書

売上高	37,500 A'　＝(40,000－2,500) A'
変動費	30,000 A'
貢献利益	7,500 A'
固定費	8,700,000
営業利益	7,500 A'－8,700,000

STEP 5 STEP4の営業利益を利用して、損益分岐点分析を行います。 ➡ 問3

当月と同額の営業利益（＝4,050,000円）を得るための売上数量は次のように計算します。

営業利益＝4,050,000円として式を立てて、これを解きます。

7,500 A'－8,700,000＝4,050,000

A'＝1,700個より、当月と同額の営業利益4,050,000円を得るための売上数量は1,700個となります。 ➡ 問3

STEP 6 次月の売上数量が1,600個の場合の営業利益を求めます。

次月の売上数量1,600個を、STEP 4の損益計算書の営業利益に当てはめて、このときの営業利益を計算します。

売上数量が1,600個のときの営業利益：＠7,500円×1,600個－8,700,000円

＝3,300,000円

STEP 7 当月と比較した営業利益の減少額を計算します。 ➡ 問4

当月と比較して計算したSTEP 6での営業利益の減少額が、固定費の要削減額となります。

営業利益の減少額：当月4,050,000円－次月3,300,000円

＝750,000円（固定費の要削減額） ➡ 問4

営業利益を増やすためには、収益を増やすか費用を減らす必要があります。

売上高を増やせないですし、変動費も減らせないので、固定費を減らします。

応用

テキスト　第11章

70 本社工場会計1

解　答

	借方科目	金　額	貸方科目	金　額
1	材　　　料	2,000,000	本　　　社	2,000,000
2	仕　掛　品	1,000,000	材　　　料	1,500,000
	製造間接費	500,000		
3	賃　　　金	1,350,000	本　　　社	1,850,000
	製造間接費	500,000		
4	仕　掛　品	1,500,000	賃　　　金	1,500,000
5	経　　　費	1,200,000	本　　　社	1,200,000
6	仕　掛　品	400,000	経　　　費	1,100,000
	製造間接費	700,000		
7	仕　掛　品	1,650,000	製造間接費	1,650,000
8	原価差異	50,000	製造間接費	50,000
9	製　　　品	3,030,000	仕　掛　品	3,030,000
10	本　　　社	1,000,000	製　　　品	1,000,000

解　説

ここが
ポイント！

本社工場会計の（工場側の）仕訳問題ですが、本社工場会計を用いていない場合の仕訳のうち、工場で設定されている勘定科目に着目して仕訳していきましょう。仕訳が本社と工場に分かれる場合には、相手勘定科目を（本問では）「本社」勘定として処理します。また9と10で指図書別の完成品原価で仕訳を行いますので、原価の消費や予定配賦の仕訳のつど、忘れずに指図書別に製造原価を集計していってください。

1．材料の購入に関する仕訳

（全体）（借）材　　　料　2,000,000　（貸）買　掛　金　2,000,000
　　　　　　　－工場の科目－　　　　　　　　　　　　　　　－本社の科目－

　　　　　　　⬇そのまま　　　　　　　　　　　　⬇ ないので

（工場）（借）材　　　料　2,000,000　（貸）本　　　　社　2,000,000

2．材料の消費に関する仕訳

　　材料消費額：月初300,000円＋当月仕入2,000,000円－月末800,000円
　　　　　　　　＝1,500,000円

（全体）（借）仕　掛　品　1,000,000　（貸）材　　　料　1,500,000
　　　　　　　－工場の科目－　　　　　　　　　　　　　　　　－工場の科目－

　　　　　　　製造間接費　　500,000
　　　　　　　－工場の科目－

　　　　　　　⬇そのまま　　　　　　　　　　　　　　　⬇そのまま
　すべて工場の科目で仕訳されますので、会社全体の仕訳を工場で行います。

3．賃金等の支払に関する仕訳

　　諸手当については、従業員賞与手当勘定を用いた処理は行っていません。そこで、支払額をそのまま消費額として、直接、製造間接費勘定の借方に計上します。

（全体）（借）賃　　　金　1,350,000　（貸）現金預金など　1,850,000
　　　　　　　－工場の科目－　　　　　　　　　　　　　　　－本社の科目－

　　　　　　　製造間接費　　500,000
　　　　　　　－工場の科目－

　　　　　　　⬇そのまま　　　　　　　　　　　　　　⬇ ないので

（工場）（借）賃　　　金　1,350,000　（貸）本　　　　社　1,850,000

　　　　　　　製造間接費　　500,000

4．賃金の消費に関する仕訳

（全体）（借）仕　掛　品　1,500,000　（貸）賃　　　金　1,500,000
　　　　　　　－工場の科目－　　　　　　　　　　　　　　　－工場の科目－

　　　　　　　⬇そのまま　　　　　　　　　　　　　　　⬇そのまま
　すべて工場の科目で仕訳されますので、会社全体の仕訳を工場で行います。

5．経費の支払に関する仕訳

（全体）	（借）経　　　　費	1,200,000	（貸）現金預金など	1,200,000
	−工場の科目−		−本社の科目−	

↓そのまま　　　　　　　　　　　　↓ないので

（工場）	（借）経　　　　費	1,200,000	（貸）本　　　　社	1,200,000

6．経費の消費に関する仕訳

経費消費額：月初前払100,000円＋当月支払1,200,000円−月末前払200,000円
　　　　　　＝1,100,000円

（全体）	（借）仕　掛　品	400,000	（貸）経　　　　費	1,100,000
	−工場の科目−		−工場の科目−	
	製 造 間 接 費	700,000		
	−工場の科目−			

↓そのまま　　　　　　　　　　　　↓そのまま

すべて工場の科目で仕訳されますので、会社全体の仕訳を工場で行います。

7．製造間接費の予定配賦に関する仕訳

製造間接費予定配賦額：当月直接労務費1,500,000円（4より）×110%
　　　　　　　　　　　＝1,650,000円

（全体）	（借）仕　掛　品	1,650,000	（貸）製 造 間 接 費	1,650,000
	−工場の科目−		−工場の科目−	

↓そのまま　　　　　　　　　　　　↓そのまま

すべて工場の科目で仕訳されますので、会社全体の仕訳を工場で行います。

8．原価差異の計上に関する仕訳

製造間接費

実際発生額 1,700,000	2.間接材料費 500,000	7.予定配賦額
	3.間接労務費 500,000	1,650,000
	6.間接経費 700,000	8.原価差異 50,000 →原価差異勘定 借方へ

（全体）	（借）原 価 差 異	50,000	（貸）製 造 間 接 費	50,000
	−工場の科目−		−工場の科目−	

↓そのまま　　　　　　　　　　　　↓そのまま

すべて工場の科目で仕訳されますので、会社全体の仕訳を工場で行います。

●解答・解説編

9. 製品完成に関する仕訳

以下のように、指図書別原価計算表を作成して、そのうち指図書No.1とNo.2の製造原価を仕掛品勘定から製品勘定に振替えます。

原　価　計　算　表　　　　（単位：円）

	指図書No.1	指図書No.2	指図書No.3	合　計	参　考
月初仕掛品原価	450,000	－	－	450,000	9より
直接材料費	－	600,000	400,000	1,000,000	2より
直接労務費	200,000	600,000	700,000	1,500,000	4より
直接経費	130,000	170,000	100,000	400,000	6より
製造間接費	220,000	660,000	770,000	1,650,000	7より
製造原価	1,000,000	2,030,000	1,970,000	5,000,000	
備考	完成	完成	仕掛中		

（全体）（借）製　品　3,030,000　（貸）仕　掛　品　3,030,000
　　　　　　－工場の科目－　　　　　　　　　　　　　－工場の科目－
　　　　　　　　↓そのまま　　　　　　　　　　　　　↓そのまま

すべて工場の科目で仕訳されますので、会社全体の仕訳を工場で行います。

10. 製品の納入に関する仕訳

納入価格（販売価格）は不明ですので、指図書No.1の製造原価を売上原価に振替える仕訳のみを行います。

（全体）（借）売　上　原　価　1,000,000　（貸）製　品　1,000,000
　　　　　　－本社の科目－　　　　　　　　　　　　　－工場の科目－
　　　　　　　↓ないので　　　　　　　　　　　　　　↓そのまま

（工場）（借）本　社　1,000,000　（貸）製　品　1,000,000

応 用	テキスト 第11章

71 本社工場会計2

解 答

		借方科目	金　額	貸方科目	金　額
(1)	本社	工 場 元 帳	500,000	買 　掛 　金	500,000
	工場	材 　　料	500,000	本 社 元 帳	500,000
(2)	本社	仕 訳 な し			
	工場	仕 　掛 　品	400,000	材 　　料	400,000
(3)	本社	工 場 元 帳	500,000	現 　　金	500,000
	工場	賃 金 ・ 給 料	500,000	本 社 元 帳	500,000
(4)	本社	仕 訳 な し			
	工場	仕 　掛 　品	700,000	賃 金 ・ 給 料	700,000
(5)	本社	工 場 元 帳	200,000	減価償却累計額	200,000
	工場	製 造 間 接 費	200,000	本 社 元 帳	200,000
(6)	本社	製 　　品	1,300,000	工 場 元 帳	1,300,000
	工場	本 社 元 帳	1,300,000	仕 　掛 　品	1,300,000

解 説

ここが
ポイント!

「本社」勘定の代わりに「本社元帳」勘定、「工場」勘定の代わりに「工場元帳」勘定が用いられています。また、本問では、本社側の処理も問われており、工場側での処理とセットでおさえましょう。

1．材料の掛購入

「本社」勘定、「工場」勘定の代わりに「本社元帳」勘定、「工場元帳」勘定を使います。

2．材料の出庫

材料が消費されるだけなので、本社において仕訳は行われません。

3．賃金の支払い

　本社から工場従業員に対して賃金の支払いがなされるため、現金勘定が減ります。

4．賃金の消費

　賃金が消費されるだけなので、本社において仕訳は行われません。

5．減価償却費の計上

　工場の残高試算表には減価償却費の対象となる資産が計上されていないため、本社で資産の管理がなされていることがわかります。したがって、減価償却累計額を本社で計上し、製造間接費を工場で計上します。

6．製品の搬送

　製品が完成したため、仕掛品勘定から製品勘定へ振替えます。製品は本社倉庫で保管されるので、本社で製品勘定の記帳を行います。

(本社)	(借)	製　　品	1,300,000	(貸)	工 場 元 帳	1,300,000

↑　　　　　　　　　　　　　　　↑ ないので

(全体)	(借)	製　　品	1,300,000	(貸)	仕 掛 品	1,300,000

－本社の科目－　　　　　　　　　　－工場の科目－

↓ ないので　　　　　　　　　　　　↓

(工場)	(借)	本 社 元 帳	1,300,000	(貸)	仕 掛 品	1,300,000

●仕訳対策　仕訳問題1

応　用

テキスト　第2・3・11章

72 仕訳問題1

解答解説
応用

解　答

	借方科目	金　額	貸方科目	金　額
1	ア	1,134,000	キ	1,050,000
			エ	84,000
2	イ	4,500,000	エ	4,860,000
	オ	360,000		
3	イ	2,750,000	エ	2,750,000
4	オ	40,000	エ	150,000
	カ	110,000		
5	カ	7,000	エ	7,000

解　説

ここがポイント！

工業簿記でも仕訳が問われます。勘定連絡図をイメージしながら仕訳をできるようになりましょう。なお、実際の試験問題では、様々な論点から3題出題されるので、満遍なく学習することが大切です。
本社工場会計の問題では、工場で用意している勘定には何があるかを意識して仕訳する必要があります。

1．材料の購入

　材料の購入原価は、材料の購入代価(本体価格)に材料副費(付随費用)を加算した金額です。なお、本問では、材料副費を予定配賦しているので、予定配賦額部分を材料副費で処理します。また、代金の支払いについては本社が行うため、買掛金の分を本社で処理します。

　　購入代価：750,000円＋300,000円＝1,050,000円

　　材料副費：1,050,000円×8％＝84,000円

　　(借)材　　　　料　1,134,000　　(貸)本　　　　社　1,050,000
　　　　　　　　　　　　　　　　　　　　　材 料 副 費　　 84,000

2．直接工賃金の消費

　直接工の賃金消費額を予定総平均賃率に基づいて計算します。なお、直接工の賃金消費額のうち、直接作業時間に対応する分は直接労務費、間接作業時間に対応する分は間接労務費になります。

　　直接労務費：@1,800円×2,500時間＝4,500,000円

　　間接労務費：@1,800円×200時間＝360,000円

　　(借)仕　　掛　　品　4,500,000　　(貸)賃　　　　金　4,860,000
　　　　製 造 間 接 費　　360,000

3．製造間接費の予定配賦

　予定配賦率を求め、設問2の直接作業時間を掛けることで予定配賦額を求めます。

$$予定配賦率：\frac{製造間接費年間予算}{年間予定総直接作業時間} = \frac{34,320,000円}{31,200時間} = @1,100円$$

　　予定配賦額：@1,100円×2,500時間＝2,750,000円

　　(借)仕　　掛　　品　2,750,000　　(貸)製 造 間 接 費　2,750,000

4．製造間接費配賦差異の分析と振替

　製造間接費の予算について、変動費と固定費に分けるための資料がありません。そのため、変動予算を採用することが不可能です。そこで、固定予算を前提として考えます。本問の場合、製造間接費の年間予算額から月間予算額を求め、これを、予算許容額とします。

　　また、製造間接費配賦差異は、予算差異と操業度差異に分析できますが、予算差異は予算許容額と実際発生額との差額として計算でき、操業度差異は予定配賦額と予算許容額との差額として計算できるので、実際操業度が分からなくても計算できます。

　　　製造間接費月間予算額：34,320,000円÷12ヶ月＝2,860,000円

　　　製造間接費配賦差異：予定配賦額－実際発生額

　　　　　　　　　　　＝2,750,000円－2,900,000円＝△150,000円（不利差異）

　　　予算差異：予算許容額－実際発生額

　　　　　　　＝2,860,000円－2,900,000円＝△40,000円（不利差異）

　　　操業度差異：予定配賦額－予算許容額

　　　　　　　　＝2,750,000円－2,860,000円＝△110,000円（不利差異）

　　（借）予　算　差　異　　　　40,000　　　（貸）製 造 間 接 費　　　150,000
　　　　　操 業 度 差 異　　　110,000

⚠️ここに注意！

予算差異や操業度差異に振替える場合、いったん、製造間接費から製造間接費配賦差異へ振替えた後、製造間接費配賦差異から予算差異や操業度差異へ振替えることもあります。しかし、本問では、製造間接費配賦差異が語群にないため、製造間接費から直接、予算差異や操業度差異へ振替えます。

5．材料副費配賦差異の振替

　　設問1の材料副費の予定配賦額と実際発生額との差額が、材料副費差異です。これを、材料副費勘定から材料副費差異勘定へ振替えます。

　　　材料副費差異：84,000円－91,000円＝△7,000円（不利差異）

　　（借）材 料 副 費 差 異　　　7,000　　　（貸）材 料 副 費　　　7,000

応 用	テキスト　第4章

73 仕訳問題2

	借方科目	金　　額	貸方科目	金　　額
1	ア	5,300,000	エ	2,100,000
			オ	3,200,000
2	エ	2,040,000	ウ	5,385,000
	オ	3,080,000		
	カ	265,000		
3	エ	100,000	カ	250,000
	オ	150,000		
4	キ	15,000	カ	15,000
5	キ	70,000	エ	40,000
			オ	30,000

解　説

ここが
ポイント！

本問では、部門別計算の全体像の理解が重要です。また、補助部門費を製造部門へ予定配賦をする場合、製造部門の実際発生額は、第1次集計の結果と補助部門費の予定配賦額から構成されていることも理解しましょう。

1．製造部門費の予定配賦

　各製造部門の予定配賦率に実際直接作業時間を掛けて、予定配賦額を求めます。

　　切削部：3,500円／時間×600時間＝2,100,000円

　　組立部：2,000円／時間×1,600時間＝3,200,000円

　　（借）仕　掛　品　　5,300,000　　（貸）切　削　部　費　　2,100,000
　　　　　　　　　　　　　　　　　　　　　　組　立　部　費　　3,200,000

2．第1次集計

　製造間接費の実際発生額について、部門個別費を各部門に賦課し、部門共通費を各部門に配賦した結果が与えられているので、製造間接費勘定から各部門の勘定へ振替えます。

　　（借）切　削　部　費　　2,040,000　　（貸）製　造　間　接　費　　5,385,000
　　　　　組　立　部　費　　3,080,000
　　　　　修　繕　部　費　　　265,000

3．第2次集計（補助部門費の予定配賦）

　修繕部費について、切削部と組立部へ予定配賦をします。修繕部の予定配賦率に実際修繕時間を掛けて、予定配賦額を求めます。

　　切削部：2,500円／時間×40時間＝100,000円

　　組立部：2,500円／時間×60時間＝150,000円

　　（借）切　削　部　費　　100,000　　（貸）修　繕　部　費　　250,000
　　　　　組　立　部　費　　150,000

4．補助部門費配賦差異の振替

　本問では、修繕部における予定配賦額と実際発生額との差額が、補助部門費配賦差異です。これを、修繕部費勘定から原価差異の勘定へ振替えます。ここで、修繕部における実際発生額とは、第1次集計によって修繕部費勘定の借方に集計された金額の合計です。

　　配賦差異：250,000円－265,000円＝△15,000円（不利差異）

　　（借）原　価　差　異　　15,000　　（貸）修　繕　部　費　　15,000

5．製造部門費配賦差異の振替

　　各製造部門における予定配賦額と実際発生額との差額が製造部門費配賦差異です。これを、各製造部門の勘定から原価差異の勘定へ振替えます。ここで、製造部門における実際発生額とは、第 1 次集計及び第 2 次集計によって切削部費勘定や組立部費勘定の借方に集計された金額の合計です。つまり、本問では、補助部門費の予定配賦額が、製造部門費の実際発生額を構成していることになります。

　　　＜切削部＞
　　　　実際発生額：2,040,000円＋100,000円＝2,140,000円
　　　　配賦差異：2,100,000円－2,140,000円＝△40,000円（不利差異）
　　　＜組立部＞
　　　　実際発生額：3,080,000円＋150,000円＝3,230,000円
　　　　配賦差異：3,200,000円－3,230,000円＝△30,000円（不利差異）

（借）原 価 差 異	70,000	（貸）切 削 部 費	40,000
		組 立 部 費	30,000

【勘定連絡図】

修繕部費		
第 1 次集計	予定配賦額	
265,000	250,000	
	配賦差異	
	15,000	

切削部費		
第 1 次集計	予定配賦額	
2,040,000	2,100,000	
第 2 次集計		
100,000	配賦差異	
	40,000	

切削部費		
第 1 次集計	予定配賦額	
3,080,000	3,200,000	
第 2 次集計		
150,000	配賦差異	
	30,000	

各部門の勘定の借方に集計された金額が、各部門における実際発生額です。

応用

74 仕訳問題3

テキスト 第9章

解　答

	借方科目	金　額	貸方科目	金　額
1	ウ	8,000,000	イ	8,000,000
2	イ	8,160,000	ア	840,000
			エ	2,340,000
			オ	4,980,000
3	キ	40,000	イ	40,000
4	イ	60,000	キ	60,000
5	キ	180,000	イ	180,000

解　説

ここがポイント!

標準原価計算の記帳の全体像を理解しているかが重要な問題です。
パーシャル・プランとシングル・プランのいずれについても、当月投入原価の仕訳と原価差異の把握できる勘定については特に重要です。
仕訳パターンだけでなく、勘定連絡図の全体像も大切にしましょう。

1．完成品原価の振替

　　原価標準に当月の生産量(完成品数量)を掛けて完成品の標準原価を求め、仕掛品勘定から製品勘定へ振替えます。

　　完成品の標準原価：4,000円／個×2,000個＝8,000,000円

　　　　(借)製　　　　品　8,000,000　　(貸)仕　掛　品　8,000,000

2．当月投入原価の振替

　　パーシャル・プランでは、当月投入原価を各費目の勘定から仕掛品勘定へ振替える際に、実際原価を用いて処理します。

　　　　(借)仕　　掛　　品　8,160,000　　(貸)材　　　　料　　840,000
　　　　　　　　　　　　　　　　　　　　　　　賃　　　　金　2,340,000
　　　　　　　　　　　　　　　　　　　　　　　製 造 間 接 費　4,980,000

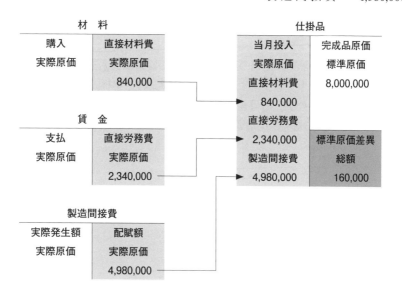

３．直接材料費差異の振替

　　当月投入の直接材料費について、標準原価と実際原価との差額が直接材料費差異です。パーシャル・プランでは、この直接材料費差異が仕掛品勘定で把握できるので、仕掛品勘定から原価差異の勘定へ振替えます。なお、月初及び月末に仕掛品がないため、当月投入の実在量は生産量と同じになります。

　　標準原価：400円／個×2,000個＝800,000円

　　直接材料費差異：800,000円－840,000円＝△40,000円（不利差異）

　　　（借）標準原価差異　　　40,000　　　（貸）仕　掛　品　　　40,000

４．直接労務費差異の振替

　　当月投入の直接労務費について、標準原価と実際原価との差額が直接労務費差異です。パーシャル・プランでは、この直接労務費差異が仕掛品勘定で把握できるので、仕掛品勘定から原価差異の勘定へ振替えます。なお、月初及び月末に仕掛品がないため、当月投入の完成品換算量は生産量と同じになります。

　　標準原価：1,200円／個×2,000個＝2,400,000円

　　直接労務費差異：2,400,000円－2,340,000円＝60,000円（有利差異）

　　　（借）仕　掛　品　　　60,000　　　（貸）標準原価差異　　　60,000

５．製造間接費差異の振替

　　当月投入の製造間接費について、標準原価と実際原価との差額が製造間接費差異です。パーシャル・プランでは、この製造間接費差異が仕掛品勘定で把握できるので、仕掛品勘定から原価差異の勘定へ振替えます。

　　標準原価：2,400円／個×2,000個＝4,800,000円

　　製造間接費差異：4,800,000円－4,980,000円＝△180,000円（不利差異）

　　　（借）標準原価差異　　　180,000　　　（貸）仕　掛　品　　　180,000

直接材料費差異、直接労務費差異、製造間接費差異のように、原価差異の内容に応じた勘定を設けて振替えることもあります。

復習しよう！

標準原価計算の記帳方法には、パーシャル・プランの他に、シング
ル・プランも学習しています。シングル・プランでの仕訳も考えて
みましょう。

1．完成品原価の振替

完成品の標準原価：4,000円／個×2,000個＝8,000,000円

（借）製　　　　品　8,000,000　　（貸）仕　掛　品　8,000,000

2．当月投入原価の振替

シングル・プランでは、当月投入原価を各費目の勘定から仕掛品勘定へ振
替える際に、標準原価を用いて処理します。

直接材料費：400円／個×2,000個＝800,000円

直接労務費：1,200円／個×2,000個＝2,400,000円

製造間接費：2,400円／個×2,000個＝4,800,000円

（借）仕　掛　品　8,000,000　　（貸）材　　　料　　800,000
　　　　　　　　　　　　　　　　　　　賃　　　金　2,400,000
　　　　　　　　　　　　　　　　　製 造 間 接 費　4,800,000

3．直接材料費差異の振替

シングル・プランでは、標準原価差異が各費目の勘定で把握できます。

直接材料費差異：800,000円－840,000円＝△40,000円（不利）

（借）標準原価差異　　40,000　　（貸）材　　　料　　40,000

4．直接労務費差異の振替

直接労務費差異：2,400,000円－2,340,000円＝60,000円（有利）

（借）賃　　　金　　60,000　　（貸）標準原価差異　　60,000

5．製造間接費差異の振替

製造間接費差異：4,800,000円－4,980,000円＝△180,000円（不利）

（借）標準原価差異　180,000　　（貸）製 造 間 接 費　180,000

日商簿記2級 光速マスターNEO 工業簿記 問題集〈第4版〉

2016年2月25日　第1版　第1刷発行
2022年3月30日　第4版　第1刷発行
　　　著　者● 株式会社　東京リーガルマインド
　　　　　　　LEC総合研究所　日商簿記試験部

　　発行所● 株式会社　東京リーガルマインド
　　　　　　 〒164-0001　東京都中野区中野4-11-10
　　　　　　　　　　　　　アーバンネット中野ビル
　　　　　　 LECコールセンター　　📧 0570-064-464
　　　　　　　　受付時間　平日9:30～20:00／土・祝10:00～19:00／日10:00～18:00
　　　　　　　　※このナビダイヤルは通話料お客様ご負担となります。
　　　　　　 書店様専用受注センター　TEL 048-999-7581 / FAX 048-999-7591
　　　　　　　　受付時間　平日9:00～17:00／土・日・祝休み
　　　　　　 www.lec-jp.com/

　　　　　カバーデザイン● 株式会社エディポック
　　　　　カバー・本文イラスト● いさじ たけひろ
　　　　　本文デザイン● ティー エス エヌ
　　　　　印刷・製本● 倉敷印刷株式会社

日商簿記

簿記とは   すべてのビジネスパーソンに役立つ!!

簿記は世界で通用するビジネスの共通言語であり、ビジネスパーソンにとって必要不可欠な知識です。簿記を学習することで、企業活動や社会経済システムが分かり、企業のIR情報や新聞の経済記事などを理解することができます。また、損益計算書や貸借対照表を読み取れるようになるため、企業の経営成績や財政状態を数字で分析するスキルが身に付き、ビジネスや投資活動に役立てることができます。さらに、簿記検定は会計系資格のベースであり、短期間で取得可能なことから、専門資格へのステップアップの第一歩となります。簿記検定の知識やノウハウを生かせる専門資格や活躍の場は多岐にわたり、キャリアアップの可能性がひろがります。日商簿記は、社内での昇給昇格や専門職への転職を希望する社会人、就職活動を控えた学生などにとって、履歴書にアピールポイントとして記載できる資格として、ビジネス社会で活躍するための強力な武器となる資格です。

日商簿記検定ガイド

日商簿記検定は、1級を除いた場合「上位何パーセント合格」といった競争試験ではなく、合格点をクリアしていれば、全員が合格となります。努力した分、確実に結果を得られる資格試験です。

受験資格   学歴・年齢・性別・国籍に制限はありません。(どなたでも受験できます)

各級レベル

	3級	2級	1級
レベル	[簿記の基本] 商業簿記のみの学習ですが、小規模株式会社の経理実務を前提とし、現代のビジネス社会における新しい取引にも対応できる実践的な知識が身につきます。 (学習の目安:1.5〜2.5ヶ月/約90時間)	[企業に求められる資格の一つ] 経営管理・財務担当者には必須の知識とされる財務諸表の数字を読み解く力が身につき、経営内容を把握できるようになります。 (学習の目安:3〜6ヶ月/約250時間)	[簿記の最高峰] 公認会計士、税理士などの国家資格への登竜門。極めて高度な商業簿記・会計学・工業簿記・原価計算を学び、会計基準・会社法・財務諸表等規則などの企業会計に関する法規を理解し、経営管理や経営分析ができます。 (学習の目安:6ヶ月以上/約550時間)
試験科目・試験時間	商業簿記/60分	商業簿記 工業簿記/90分	商業簿記・会計学/1時間30分 工業簿記・原価計算/1時間30分 (計3時間)
点数配分・合格点	100点/70点以上	商業簿記60点 工業簿記40点 [計100点] /2科目合計70点以上	各科目25点 [計100点]/4科目合計70点以上(ただし1科目でも10点に満たない場合は不合格)

実施試験日   統一試験:2月・6月・11月の年3回(1級は6月・11月のみ)
ネット試験:随時(試験センターが定める日時)

LEC日商簿記   受験生の立場になって真剣に考えました

合格への安心サポート！

2級・3級

安心 1 都合に合わせて学習が開始できる　〜配信期間はお申込日からカウントします〜

講座配信日を見直し、配信期間は申込日からカウントすることにしました。いつ学習を開始されても、2級180日間、3級120日間配信します。一律で配信終了日が決められている講座のように、申込日が遅いと学習期間が短くなってしまうというデメリットが解消されました。

安心 2 選べる講義　〜Web講義は一科目につき、二人の講師の講義が受講できる〜

3級完全マスター講座のWeb講義は、講義時間の異なる二人の講師の講義が視聴できます。
2級完全マスター講座は、対象者・回数を変えた二つの講義が受講できます。予習と復習で講師を変えてみるなど、様々な使い方ができます。

安心 3 ネット方式が体験できる　〜Web模試を販売中〜

新たに開始された「ネット試験」。本番前にはネット方式も体験しておきたいもの。LECでは本試験と同様の環境が体験できるWeb模試を提供しています。受講期間中なら、何度でもトライアルできます。
3級Web模試　2,750円(税込)　/　2級Web模試　4,400円(税込)

1級

安心 1 「安心の学習期間」　〜次回の検定までWeb受講可能〜

コースに含まれているすべての講座は目標検定の次の検定試験日の月末までWeb講義を配信します！お仕事などで「目標検定までに講義が受講できなかった」「次の検定で再度チャレンジしたい！」という方も安心。追加料金もなしで、安心して受講できます。
※教えてチューターも次回の検定までご利用できます。

安心 2 選べる講義　〜Webは一科目につき、2講師の講義で受講できる〜

「1級パーフェクト講座」は、対象者の異なる2種類の講義を配信しています。
初めて1級を受験する方には「ベーシック講義」(全66回)、受験経験があり重要ポイントを中心に確認したい方には「アドバンス講義」(全40回)がおススメです。
Web講義なら、別途受講料不要で、2つの講義が視聴できます。
2種類の講義は、使い方次第で多くのメリットが生まれます。
■対象講座：「1級パーフェクト講座」

LECコールセンター 📞 0570-064-464　平日：9:30〜20:00／土：10:00〜19:00／日：10:00〜18:00

※このナビダイヤルは通話料お客様ご負担となります。※固定電話・携帯電話共通(PHS・IP電話からはご利用できません)

日商簿記講座ホームページ　www.lec-jp.com/boki/

LEC Webサイト ▷▷ **www.lec-jp.com/**

情報盛りだくさん！

 資格を選ぶときも、
講座を選ぶときも、
最新情報でサポートします！

最新情報
各試験の試験日程や法改正情報、対策講座、模擬試験の最新情報を日々更新しています。

資料請求
講座案内など無料でお届けいたします。

受講・受験相談
メールでのご質問を随時受付けております。

よくある質問
LECのシステムから、資格試験についてまで、よくある質問をまとめました。疑問を今すぐ解決したいなら、まずチェック！

書籍・問題集（LEC書籍部）
LECが出版している書籍・問題集・レジュメをこちらで紹介しています。

充実の動画コンテンツ！

 ガイダンスや講演会動画、
講義の無料試聴まで
Webで今すぐCheck！

動画視聴OK
パンフレットやWebサイトを見てもわかりづらいところを動画で説明。いつでもすぐに問題解決！

Web無料試聴
講座の第1回目を動画で無料試聴！気になる講義内容をすぐに確認できます。

LEC 全国学校案内

LEC本校

■ 北海道・東北

札　幌本校　　☎011(210)5002
〒060-0004 北海道札幌市中央区北4条西5-1　アスティ45ビル

仙　台本校　　☎022(380)7001
〒980-0022 宮城県仙台市青葉区五橋1-1-10　第二河北ビル

■ 関東

渋谷駅前本校　　☎03(3464)5001
〒150-0043 東京都渋谷区道玄坂2-6-17　渋東シネタワー

池　袋本校　　☎03(3984)5001
〒171-0022 東京都豊島区南池袋1-25-11　第15野萩ビル

水道橋本校　　☎03(3265)5001
〒101-0061 東京都千代田区神田三崎町2-2-15　Daiwa三崎町ビル

新宿エルタワー本校　　☎03(5325)6001
〒163-1518 東京都新宿区西新宿1-6-1　新宿エルタワー

早稲田本校　　☎03(5155)5501
〒162-0045 東京都新宿区馬場下町62　三朝庵ビル

中　野本校　　☎03(5913)6005
〒164-0001 東京都中野区中野4-11-10　アーバンネット中野ビル

立　川本校　　☎042(524)5001
〒190-0012 東京都立川市曙町1-14-13　立川MKビル

町　田本校　　☎042(709)0581
〒194-0013 東京都町田市原町田4-5-8　町田イーストビル

横　浜本校　　☎045(311)5001
〒220-0004 神奈川県横浜市西区北幸2-4-3　北幸GM21ビル

千　葉本校　　☎043(222)5009
〒260-0015 千葉県千葉市中央区富士見2-3-1　塚本大千葉ビル

大　宮本校　　☎048(740)5501
〒330-0802 埼玉県さいたま市大宮区宮町1-24　大宮GSビル

■ 東海

名古屋駅前本校　　☎052(586)5001
〒450-0002 愛知県名古屋市中村区名駅4-6-23　第三堀内ビル

静　岡本校　　☎054(255)5001
〒420-0857 静岡県静岡市葵区御幸町3-21　ペガサート

■ 北陸

富　山本校　　☎076(443)5810
〒930-0002 富山県富山市新富町2-4-25　カーニープレイス富山

■ 関西

梅田駅前本校　　☎06(6374)5001
〒530-0013 大阪府大阪市北区茶屋町1-27　ABC-MART梅田ビル

難波駅前本校　　☎06(6646)6911
〒542-0076 大阪府大阪市中央区難波4-7-14　難波フロントビル

京都駅前本校　　☎075(353)9531
〒600-8216 京都府京都市下京区東洞院通七条下ル2丁目
東塩小路町680-2　木村食品ビル

京　都本校　　☎075(353)2531
〒600-8413　京都府京都市下京区烏丸通仏光寺下ル
大政所町680-1 第八長谷ビル

神　戸本校　　☎078(325)0511
〒650-0021 兵庫県神戸市中央区三宮町1-1-2　三宮セントラルビル

■ 中国・四国

岡　山本校　　☎086(227)5001
〒700-0901 岡山県岡山市北区本町10-22　本町ビル

広　島本校　　☎082(511)7001
〒730-0011 広島県広島市中区基町11-13　合人社広島紙屋町アネクス

山　口本校　　☎083(921)8911
〒753-0814 山口県山口市吉敷下東 3-4-7　リアライズⅢ

高　松本校　　☎087(851)3411
〒760-0023 香川県高松市寿町2-4-20　高松センタービル

松　山本校　　☎089(961)1333
〒790-0003 愛媛県松山市三番町7-13-13　ミツネビルディング

■ 九州・沖縄

福　岡本校　　☎092(715)5001
〒810-0001 福岡県福岡市中央区天神4-4-11　天神ショッパーズ
福岡

那　覇本校　　☎098(867)5001
〒902-0067 沖縄県那覇市安里2-9-10　丸姫産業第2ビル

■ EYE関西

EYE 大阪本校　　☎06(7222)3655
〒530-0013　大阪府大阪市北区茶屋町1-27　ABC-MART梅田ビル

EYE 京都本校　　☎075(353)2531
〒600-8413　京都府京都市下京区烏丸通仏光寺下ル
大政所町680-1 第八長谷ビル

LEC提携校

＊提携校はLECとは別の経営母体が運営をしております。
＊提携校は実施講座およびサービスにおいてLECと異なる部分がございます。

■ 北海道・東北

北見駅前校【提携校】 ☎0157(22)6666
〒090-0041　北海道北見市北1条西1-8-1　一燈ビル　志学会内

八戸中央校【提携校】 ☎0178(47)5011
〒031-0035　青森県八戸市寺横町13　第1朋友ビル　新教育センター内

弘前校【提携校】 ☎0172(55)8831
〒036-8093　青森県弘前市城東中央1-5-2
まなびの森　弘前城東予備校内

秋田校【提携校】 ☎018(863)9341
〒010-0964　秋田県秋田市八橋鯲沼町1-60
株式会社アキタシステムマネジメント内

■ 関東

水戸見川校【提携校】 ☎029(297)6611
〒310-0912　茨城県水戸市見川2-3092-3

所沢校【提携校】 ☎050(6865)6996
〒359-0037　埼玉県所沢市くすのき台3-18-4　所沢K・Sビル
合同会社LPエデュケーション内

東京駅八重洲口校【提携校】 ☎03(3527)9304
〒103-0027　東京都中央区日本橋3-7-7　日本橋アーバンビル
グランデスク内

日本橋校【提携校】 ☎03(6661)1188
〒103-0025　東京都中央区日本橋茅場町2-5-6　日本橋大江戸ビル
株式会社大江戸コンサルタント内

新宿三丁目駅前校【提携校】 ☎03(3527)9304
〒160-0022　東京都新宿区新宿2-6-4　KNビル　グランデスク内

■ 東海

沼津校【提携校】 ☎055(928)4621
〒410-0048　静岡県沼津市新宿町3-15　萩原ビル
M-netパソコンスクール沼津校内

■ 北陸

新潟校【提携校】 ☎025(240)7781
〒950-0901　新潟県新潟市中央区弁天3-2-20　弁天501ビル
株式会社大江戸コンサルタント内

金沢校【提携校】 ☎076(237)3925
〒920-8217　石川県金沢市近岡町845-1　株式会社アイ・アイ・ピー金沢内

福井南校【提携校】 ☎0776(35)8230
〒918-8114　福井県福井市羽水2-701　株式会社ヒューマン・デザイン内

■ 関西

和歌山駅前校【提携校】 ☎073(402)2888
〒640-8342　和歌山県和歌山市友田町2-145
KEG教育センタービル　株式会社KEGキャリア・アカデミー内

■ 中国・四国

松江殿町校【提携校】 ☎0852(31)1661
〒690-0887　島根県松江市殿町517　アルファステイツ殿町
山路イングリッシュスクール内

岩国駅前校【提携校】 ☎0827(23)7424
〒740-0018　山口県岩国市麻里布町1-3-3　岡村ビル　英光学院内

新居浜駅前校【提携校】 ☎0897(32)5356
〒792-0812　愛媛県新居浜市坂井町2-3-8　パルティフジ新居浜駅前店内

■ 九州・沖縄

佐世保駅前校【提携校】 ☎0956(22)8623
〒857-0862　長崎県佐世保市白南風町5-15　智翔館内

日野校【提携校】 ☎0956(48)2239
〒858-0925　長崎県佐世保市椎木町336-1　智翔館日野校内

長崎駅前校【提携校】 ☎095(895)5917
〒850-0057　長崎県長崎市大黒町10-10　KoKoRoビル
minatoコワーキングスペース内

沖縄プラザハウス校【提携校】 ☎098(989)5909
〒904-0023　沖縄県沖縄市久保田3-1-11
プラザハウス　フェアモール　有限会社スキップヒューマンワーク内

書籍の訂正情報の確認方法と
お問合せ方法のご案内

このたびは、弊社発行書籍をご購入いただき、誠にありがとうございます。
万が一誤りと思われる箇所がございましたら、以下の方法にてご確認ください。

1 訂正情報の確認方法

発行後に判明した訂正情報を順次掲載しております。
下記サイトよりご確認ください。

www.lec-jp.com/system/correct/

2 お問合せ方法

上記サイトに掲載がない場合は、下記サイトの入力フォームより
お問合せください。

http://lec.jp/system/soudan/web.html

フォームのご入力にあたりましては、「Web教材・サービスのご利用について」の
最下部の「ご質問内容」に下記事項をご記載ください。

> ・対象書籍名（○○年版、第○版の記載がある書籍は併せてご記載ください）
> ・ご指摘箇所（具体的にページ数の記載をお願いします）

お問合せ期限は、次の改訂版の発行日までとさせていただきます。
また、改訂版を発行しない書籍は、販売終了日までとさせていただきます。

※インターネットをご利用になれない場合は、下記①〜⑤を記載の上、ご郵送にてお問合せください。
①書籍名、②発行年月日、③お名前、④お客様のご連絡先（郵便番号、ご住所、電話番号、FAX番号）、⑤ご指摘箇所
　送付先：〒164-0001 東京都中野区中野4-11-10 アーバンネット中野ビル
　　　　　東京リーガルマインド出版部 訂正情報係

・正誤のお問合せ以外の書籍の内容に関する質問は受け付けておりません。
　また、書籍の内容に関する解説、受験指導等は一切行っておりませんので、あらかじ
　めご了承ください。
・お電話でのお問合せは受け付けておりません。

講座・資料のお問合せ・お申込み

LECコールセンター 0570-064-464

受付時間：平日9:30〜20:00／土・祝10:00〜19:00／日10:00〜18:00

※このナビダイヤルの通話料はお客様のご負担となります。
※このナビダイヤルは講座のお申込みや資料のご請求に関するお問合せ専用ですので、書籍の正誤に関する
　ご質問をいただいた場合、上記②正誤のお問合せ方法のフォームをご案内させていただきます。